DIE ZEIT

# Das Junior-Lexikon

IN SECHS BÄNDEN

DIE ZEIT

# Das Junior-Lexikon

IN SECHS BÄNDEN

1 A-Det

**Herausgegeben von**
Zeitverlag Gerd Bucerius GmbH & Co. KG, Hamburg
und Wissen Media Verlag GmbH, Gütersloh

**Herausgeberin und Redaktionsleiterin ZEIT:**
Dr. Susanne Gaschke
**Redaktionsleiterin Wissen Media Verlag:**
Dr. Beate Varnhorn

**Projektleiterin Wissen Media Verlag:** Katja Baier

**Redaktion ZEIT:** Christian Staas
**Redaktion Wissen Media Verlag:**
Christian Adams, Petra Bischof, Anke Braun, Antonia Hansmeier, Dr. Manfred Hoffmeister, Dr. Ulrike Hönsch, Christina Langner, Tanja Loos, Heike Linnemannstöns, Hans-Georg Michel, Ursula Rzepka, Peter Wassen-Lamberty

**Layout und Einbandgestaltung:** Kay Lübke
**Datenaufbereitung und Satz:**
Dirk Bischoff, Jo.Pelle Küker-Bünermann
**Karten- und Grafikredaktion:** Dr. Matthias Herkt
**Bildredaktion:** Ursula Franz, Anka Hartenstein, Sonja Rudowicz, Svenja Schumann, Thekla Sielemann
**Herstellung:** Joachim Weintz

**Druck und Bindung:**
MOHN Media Mohndruck GmbH, Gütersloh
Printed in Germany

DIE ZEIT


ISBN Gesamtwerk: 978-3-577-07640-1
ISBN Band 1: 978-3-577-07641-8

## Vorwort

Eine ganze Weile war es Mode, darüber zu klagen, wie schnell unser Wissen angeblich »veraltet«. Damit war gemeint, dass sich die Welt so schnell verändert, dass die Menschen kaum noch alles mitbekommen, wahrnehmen und begreifen können, was um sie herum geschieht. Ein bisschen klang dieses Gerede vom veraltenden Wissen auch immer so, als müsse man sich gar nicht mehr bemühen, irgendetwas genau zu wissen – es konnte sich ja morgen schon geändert haben. Wenn es tatsächlich so wäre, dann wären das schlechte Zeiten für Lexika, für Bücher, die davon leben, dass ihr Inhalt sich viele Jahre hält.

Wir ahnen jedoch aus unseren Alltagserfahrungen, dass es sich so nicht verhält: Es gibt massenhaft Dinge, die im Großen und Ganzen so bleiben, wie sie sind, und über die man durchaus genau Bescheid wissen kann. Manchmal sogar muss. Und nicht immer »veraltet« eine bestehende Erkenntnis, wenn eine Neue hinzukommt. Meist wird es dann einfach noch mehr, was man wissen sollte.

Richtig ist allerdings, dass es schwer sein kann zu entscheiden, welche Informationen wichtig und richtig sind: Von allen Seiten senden, funken, blinken Medien – Zeitungen, Fernsehsender, Rundfunk, das Internet – uns interessante Dinge entgegen. Was können wir in unserer begrenzten Zeit lesen und verstehen? Was stimmt, was stimmt nicht?

Ein Lexikon ist in Zeiten der Informationsüberflutung eine große Hilfe. Nicht, weil es alles Wissen der Welt enthielte – das kann selbst das beste Nachschlagewerk nicht. Aber es kann etwas anderes: Es kann Informationen, die viele Menschen gut gebrauchen können, prüfen, sortieren und – begrenzen. Und so wird das alte, als »langsam« beschimpfte Medium Buch plötzlich zur Abkürzung: Bevor ich mich durch endlose, ungeordnete und vielleicht sogar widersprüchliche Datenmengen wühle, sagt mir das Lexikon schnell das Wichtigste über Abgeordnete, Belichtungsmesser oder Chromosomen, über Wildkatzen, Yin und Yang oder auch die Zehn Gebote. Und natürlich zu vielen anderen Themen. Herausgeber und Redaktion stehen dafür gerade, dass die Informationen stimmen und dass man sie verwenden kann – für den Vortrag ebenso wie für eine Hausaufgabe. Wir haben den »normalen« Inhalt eines Nachschlagewerks – 10 000 Stichworte, erklärt und bebildert – um 60 Beiträge von ZEIT-Autoren ergänzt, die noch mehr bieten: Sie machen Zusammenhänge sichtbar, sie beantworten Fragen, die über die nackten Tatsachen hinausgehen. Wie kommt das Fischstäbchen auf meinen Teller? Warum hat Deutschland keinen König? Wann fingen die Menschen an, Musik immer und überall hören zu wollen? Was geschieht eigentlich in einem Computer?

Die Redaktion hofft, dass diese Beiträge interessant und vergnüglich zu lesen sind – und dass sie das leisten, was die ZEIT auch als Zeitung für Erwachsene tun möchte: Orientierung geben. Hintergründe ausleuchten. Erklären, wie es sich wirklich verhält. Solche Texte für junge Leser zu schreiben, war für die Autoren eine Herausforderung: Es ist nämlich sehr viel schwerer, Auskunft zu geben, wenn man sich nicht auf das herausreden kann, was der Leser vermeintlich sowieso schon weiß. Aber es hat uns großen Spaß gemacht. Und den wünschen wir allen Lesern unseres ZEIT Junior-Lexikons, auch und gerade denen, die älter als 14 Jahre sind.

*Susanne Gaschke*
*Herausgeberin ZEIT Junior-Lexikon*

# Wie benutzt man dieses Lexikon?

## Stichwort

Die Stichwörter sind fett gedruckt und alphabetisch geordnet. Die Umlaute ä, ö, ü werden behandelt wie die Buchstaben a, o, u (z. B. folgt Flöte auf Flossen); ß wird wie ss eingeordnet. Buchstaben mit Akzenten (z.B. á, é, í) werden wie solche ohne Akzente behandelt.

Manchmal sind für ein und dasselbe Stichwort unterschiedliche Schreibweisen möglich. Wir haben für dieses Lexikon die Form gewählt, die am gebräuchlichsten ist. Andere Schreibweisen, wie auch Synonyme, stehen in schräger Schrift hinter dem Hauptstichwort (z. B. **Coffein** [das], *Koffein* …). In Zweifelsfällen wird das Auffinden eines Stichworts durch Verweise erleichtert. Findet man ein Stichwort unter C nicht, könnte es z. B. auch unter K oder Z zu finden sein oder umgekehrt (z. B. **Koffein** → Coffein). Das Gleiche gilt für V und W, F und Ph (z. B. **Photographie** → Fotografie), J und Y (z. B. **Joga** → Yoga). Bei gleich lautenden Stichwörtern mit verschiedenen Bedeutungen werden die Erläuterungen aneinander gereiht und mit Ziffern versehen: **1.** … **2.** …

Besonders wichtige Begriffe und interessante Themen werden in deutlich hervorgehobenen Übersichtsartikeln und in ZEIT-Beiträgen behandelt.

## Angaben zum Stichwort

Hinter dem Stichwort stehen in eckigen Klammern [ ] folgende Angaben:

1. die Aussprache, falls diese von der deutschen Schreibweise abweicht;
2. bei Hauptwörtern das grammatikalische Geschlecht (der, die, das). Ist ein Begriff im Plural gebräuchlicher, steht Pl. in der eckigen Klammer;
3. die sprachliche Herkunft bei Lehn- und Fremdwörtern. Sie ist nur dann angegeben, wenn sie zur Erläuterung des Begriffs beiträgt, und steht in abgekürzter Form in der eckigen Klammer:

| | |
|---|---|
| arab. | = arabisch |
| chin. | = chinesisch |
| engl. | = englisch |
| franz. | = französisch |
| griech. | = griechisch |
| hebr. | = hebräisch |
| ital. | = italienisch |
| lat. | = lateinisch |
| niederländ. | = niederländisch |
| österreich. | = österreichisch |
| russ. | = russisch |
| schweiz. | = schweizerisch |
| span. | = spanisch |

## Zeichen

| | |
|---|---|
| * | geboren |
| † | gestorben |
| → | Verweis |
| % | Prozent |
| ® | registered |

DIE ZEIT

## Lautschrift

Für die Lautschrift werden – zusätzlich zu den bekannten deutschen Buchstaben – folgende Zeichen der internationalen Lautschrift verwendet:

### Vokale und Diphthonge (Doppelvokale)

| | |
|---|---|
| ː | der vorausgegangene Vokal wird lang gesprochen |
| ' | Betonung der nachfolgenden Silbe |
| a | kurzes a (wie in *kann*) |
| aː | langes a (wie in *Magen*) |
| æ | sehr offenes kurzes ä (wie in engl. *match*) |
| ʌ | kurzes dumpfes a (wie in *Butler*) |
| ã | nasaliertes a (wie in *Montblanc* [ː mɔ̃ːblã]) |
| ai | Diphthong (wie in *Mai, Brei*) |
| au | Diphthong (wie in *Baum*) |
| e | halb langes geschlossenes e (wie in *gebt*) |
| eː | langes geschlossenes e (wie in *Beere*) |
| ə | kurzes dumpfes e (wie in *Masse, Linie*) |
| əː | langes dumpfes e (wie in *Churchill* [ː tʃəːtʃil]) |
| ɛ | kurzes offenes e (wie in *Fest, Gänse*) |
| ɛː | langes offenes e (wie in *ordinär*) |
| ɛi | Diphthong (wie in *Rio de Janeiro* ['riu di ʒa' nɛiru]) |
| ɛ̃ | nasaliertes e (wie in franz. *jardin* [ʒar'dɛ̃]) |
| i | kurzes i (wie in *bin, sind*) |
| iː | langes i (wie in *Bibel, Lied*) |
| ɔ | kurzes offenes o (wie in *Ross*) |
| ɔː | langes offenes o (wie in engl. *Wallstreet* ['wɔːlstriːt]) |
| ɔ̃ | nasaliertes o (wie in *Montblanc* ['mɔ̃'blã]) |
| ɔi | Diphthong (wie in *heute*) |
| ɔu | Diphthong (wie in engl. *Bowling* ['bɔuliŋ]) |
| o | halb langes geschlossenes o (wie in *Obst*) |
| oː | langes geschlossenes o (wie in *Moos*) |
| œ | kurzes offenes ö (wie in *Köln*) |
| ø | halb langes geschlossenes ö (wie in *Fischöl*) |
| øː | langes geschlossenes ö (wie in *nervös*) |
| œ̃ | nasaliertes ö (wie in franz. *Verdun* [vɛr'dœ̃]) |
| u | kurzes u (wie in *kurz*) |
| uː | langes u (wie in *Gruß*) |
| y | kurzes ü (wie in *schützen*; franz. *Tartuffe* [tar'tyf]) |
| y' | langes ü (wie in *führen, lyrisch*) |

### Konsonanten

| | |
|---|---|
| ç | ch (wie in *ich*) |
| x | ch (wie in *machen*; span. *Junta* ['xunta]) |
| ŋ | ng (wie in *Klang, Bank*) |
| s | stimmloses s (wie in *essen, weiß*) |
| z | stimmhaftes s (wie in *Saal, Waise*) |
| ʃ | stimmloser sch-Laut (wie in *schaffen*; engl. *Shakespeare* ['ʃɛikspiə]) |
| ʒ | stimmhafter sch-Laut (wie in *Journal* [ʒur'naːl], *Etage* [e'taːʒə]) |
| θ | stimmloser Lispellaut (wie in engl. *Commonwealth* ['kɔmənwɛlθ]) |
| ð | stimmhafter Lispellaut (wie in engl. *father* ['faːðə]) |

## Abkürzungsverzeichnis

| | |
|---|---|
| bzw. | beziehungsweise |
| ca. | circa |
| cm | Zentimeter |
| Jh. | Jahrhundert |
| kg | Kilogramm |
| km | Kilometer |
| m | Meter |
| Mio. | Millionen |
| Mrd. | Milliarden |
| n. Chr. | nach Christus |
| nm | Nanometer |
| Pl. | Plural |
| Sg. | Singular |
| St. | Sankt, Saint |
| t | Tonne |
| u. a. | unter anderem; und andere(s) |
| u. Ä. | und Ähnliches |
| u. a. m. | und anderes mehr |
| ü. M. | über dem Meeresspiegel |
| usw. | und so weiter |
| v. a. | vor allem |
| v. Chr. | vor Christus |
| z. B. | zum Beispiel |
| z. T. | zum Teil |

## ZEIT-Beiträge

### Band 1: A – Detail



### Band 2: Deutsche Demokratische Republik – Hamster



### Band 3: Handball – Leiter

## Band 4: Lektoren – Parzival



## Band 5: Pascal – Soziologie



## Band 6: Spacelab – Z

A

**a**, **1.** Kurzzeichen für → Ar. **2.** sechste Stufe der C-Dur-Tonleiter. Das eingestrichene a (a') ist der Kammerton, nach dem die Instrumente gestimmt werden.

**A**, **1.** erster Buchstabe des Alphabets (Vokal). **2.** Kurzzeichen für → Ampere.

**@**, Sonderzeichen auf z.B. PC-Tastaturen mit der ursprünglich kaufmännischen Bedeutung »zu« bzw. »à«, umgangssprachlich auch als »Klammeraffe«, englisch als »at«-Symbol bezeichnet. In der EDV wird @ u.a. als Steuer- und Trennzeichen in E-Mail-Adressen benutzt.

**Aachen**, alte Stadt in Nordrhein-Westfalen, nahe der Grenze zu Belgien und den Niederlanden, 256 600 Einwohner. Aachen ist Bischofssitz und hat eine technische Hochschule. Die Stadt war Residenz *Karls des Großen*. Bis ins 16. Jh. wurden in Aachen die deutschen Könige gekrönt.

*Aachen: Der Kernbau des Aachener Münsters, die Pfalzkapelle Karls des Großen, wurde 792–805 erbaut. Sie ist das beherrschende Bauwerk der Stadt.*

*Aale: Der Europäische Flussaal ist ein Wanderfisch, der im Süßwasser lebt und zum Laichen ins Meer zieht.*

**Aale** [Pl.], Fische mit schlangenartigem Körper und schleimiger Haut, die über 1 m lang werden. Das Besondere in ihrem Lebenslauf ist, dass sie zum Laichen aus Flüssen und Seen ins Meer ziehen. Unser *Europäischer Flussaal* wandert 7000 km bis zur Sargassosee im Westatlantik, um hier zu laichen und dann zu sterben. Die winzigen, durchsichtigen Larven, die aus den Eiern schlüpfen, werden vom Golfstrom in 3 Jahren an die europäischen Küsten getragen, wo sie sich zum *Glasaal* umwandeln. Als *Steigaale* wandern sie die Flüsse hinauf, wobei sie die dunkle Farbe annehmen. Bis zu zehn Jahre leben sie im Süßwasser, fressen sich große Fettreserven an und machen sich dann auf die lange Wanderung zu ihren Laichplätzen.

**Aare** [die], größter schweizerischer Nebenfluss des Rheins, 295 km lang, entspringt in den Gletschern der Berner Alpen und mündet südlich von Waldshut in Baden-Württemberg.

**Aargau**, ein Kanton im Norden der Schweiz. Im Aargau liegt in der Gemeinde Habsburg die gleichnamige Burg, der Stammsitz der Habsburger.

**Aas** [das], Kadaver, Tierleiche.

**Aaskäfer** [Pl.], auf der ganzen Welt verbreitete Familie schneller, meist flacher Käfer, die sich vor allem von Aas ernähren. Bei uns lebt der schwarz und orange gezeichnete *Totengräber*, der kleine Tierleichen vergräbt, an die das Weibchen seine Eier legt.

*Aaskäfer: Die gelbrotschwarze Zeichnung des Totengräbers soll Feinde abschrecken.*

**Abakus** [der], ein Rechengerät mit aufgereihten Steinen oder Perlen, die verschoben werden können. Der Abakus war schon im Altertum bekannt und wird heute noch besonders in China und Japan benutzt.

**ABBA**, schwedische Popgruppe der 1970er Jahre; ABBA wurde 1972 gegründet, ging 1982 auseinander und bestand aus den Sängerinnen Anni-Frid (»Frida«) Lyngstad (* 1945) und Agnetha Fältskog (* 1950), Björn Ulvaeus (* 1945, Gitarre) und Benny Andersson (* 1946, Keyboard). ABBA gewann 1974 mit dem Song »Waterloo« den Grand Prix d'Eurovision. 1999 entstand das Musical »Mamma Mia!«.

**Abbildung** [die], zentraler Begriff in der Mathematik; eine Abbildung ist die Zuordnung zwischen den Elementen zweier Mengen x und y. In der Analysis heißen eindeutige Abbildungen *Funktionen*.

**ABC-Waffen** [Pl.], **a**tomare Waffen (z. B. Atombombe), **b**iologische Waffen (z. B. Bakterien und Viren) und **c**hemische Waffen (z. B. Giftgase). Die Bundesrepublik Deutschland hat 1954 auf die Herstellung dieser Waffen verzichtet.

**Abendland** [das], *Okzident*, ein Begriff der Kulturgeschichte aus der Zeit, als das Mittelmeer das Zentrum des Kulturraumes war. Von diesem Zentrum aus gesehen liegt das Abendland im Westen in der Richtung des Sonnenuntergangs. Im Osten, wo die Sonne aufgeht, liegt das *Morgenland (Orient)*. Die abendländische Kultur ist die aus antikem Erbe und Christentum hervorgegangene Kultur West- und Mitteleuropas.

**Abendmahl** [das], das letzte Mahl, das Jesus Christus vor seiner Gefangennahme und Kreuzigung mit seinen Jüngern hielt. Dabei reichte er ihnen Brot und Wein und forderte sie auf, diese Feier zu seinem Gedächtnis zu wiederholen. Die Feier des Abendmahls wurde für alle Christen zur wichtigsten und festlichsten Handlung ihres Glaubens und Gottesdienstes.

**Abendrot** [das], eine Rotfärbung des westlichen Abendhimmels kurz vor und nach Sonnenuntergang. Durch den Tiefstand der Sonne muss das Licht einen längeren Weg durch die Atmosphäre zurücklegen, wobei es in seine Bestandteile zerlegt wird und der kurzwellige blaue Anteil verloren geht.

**Abendstern** [der], der Planet Venus.

**Aberglaube** [der], der Glaube an geheimnisvolle Kräfte oder eingebildete Erscheinungen, die nicht

*Ein Abakus ist ein uraltes Recheninstrument für die vier Grundrechenarten.*

*Abendstern: die Venus auf einer Aufnahme der Raumsonde Pioneer*

durch Naturgesetze erklärt werden können. Zum Aberglauben gehören sowohl der Glaube an glücksbringende Dinge (z. B. ein vierblättriges Kleeblatt oder ein Hufeisen) als auch die Furcht vor unglücksankündigenden Vorzeichen (z. B. die Zahl 13 oder eine schwarze Katze). Auch heute sind noch viele Menschen abergläubisch; sie lassen sich z. B. von Hellsehern oder Astrologen beraten.

**Abfahrtslauf** [der], alpiner Ski-Schnelligkeitswettbewerb über Strecken mit Höhenunterschieden für Männer 800–1100 m, für Frauen 500–800 m. Auch → Skisport.

**Abfall** [der] → Müll.

**Abgase** [Pl.], bei Verbrennungen in Heizanlagen, Fabriken und Autos entstehende gasförmige Abfallprodukte, die teilweise feste und flüssige Bestandteile enthalten (z. B. Ruß, Asche, Wasserdampf). Viele Abgase enthalten giftige Bestandteile (z. B. Kohlenmonoxid, Schwefel- und Bleiverbindungen), die mit Filtern unschädlich gemacht werden können. Auch → Katalysator (2.).

**Abgeordnete** [Pl.], Volksvertreter. Die Abgeordneten sind meist Mitglieder einer Partei und werden vom Volk gewählt. Sie sollen im Parlament (Bundestag, Landtag) bei der Gesetzgebung mitwirken und die Interessen ihrer Wähler vertreten.

## *Was ist …* Abhängigkeit

Abhängigkeit ist ein Zustand, in dem ein Mensch ein unüberwindbares Verlangen nach einer bestimmten Substanz oder einem bestimmten Verhalten empfindet, das er nicht mehr steuern kann und von dem er völlig beherrscht wird. Oft spricht man in solch einem Fall auch von einer Sucht. Ein derartiger Zustand wird heute als Krankheit angesehen.

**Formen von Abhängigkeit und Ursachen:** Häufig wird Sucht mit der körperlichen Abhängigkeit von einem Suchtmittel gleichgesetzt. Daneben gibt es aber auch Formen der Abhängigkeit wie z. B. Spielsucht, Magersucht oder Arbeitssucht, die unabhängig von einem Stoff sind und eigentlich Verhaltensstörungen darstellen. Denn auch solche Suchtformen können für Betroffene und ihr Umfeld ähnlich schwerwiegende Folgen haben wie die stoffabhängigen Süchte: körperlicher Verfall, reduzierte Leistung und Widerstandskraft, seelische Beeinträchtigungen, finanzielle Probleme, sozialer Abstieg und manchmal sogar Strafverfolgung. Als Ursachen einer Abhängigkeit gelten bestimmte Persönlichkeitsmerkmale wie geringes Selbstwertgefühl und Komplexe, Spaß am Risiko, Problemverdrängung, Geltungsdrang und leichte Beeinflussbarkeit. Genetische, also erbliche Faktoren scheinen ebenfalls beteiligt zu sein, und auch das soziale Umfeld hat Einfluss auf die Entwicklung einer Abhängigkeit.

**Legale und illegale Rauschmittel:** Hinsichtlich der Bewertung von Rauschmitteln in einer Gesellschaft ist entscheidend, ob es sich um legale oder illegale Drogen handelt. Diese Klassifizierung ist abhängig von der herrschenden Kultur. So ist der Genuss von Alkohol und Nicotin in der westlichen Welt weitgehend akzeptiert, obwohl diese Drogen jedes Jahr viele Todesopfer fordern, während die Cannabis-Produkte Haschisch und Marihuana bei uns zu den illegalen Drogen zählen, obwohl sie nicht zu körperlicher Abhängigkeit führen. Angesichts der Zahl der Betroffenen und der Folgen stehen bei den legalen Drogen vor allem Alkohol, Nicotin und Medikamente (u.a. Schlafmittel) und bei den illegalen Drogen Heroin, Kokain, Ecstasy und Cannabis im Mittelpunkt.

**Entstehung einer Sucht:** Bei der Entstehung einer Abhängigkeit wirken seelische Faktoren und körperliche Prozesse zusammen. Chemische Drogen setzen Substanzen frei, die in den Stoffwechsel des Körpers eingreifen. Beruhigende Rauschmittel lähmen bzw. blockieren die Kontaktstellen der Nervenzellen. Dadurch kommt es zu einer verminderten Wahrnehmungsfähigkeit und einem angenehm empfundenen Gefühl der Entspannung und Gelöstheit. Starke bzw. hoch dosierte Rauschmittel können bis zur Bewusstlosigkeit führen. Anregende Drogen stimulieren dagegen ständig die Nerven, was subjektiv als gesteigerte Klarheit oder Aufnahmefähigkeit erlebt wird. Tatsächlich sind aber Reaktionsfähigkeit und Umweltwahrnehmung stark getrübt. Nach Abklingen der angenehm entspannten oder euphorischen Stimmung kommt es zu tiefer Niedergeschlagenheit, Verstimmung und heftigen Unlustgefühlen. Das Bedürfnis nach erneuter Drogeneinnahme wird immer stärker und schließlich unerträglich. Da Suchtmittel im Körper Aufgaben übernehmen, die eigentlich von körpereigenen Stoffen erledigt werden, kommt es neben der seelischen Abhängigkeit auch zur körperlichen Sucht.

**Therapie:** Die Behandlung einer Sucht beginnt meist mit einer Entziehungskur, gefolgt von einer Psychotherapie. Ein plötzliches Absetzen der Droge (kalter Entzug) löst z.T. heftige Entzugserscheinungen wie Schweißausbrüche, Zittern und Erbrechen aus und führt häufig zu Rückfällen. Ausstiegswilligen wird daher empfohlen, entsprechende ärztliche und psychotherapeutische Hilfe zu suchen und Selbsthilfeeinrichtungen zu nutzen.

**Abidjan** [abi'dʒaːn], ehemalige Hauptstadt, heute Regierungssitz der Republik Côte d'Ivoire, 2,9 Mio. Einwohner.

**Abitur** [das, lat.], die Abschlussprüfung der Oberstufe (Sekundarstufe II) an Gymnasien oder Gesamtschulen. Durch das Abitur erwirbt man die Hochschulreife. Das Fachabitur kann man nach 12 Schuljahren an Fachoberschulen erreichen. Es berechtigt zum Besuch einer Fachhochschule.

**Ablaut**, systematischer Wechsel einer Reihe von Vokalen in sonst identischen Morphemen (Stamm oder Ableitungssilben); z.B. springen, sprang, gesprungen.

**Abonnement** [abɔn'mã, das, franz.], der regelmäßige Bezug z.B. von Zeitungen und Zeitschriften, aber auch von Theater- und Konzertkarten.

**Aborigines** [Pl., engl.], die ursprünglichen Einwohner Australiens. Sie gehören zu einer sehr altertümlichen Gruppe der Menschheit und haben eine reiche eigenständige Kultur entwickelt. Früher lebten sie als Jäger und Sammler. Als die Europäer 1788 begannen, Australien zu besiedeln, wurden viele der Ureinwohner getötet und durch eingeschleppte Krankheiten dezimiert. Rund 400 000 Aborigines leben heute noch in Australien, zumeist als Mischlinge und zurückgedrängt in Reservaten. Durch die Ausbeutung von Bodenschätzen werden ihre Kultstätten entweiht, und ihre alte Kultur wird dabei zunehmend zerstört.

**Abraham**, im Alten Testament der Stammvater des Volkes Israel. Als Gott von ihm verlangte, dass er seinen Sohn opferte, war er zu unbedingtem Gehorsam bereit.

**abrupt** [lat.], plötzlich, wie aus heiterem Himmel.

**Abrüstung** [die], Verringerung oder vollständige Abschaffung von Streitkräften und Rüstung eines oder mehrerer Länder. Abrüstung ist meist das Ergebnis politischer Verhandlungen und soll der Sicherung des Friedens in der ganzen Welt dienen. Seit den 1960er Jahren gab es zahlreiche Abkommen zwischen den beiden großen Militärblöcken USA und Sowjetunion, wobei es vor allem um den Abbau nuklearer Waffen ging. Aber auch nach dem Zerfall der Sowjetunion wurden die Gespräche weitergeführt.

**ABS**, Abkürzung für ***A****nti****b****lockier****s****ystem*, elektronische Vorrichtung an Motorbremsen, damit bei einer scharfen Bremsung nicht alle Räder gleichzeitig blockieren. Dadurch hat der Fahrer die Möglichkeit, beim Bremsen zeitgleich zu lenken und so ein Hindernis zu umfahren.

*Aborigines: Traditionell bemalter Aborigine-Junge beim Spiel mit einem Bumerang*

**Abschiebung**, zwangsweise, überwachte Ausreise eines Ausländers aus dem Gebiet eines Staates.

**abseits**, beim Fußball, Hockey, Eishockey und Rugby eine regelwidrige Stellung eines Spielers, auf die ein Freistoß oder Freischlag gegeben wird. Beim Fußball ist jeder Spieler abseits, der sich bei der Ballabgabe näher an der gegnerischen Torlinie befindet als der Ball und weniger als zwei Gegner vor sich hat. Beim Eishockey darf ein Spieler nicht vor dem Puck oder einem den Puck führenden Mitspieler über die blaue Linie ins gegnerische Verteidigungsdrittel laufen.

**absolut** [lat., »losgelöst«], uneingeschränkt, unbedingt, unabhängig.

**Absolution** [die, lat., »Lossprechung«] → Beichte.

? *Was ist …*

**Absolutismus**

Der Absolutismus war die vorherrschende Regierungsform im Europa des 17. und 18. Jh., nach ihm wurde die gesamte Epoche benannt.

**Merkmale:** Im Absolutismus hatte der Herrscher alle gesetzgebende, vollziehende und Recht sprechende Gewalt inne. Er selbst stand über den Gesetzen und konnte allein entscheiden, ob und bei wem er Rat einholte. Beamte und Offiziere waren durch einen persönlichen Treueeid an den Monarchen gebunden und schuldeten ihm unbedingten Gehorsam. Der Absolutismus bezweckte eine straffere Staatsführung unter Ausschaltung der Machtansprüche von Adel und Geistlichkeit. Gerechtfertigt wurde der Absolutismus u. a. durch die Theorie von der absoluten Machtvollkommenheit des Monarchen (»Souverän«) sowie der christlichen Auffassung vom Gottesgnadentum des Herrschers. Zur Sicherung des inneren Friedens hatte sich der Einzelne, der Untertan, dem unbeschränkten Willen des Monarchen zu unterwerfen.

**Entwicklung:** Seine deutlichste Ausprägung fand der Absolutismus in Frankreich unter *Ludwig XIV.*, dem »Sonnenkönig«: »Des Königs Wille ist oberstes Gesetz«, »Der Staat bin ich«. Die glanzvolle Hofhaltung Ludwigs in *Versailles* zeigte den absoluten Herrschaftsanspruch über Mensch und Natur, der sich auch in der Schloss- und Gartenarchitektur offenbarte. Für andere europäische Regenten wurde diese Hofhaltung zum Vorbild. Im 18. Jh. milderten viele Herrscher, so *Friedrich der Große* in Preußen und Kaiser *Joseph II.* in Österreich, den persönlichen Absolutismus zum sogenannten *aufgeklärten Absolutismus*, in dem sich der Fürst als »erster Diener des Staates« verstand. Diese Regenten milderten das Strafrecht, verbesserten das Schul- und Bildungswesen und forderten religiöse Toleranz. Eine Mitbestimmung ihrer Untertanen im Staat ließen sie aber nicht zu. In Frankreich wurde der Absolutismus durch die → Französische Revolution von 1789 beseitigt. Im übrigen Europa wurde er im Verlauf des 19. Jh. in zum Teil schweren Auseindersetzungen durch die konstitutionelle Monarchie ersetzt.

*Das französisches Hofzeremoniell setzte sich in der Epoche Ludwigs XIV. überall in Europa als vorbildlich durch. Gemälde von Louis Silvestre d. J., Gemäldesammlung Versailles*

**absolvieren** [lat., »loslösen«], beenden, ableisten, z. B. den Wehrdienst.

**Absorption** [die, lat., »das Verschlingen«], **1.** die Aufnahme von Gasen in Flüssigkeiten oder festen Stoffen, z. B. Kohlendioxid in Mineralwasser. **2.** die Abschwächung der Energie (von Licht-, Wärmestrahlen oder Schallwellen) beim Durchgang durch Materie. Z. B. wird Licht in Wasser immer schwächer, je tiefer es dringt: Es wird »verschluckt«.

**Abstammungslehre** [die] → Evolution.

**Abstinenz** [die], der (meist freiwillige) Verzicht auf bestimmte Genüsse (z. B. auf Alkohol, Rauchen).

**abstrakt** [lat.], gedanklich, etwas Gedachtes, das man nicht sehen, hören, riechen oder mit den Händen anfassen kann, z. B. das Gute und das Böse, Glaube und Hoffnung. Gegensatz: *konkret*.

**abstrakte Kunst** [die], ein künstlerischer Stil in Malerei, Bildhauerei und Grafik. Die abstrakte Kunst vermeidet es, etwas wirklichkeitsgetreu abzubilden. Sie will mit Farben und Formen das Wesen des abgebildeten Gegenstandes erfassen und unmittelbar auf die Fantasie des Betrachters wirken. Der Maler Wassily *Kandinsky* hat diesen Stil um 1910 bekannt gemacht. Siehe auch ZEIT-Beitrag → »Abstrakte Kunst: Was soll das denn sein?«, Seite 18–21.

**absurd** [lat.], unsinnig, unvernünftig.

**Abt** [der, von griech. abbas, »Vater«], Vorsteher eines Klosters, einer Abtei.

**Abtreibung** [die] → Schwangerschaftsabbruch.

**Abu Dhabi**, auch *Abu Sabi*, Hauptstadt der Vereinigten Arabischen Emirate, 558 000 Einwohner. Aufgrund der Einnahmen aus den umfangreichen Erdölförderungen weist Abu Dhabi eines der höchsten Pro-Kopf-Einkommen der Welt auf.

**Abwasser** [das], das in Haushalten, Gewerbe und Industrie gebrauchte Wasser, das verschmutzt und erwärmt abgelassen wird. Es muss in die Kanalisation geleitet und in der Kläranlage gereinigt werden.

**Abwertung** [die], die Herabsetzung einer Währung in ihrem Wert gegenüber anderen Währungen. Gegensatz: *Aufwertung.*

**a cappella** [ital.], ohne Instrumentalbegleitung vorgetragener mehrstimmiger Chorgesang.

**Account** [ə'kaunt], Zugangsberechtigung zu einem E-Mail-System oder Computer-Netzwerk. Im engeren Sinne sind mit Account der Benutzername und das Passwort gemeint.

**Accra**, die Hauptstadt von Ghana, 1,7 Mio. Einwohner. Die Stadt an der Westküste Afrikas wurde 1623 von den Portugiesen gegründet.

**Aceton** [das], eine farblose, angenehm riechende, leicht entzündbare Flüssigkeit, die schnell verdunstet. Aceton wird als Lösungsmittel z. B. für Lacke, Fette, Harze, Asphalt, Kunstfasern verwendet und dient als Ausgangsstoff für andere chemische Verbindungen.

**Acetylen** [das], ein farbloses, geruchloses Gas. Einer der wichtigsten Grundstoffe in der chemischen Industrie. Acetylen wird z. B. für die Herstellung von Kunststoffen benutzt.

*Achat: Der Schnitt durch einen Achat zeigt, dass er aus verschiedenfarbigen Quarzschichten aufgebaut ist.*

*Achilles: Die Bemalung des Gefäßes zeigt, wie Achilles die Amazonenkönigin Penthesilea tötet.*

**Achat** [der], ein matt glänzender Schmuckstein aus verschiedenfarbigen Quarzschichten.

**Achilles**, ein Held der griechischen Sage um Troja. Er fiel durch einen von Apollon gelenkten Pfeil, der ihn an der einzigen verwundbaren Stelle, der Ferse, traf. Deshalb nennt man die schwache Stelle eines Menschen *Achillesferse.*

**Achse** [die], **1.** gedachte gerade Linie, um die sich ein Körper dreht (z. B. Erdachse). **2.** stabförmige Verbindung zwischen zwei Rädern (z. B. Radachse beim Auto).

**Acht** [die], eine Strafe des altdeutschen Rechts bei schweren Vergehen. Die Geächteten wurden aus der Gemeinschaft ausgestoßen. Sie durften von niemandem unterstützt und konnten von jedermann getötet werden.

»Das erste abstrakte Aquarell«, Wassily Kandinsky

## Abstrakte Kunst

# Was soll das denn sein?

**Von Jenny Gaschke**

Wenn man Menschen fragt, was sie sich unter abstrakter Kunst vorstellen, sagen wahrscheinlich viele: »Oh, meinen Sie *moderne* Kunst?« Sie beschreiben dann Bilder, auf denen keine Gegenstände erkennbar sind, sondern nur Farben und Linien. Oder Skulpturen, deren Formen keine Menschen oder Tiere darstellen und die vielleicht aus ungewöhnlichen Materialien wie rohem Stein oder Treibholz gemacht sind. Und dann sagen die meisten gleich noch mit großem Nachdruck, wie ärgerlich sie das finden – oder wie schön. Darauf kann man fast wetten.

Ein typisches abstraktes Bild ist Kasimir Malewitschs Schwarzes Quadrat. Der Künstler hat mit Ölfarben eine schwarze Fläche, die von einem weißlichen Rand umgeben ist, auf eine quadratische Leinwand gemalt. Die schwarze Fläche ist ebenfalls fast quadratisch, nur links unten tritt sie ein bisschen nach außen (siehe Abbildung rechts). Der Kontrast von Hell und Dunkel gibt dem Gemälde eine starke Wirkung: Deswegen bemerkt der Betrachter die kleine Ungenauigkeit am schwarzen Quadrat umso stärker.

### Schnell hingetuschte Linien

Ein anderes typisches Bild ist Wassily Kandinskys *Das erste abstrakte Aquarell* (oben). Hier erscheinen die Linien und Farben ganz anders als beim *Schwarzen Quadrat:* unruhig, fließend und wellig und wie schnell hingetuscht, über das Papier verteilt. Sie sind keinen begrenzten Formen zugeordnet, sondern offen und ineinander übergehend. Es wirkt so, als hätte Kandinsky im Voraus keinen Plan für seine Komposition gefasst, sondern sich, während er malte, etwas ausgedacht.

## Manche Besucher sind empört

Abstrakte Kunst ist im Museum häufig für sich allein ausgestellt. Oft in hellen, großen, ganz schlichten Räumen. Zum Spaß sollte man hier einmal die anderen Besucher beobachten, denn sie reagieren an diesen Orten ganz unterschiedlich: Manche gehen natürlich einfach schnell an den Kunstwerken vorbei, um in einen anderen Teil des Museums zu kommen. Einige aber beschweren sich. Sie haben das Gefühl, die Künstler und Künstlerinnen hätten sich wohl über ihr Publikum lustig machen wollen. Sie erwarten irgendwie mehr von einem Bild oder einer Statue und halten, was sie hier sehen, gar nicht für Kunst. Es ist doch schließlich viel einfacher, ein Quadrat zu malen als einen Menschen. Zu einfach. Und wo ist die Geschichte, die ein Bild erzählen soll?

Viele Besucher empfinden aber auch das Gegenteil – wenn man ihnen zuschaut, bekommt man den Eindruck, dass ihnen ganz feierlich zumute ist. Sie stehen ganz lange andächtig vor einzelnen Bildern und schauen konzentriert. Sie sind ganz still oder reden nur flüsternd mit anderen. Dann erzählen sie einander, was sie sehen oder fühlen. Manche sind sogar so überwältigt, dass sie sich auf den Boden legen, um die Kunst richtig zu erleben. Das ist den anderen Besuchern dann oft peinlich.

Warum haben Menschen so unterschiedliche und starke Gefühle, wenn sie es mit abstrakter Kunst zu tun bekommen? Vielleicht kann man das besser verstehen, wenn man sich fragt, worum es in abstrakten Bildern eigentlich geht. Schließlich kann man ja keine Gegenstände und Figuren erkennen, keine »Bilder« einer erzählten Geschichte.

Obwohl abstrakte Kunst tatsächlich als »modern« bezeichnet wird, ist sie schon erstaunlich alt – knapp hundert Jahre. Sie entstand am Anfang des 20. Jahrhunderts, als eure Urgroßeltern Kinder waren. Die Welt hatte sich damals dramatisch verändert und schien sich immer schneller zu drehen. Mehr Menschen als je zuvor zogen damals

Kasimir Malewitschs Bild »Das Schwarze Quadrat« aus dem Jahr 1913

in die großen Städte, um Arbeit zu finden. Es herrschte Aufbruchsstimmung, und viele wichtige Dinge geschahen auf einmal. In der Industrie und Technik gab es immer neue aufregende Erfindungen – zwischen 1894 und 1902 stellte der Ingenieur Karl Benz erstmals Autos in Serie her. Viele Leute verdienten eine Menge Geld, und Mode und Unterhaltung blühten. Zum ersten Mal wurden überall große Kinos gebaut. In Europa und den USA demonstrierten Frauen für ihr Wahlrecht. Der Arzt Sigmund Freud untersuchte die menschliche Psyche und entwickelte, was wir heute die Psychoanalyse nennen.

Aber vielen Menschen machten diese gewaltigen Veränderungen auch Angst – und andere wurden durch sie schrecklich arm. Vielen kam diese Welt unglaublich viel komplizierter vor als früher. Und der Erste Weltkrieg (1914–1918) schließlich brachte bisher ungekanntes Leid über die Menschheit. Viele junge Künstler, und immer mehr Künstlerinnen, hatten damals das Gefühl, dass ihre Kunst mit diesem veränderten, diesem »modernen« Leben irgendetwas zu tun haben sollte.

## Formen, Farben, Oberfläche

Realistisch gemalte Bilder von vergangenen Heldentaten der Antike, aber auch die fröhlichen, bunten Blumenwiesen in den Gemälden der französischen Impressionisten, wie sie bisher gemalt worden waren, hatten das jedenfalls nicht mehr in ausreichendem Maße. Die jungen Künstler wollten herausfinden, was man mit Kunst ausdrücken kann, ohne so zu tun, als blicke das Auge, das ein Bild sieht, auf echte Gegenstände oder Personen. Maler und Bildhauer überall in Europa, zum Beispiel in Paris, in Moskau und Berlin, probierten neue Stile und Themen für ihre Kunst aus. Sie wollten wissen, wie Formen, Farben und das Material, aus dem das Kunstwerk geschaffen wurde, selbst unmittelbar auf den Menschen wirken.

Eine Möglichkeit war, gemalte Gegenstände mit immer einfacheren Grundformen darzustellen und dabei die Farben frei zu wählen. Oder, wie man an Malewitschs und Kandinskys Bildern sehen kann, schließlich alles »wegzulassen«, was nicht wichtig scheint, um sich auszudrücken. Und tatsächlich kommt das Wort »abstrakt« aus dem Lateinischen, von *abstrahere,* was »abziehen« bedeutet. Zurück bleiben die allereinfachsten Elemente in der Malerei und der Bildhauerei: Farbe,

*»Komposition in Rot, Gelb, Blau« von Piet Mondrian*

*Wassily Kandinsky: »Komposition 8« (1923)*

Form und wie sich die Oberfläche anfühlt. Doch damit meinten die Künstler nicht, dass Kunst nun keine inhaltliche Bedeutung mehr haben könnte.

## Die Leere der modernen Zeit

In Russland hatten die Bauern seit Jahrhunderten ihre Ikonen, das heißt ihre tief religiösen Bilder, in die östliche Ecke ihrer Zimmer gehängt. Nachdem Kasimir Malewitsch 1913 das erste Mal ein schwarzes Quadratbild gemalt hatte, hängte er es zwei Jahre später in einer Ausstellung genau auf die gleiche Art und Weise übereck auf. Und er beschrieb sein Bild sogar als eine »Ikone« der neuen Kunst. Der Betrachter sollte angesichts der einfach konstruierten Komposition seines Bildes genauso tief empfinden wie zuvor angesichts der religiösen Malerei, die nun in der modernen Gegenwart unbedeutend geworden war. Und empfinden sollten die Betrachter nichts Geringeres als die Gegenstandslosigkeit und »Leere« der modernen Zeit an sich.

Wenn man darüber nachdenkt, ist das ganz schön viel auf einmal und vielleicht auch ein bisschen beunruhigend. Wassily Kandinsky verglich Farbe mit Klang, und seine Kunst verstand er als eine Farbmusik, die mit ihrer Ausdruckskraft die Menschen innerlich berühren sollte. Es sind also ziemlich große Ansprüche, die sich die abstrakte Kunst stellt und die sie mit scheinbar sehr einfachen Mitteln erfüllen will. Vielleicht ist das der Grund, dass Museumsbesucher so unterschiedlich reagieren – entweder sie finden, dass das Experiment gelungen ist oder dass so ein Unternehmen gar nicht gelingen kann. Die Künstler und Künstlerinnen selbst jedenfalls ließen sich von abstrakter Kunst nicht mehr abbringen. Und auch nach dem Zweiten Weltkrieg existierte sie als ein Kunststil unter anderen bis heute weiter – immer wieder anders verwendet und weiterentwickelt.

*Aconcagua: Der erloschene Vulkan wurde 1897 zum ersten Mal bestiegen.*

**Aconcagua** [der], der höchste Berg Amerikas, in den argentinischen Anden, 6960 m.

**a.D.**, Abkürzung für »außer Dienst«, wird von Beamten im Ruhestand ihrer Amtsbezeichnung hinzugefügt (z. B. Lehrer a.D.).

**A.D.**, Abkürzung für Anno Domini (lat. »im Jahr des Herrn«).

**ad acta** [lat. »zu den Akten«], erledigt.

**Adapter** [der], ein Verbindungsstück zwischen zwei verschiedenen Geräteteilen, beispielsweise zwischen Steckersystemen unterschiedlicher Norm im Ausland.

**adäquat**, angemessen, entsprechend.

**Addis Abeba**, seit 1889 Hauptstadt von Äthiopien, 2,8 Mio. Einwohner. Die Stadt ist das religiöse und wirtschaftliche Zentrum des Landes.

**Addition** [die], eine der Grundrechenarten. Unter Addition versteht man das Zusammenzählen gleichartiger Größen. Das Ergebnis ist die *Summe*. Auch → Mathematik.

**Adel** [der], eine gesellschaftliche Gruppe (Stand) mit besonderen erblichen Rechten. Den Adel stellten bei den Germanen die Herzöge und Könige, im frühen Mittelalter waren es die Abstimmungsberechtigten im Reichstag. Er bestimmte bis ins 19. Jh. das politische, militärische und auch das kulturelle Leben in Europa. Der Adel hatte besondere Macht, weil er Grund und Boden besaß und weil er über abhängige Bauern herrschte, von denen er Abgaben und Dienste einforderte. Durch die Industrialisierung, die Französische Revolution und den Aufstieg des Bürgertums veränderten sich die Verhältnisse und der Adel verlor im 19. Jh. schrittweise seine Vorrechte. In Deutschland wurde der Adel 1919 abgeschafft, doch kann der Adelstitel auch weiterhin im Namen geführt werden.

### *Wer war …*
### Konrad Adenauer

Konrad Adenauer (* 1876, † 1967), war ein deutscher Politiker und 1949–1963 erster Kanzler der Bundesrepublik Deutschland. Während seiner Regierungszeit vollzog sich der wirtschaftliche Wiederaufbau nach dem Zweiten Weltkrieg sowie die politische Einbindung der Bundesrepublik in die westlichen Demokratien.

1917 wurde Adenauer Oberbürgermeister der Stadt Köln. 1933 enthoben ihn die Nationalsozialisten seines Amtes. Nach dem Zweiten Weltkrieg gehörte Adenauer zu den Mitgründern der CDU, deren Bundesvorsitzender er 1950–1966 war. Überzeugt von einer Bedrohung durch die UdSSR betrieb Adenauer eine Politik der Eingliederung in den Westen, die zur Aufnahme der Bundesrepublik Deutschland in die NATO und zur Mitgliedschaft in der Europäischen Wirtschaftsgemeinschaft (EWG) führte. Das Kernstück dieser Politik war die Aussöhnung mit Frankreich. 1963 schlossen Adenauer und der französische Präsident C. *de Gaulle* den deutsch-französischen Freundschaftsvertrag. Mit der UdSSR vereinbarte Adenauer 1955 die Aufnahme diplomatischer Beziehungen und erreichte dabei die Freilassung von 10 000 deutschen Kriegsgefangenen. Innenpolitisch war die

»Ära Adenauer« geprägt durch die Errichtung eines demokratischen Staatswesens, in dem sich die Persönlichkeit des Kanzlers deutlich ausprägte (»Kanzlerdemokratie«), sowie von Wiederaufbau und »Wirtschaftswunder« im Zeichen der »sozialen Marktwirtschaft«. 87-jährig trat Adenauer am 15. 10. 1963 als Bundeskanzler zurück.

*Konrad Adenauer war von 1949–1963 erster Bundeskanzler der Bundesrepublik Deutschland und 1951–1955 zugleich Bundesminister des Auswärtigen.*

**Adern** [Pl.], **1.** Blutgefäße, → Blutkreislauf. **2.** bei Pflanzen die Blattrippen. **3.** die ein Gestein durchsetzenden feinen Risse eines anderen Gesteins, Erzes oder Minerals.

**Adhäsion**, das Haften der Moleküle verschiedener flüssiger und fester Stoffe aneinander.

**ADHS**, Abkürzung für **A**ufmerksamkeits**d**efizit-**H**yperaktivitäts**s**törung. Auch → »Genauer betrachtet«.

**Adjektiv** [das], *Eigenschaftswort*, es benennt Eigenschaften von Personen oder Sachen und steht im selben Kasus wie das Substantiv.

**Adjutant** [der], ein Hilfsoffizier des Kommandeurs, heute ein Begleitoffizier für höhere Generäle.

**Adler** [Pl.], große Greifvögel mit kräftigem Schnabel und starken Krallen. Bei uns leben der mächtige *Steinadler* mit einer Flügelspannweite von 2,20 m (jedoch nur noch in den Alpen), der kleinere *Schreiadler* und der *Fischadler* (beide nur noch im Osten Deutschlands) und als größter von allen der *Seeadler* mit einer Flügelspannweite von 2,40 m. Alle Adler sind vom Aussterben bedroht und deshalb streng geschützt.

**Adoleszenz** [die], *Jugendalter*, die Lebensphase zwischen der Pubertät und dem Erwachsenenalter.

**Adoption** [die], die Annahme eines fremden Kindes als eigenes Kind. Eine Adoption muss vom Vormundschaftsgericht bestätigt werden. Das adoptierte

### *Genauer betrachtet …*
### ADHS

ADHS ist ein Krankheitsbild aus einer Kombination von Aufmerksamkeitsstörung und seelischer Unausgeglichenheit. Etwa drei bis fünf Prozent aller Schülerinnen und Schüler leiden unter dieser Verhaltensauffälligkeit. Bei Jungen äußert sich die seelische Unausgeglichenheit fast immer in auffälliger Hyperaktivität, also z. B. einem gesteigerten Bewegungsdrang und einer motorischen Unruhe. Mädchen mit ADHS hingegen zeigen oft Hypoaktivität, was bedeutet, dass sie in sich zurückgezogen und antriebsschwach sind. Die Ursache der Krankheit liegt nach derzeitigem Kenntnisstand in einer genetisch bedingten Fehlfunktion im Nervensystem. Betroffene Kinder und Jugendliche brauchen Herausforderungen, an denen sie sich körperlich und gefühlsmäßig austoben können. Behandelt wird ADHS unter anderem mit einer Verhaltenstherapie. Zur Steigerung der Aufmerksamkeit können Medikamente gegeben werden. Häufig tritt im jungen Erwachsenenalter eine Besserung auf.

Kind trägt den Namen der Adoptiveltern und hat die gleichen Rechte wie ein leibliches Kind.

**Adorno**, Theodor W., *1903, †1969; deutscher Philosoph, Soziologe und Musiktheoretiker. Er kritisierte zusammen mit → M. Horkheimer in der *Kritischen Theorie* die bürgerliche Industriegesellschaft und ihre blinde Fortschrittsgläubigkeit.

**Adriatisches Meer** [das], kurz die *Adria*, der nördlichste Teil des Mittelmeeres zwischen Italien und der Balkanhalbinsel.

**Adsorption** [die], die Anlagerung von Gasen oder von in Flüssigkeiten gelösten Stoffen an der Oberfläche eines festen Körpers.

**Advent** [der, lat., »Ankunft«], die Vorbereitungszeit auf die Ankunft Christi, die vier Sonntage vor Weihnachten beginnt. Die Adventszeit leitet das Kirchenjahr ein. Ursprünglich eine Bußzeit, wird der Advent von verschiedenen Heiligenfesten (Barbara, Nikolaus, Lucia) begleitet, die die Gläubigen in die Erwartung der Ankunft Christi versetzen sollen. Die Einrichtung der vier Adventssonntage setzte sich um 1000 n. Chr. durch. Viele Adventsbräuche sind neueren Datums: Den *Adventskranz* in seiner heutigen Form gibt es seit Mitte des 19. Jh., er ist ein primär evangelischer Brauch; der erste *Adventskalender* wurde 1903 in München gedruckt.

**Adverb** [das], *Umstandswort*, eine Wortart zur näheren Bestimmung eines Verbs (er fährt *schnell*) oder Adjektivs (es ist *sehr* laut).

**Aerobic** [æ'robik], eine Ausdauer- und Beweglichkeitssportart mit Elementen aus Konditionsgymnastik und Tanz.

**Aerodynamik** [die], die Lehre von der Bewegung der Gase. Die Aerodynamik ist von besonderer Bedeutung für die Gestaltung schneller Verkehrsmittel (Flugzeuge, Autos). Deren Windschlüpfrigkeit wird im Windkanal getestet.

**Affekt** [der], Aufregung, Überreizung.

*Affen: Die Orang-Utan-Weibchen bekommen meist ein Junges, das mehrere Jahre von der Mutter abhängig bleibt.*

**Affen** [Pl.], die höchstentwickelte Gruppe der Säugetiere. Man unterscheidet zwei Untergruppen: Die *Breitnasenaffen* oder *Neuweltaffen*, die in Süd- und Mittelamerika leben (z. B. Kapuzineraffen), und die *Schmalnasenaffen* oder *Altweltaffen* aus Afrika und den warmen Gegenden Asiens. Zu der letzten Gruppe zählt man die *Großen Menschenaffen* wie Schimpanse, Gorilla, Orang-Utan und sogar den Menschen. Alle Affen sind ursprünglich Baumbewohner im dichten Dschungel und daher mit Greifhänden und Greiffüßen, manche auch mit Greifschwänzen, ausgestattet. Ihre Hauptnahrung sind Blätter, Früchte und Samen. Einige (z. B. die Menschenaffen) haben auch die Fähigkeit entwickelt, sich auf zwei Beinen fortzubewegen. Dadurch änderten sich Form und Haltung von Kopf und Wirbelsäule. Die Augen sind nach vorn gerichtet. Das Gehirn wurde größer und leistungsfähiger. Am weitesten wurde diese Entwicklung beim Menschen vorangetrieben. Affen leben gesellig, oft in

Familiengruppen oder auch in größeren Horden. Die Großen Menschenaffen haben eine besonders lange Jugendzeit. Sie sind mit dem Menschen eng verwandt, mit dem sie einen gemeinsamen Vorfahren haben. Am nächsten stehen sich Mensch und Schimpanse. Mit den Halbaffen werden die Affen zur Ordnung der *Primaten (Herrentiere)* zusammengefasst.

**Affenbrotbaum** [der], ein typischer Baum der afrikanischen Savannen, sein Stamm kann einen Durchmesser von bis zu 13 m erreichen.

### *Ländersteckbrief*
### Afghanistan

| | |
|---|---|
| **Fläche:** | 652 090 km² |
| **Einwohner:** | 31,1 Millionen = 48 je km² |
| **Hauptstadt:** | Kabul |
| **Religion:** | Islam |
| **Amtssprache:** | Paschtu, Dari |
| **Währung:** | 1 Afghani = 100 Puls |

**Afghanistan**, Staat in Zentralasien.

**Landesnatur:** Hochgebirge (*Hindukusch*, bis 6000 m hoch) breiten sich von Nordosten fächerförmig nach Südwesten aus. Die Flüsse enden meist in abflusslosen Seen oder Salzsümpfen. Die Winter sind kalt, die Sommer trockenheiß; meist herrschen Wüste und Steppe vor.

*Afghanistan: Rund 1 Mio. Afghanen leben heute noch nomadisch.*

**Bevölkerung:** Die Bewohner sind zu 40% Paschtunen, 25% Tadschiken, 15% mongolische Hesoreh (Schiiten) u. a.; rund 84% sind sunnitische Muslime.

**Wirtschaft:** Afghanistan gehört zu den ärmsten Ländern der Welt. Durch Kriegszerstörungen, Flucht und politische Wirren hat sich die Lage noch weiter verschlechtert. Rund 1 Mio. Nomaden betreiben Zucht von Schafen und Ziegen; Ackerbau (Getreide, Baumwolle und Obst) ist nur auf bewässertem Land möglich. An Bodenschätzen gibt es Erdgas, Kohle, Salz und Lapislazuli. Von Bedeutung ist der Mohnanbau zur illegalen Rauschgifterzeugung. – Eine Straße über den 1030 m hohen *Khaibarpass* verbindet Kabul mit dem pakistanischen Peshawar; Flughäfen sind in Kabul und Kandahar.

**Geschichte:** Im Altertum und Mittelalter unterstand Afghanistan meist fremden Herrschern (Persern, Indern, Mongolen). Die nationale Geschichte beginnt mit *Ahmed Schah*, der 1747 Emir der Afghanen wurde. Im 19. Jh. wurde Afghanistan zum Pufferstaat zwischen Russland und Britisch-Indien. Volle Unabhängigkeit erlangte es 1921 unter *Aman Ullah* (1926 König). 1973 wurde König *Zahir Schah* von M. *Daud* gestürzt, der diktatorisch regierte. 1978 kamen durch Militärputsch die Kommunisten an die Macht. Gegen sie erhob sich islamisch geprägter Widerstand.

Nach blutigen Machtkämpfen in der kommunistischen Führung rückten 1979 sowjetische Truppen ein. Die Widerstandsbewegung gewann durch ausländische Waffenlieferungen militärisches Gewicht. 5 Mio. Afghanen flohen nach Pakistan und Iran. 1986 übernahm M. *Najibullah* die Macht. 1989 zog die Sowjetunion ihre Truppen ab. Die Widerstandsbewegung setzte den Bürgerkrieg fort und stürzte 1992 das Najibullah-Regime. Blutige Machtkämpfe zwischen den verschiedenen Widerstandsgruppen verhinderten eine politische Stabilisierung. 1996 eroberten die fundamentalistischen Taliban Kabul und riefen einen streng islamistischen Gottesstaat aus. Außenpolitisch blieb das Regime isoliert. Die Duldung des islamischen Extremisten *Usama Bin Ladin* im Herrschaftsbereich der Taliban führte zum Konflikt mit den USA. Dieser eskalierte nach den Terroranschlägen vom 11. 9. 2001. Für die Anschläge machten die USA Bin Ladin und dessen Terrornetzwerk Al Qaida verantwortlich. Sie begannen deshalb im Oktober 2001 mit einer militärischen Offensive gegen die Taliban, die binnen zwei Monaten zum Sturz des Regimes sowie zur weitgehenden Ausschaltung der Al-Qaida-Einheiten führte. Am 22. 12. 2001 wurde eine Übergangsregierung unter Führung von H. *Karzai* in Kabul vereidigt. 2002 bestätigten die Delegierten der Loya Jirga (Große Ratsversammlung) Karzai als Staatsoberhaupt. Deutsche Soldaten beteiligten sich im Rahmen der internationalen Sicherungstruppe ISAF an der Stabilisierung des Landes. 2004 verabschiedete die Loya Jirga eine neue Verfassung. H. *Karzai* wurde zum Staatspräsidenten gewählt. 2005 fanden Parlamentswahlen statt. Trotzdem blieb die Sicherheitslage kritisch, da die Taliban im Südosten des Landes an neuer Stärke gewannen. Seit 2006 nahmen Terroranschläge und militärische Auseinandersetzungen deutlich zu. Zur Verstärkung der ISAF entsandte Deutschland 2007 Tornado-Aufklärungsflugzeuge nach Afghanistan.

*Agamemnon: Nachbildung der goldenen Totenmaske, die 1876 von H. Schliemann in einem Grab bei Mykene entdeckt wurde*

**African National Congress**, Abkürzung ANC, *Afrikanischer Nationalkongress*, eine 1912 gegründete Bewegung, die den Freiheitskampf der Schwarzen in Südafrika organisierte. Der ANC wurde 1960–1990 von der südafrikanischen Regierung verboten. Nach Aufhebung des Verbots beteiligte sich der ANC unter Führung von Nelson *Mandela* an der demokratischen Umgestaltung Südafrikas.

**Afrika** → Seite 27.

**Ag**, chemisches Zeichen für → Silber.

**Ägäisches Meer** [das], kurz die *Ägäis*, Teil des Mittelmeeres zwischen Griechenland und der Türkei.

**Agamemnon**, Gestalt der griechischen Sagenwelt, König von Mykene und oberster Feldherr im Kampf um Troja.

**Agenda 2010**, 2003 beschlossenes Programm der Bundesregierung zur Reform des Arbeitsmarktes, zum Umbau der Sozialsysteme und für wirtschaftliches Wachstum im ersten Jahrzehnt des 21. Jahrhunderts.

**Agglomeration** [lat.], *Ballungsgebiet*, *Ballungsraum*, räumliche Konzentration von Arbeitsstätten und Wohngebieten der Bevölkerung.

*Mehr wissen …*

## Der »Schwarze Kontinent«: Afrika

Afrika ist mit 30,3 Mio. km² nach Asien und dem Doppelkontinent Amerika der drittgrößte Erdteil und umfasst rund 20% der Landfläche der Erde. Mit 906 Mio. Einwohnern stellt Afrika zwar nur 14% der Erdbevölkerung, weist aber von allen Kontinenten das höchste Bevölkerungswachstum auf. Für viele afrikanische Länder wird es daher immer schwieriger, die rasch wachsende Zahl von Menschen aus eigener Kraft zu ernähren.

*Massai-Krieger in der Steppe Afrikas*

### Landesnatur:

Zu Afrika gehören nur wenige Inseln und Inselgruppen (z. B. Madagaskar, Seychellen, Komoren, die Kanarischen und Kapverdischen Inseln). Kennzeichnend für den Oberflächenaufbau Afrikas sind weite Ebenen, die durch Hügelländer voneinander und von den Küsten getrennt werden. Das *Atlasgebirge* im Nordwesten des Kontinents hat als einziges afrikanisches Gebirge Hochgebirgscharakter. Die höchsten Berge Afrikas (*Kilimandscharo* mit 5895 m, *Mount Kenia* mit 5199 m) befinden sich allerdings im Osten des Kontinents, ebenso wie die größten Seen (*Victoriasee, Tanganjikasee*). Hier entspringen mit dem *Nil* und dem *Kongo* auch die längsten und wasserreichsten Flüsse Afrikas.

Afrika ist ein Kontinent mit überwiegend tropischem Klima. Im Bereich des Äquators gedeihen die dichten tropischen Regenwälder mit ihrer artenreichen Tierwelt (z. B. Affen, Vögel, Insekten, Schlangen). Die Temperaturen sind hier das ganze Jahr hindurch nahezu gleich (25–30 °C), fast täglich kommt es zu wolkenbruchartigen Regenfällen. Dieses Gebiet geht nach Norden, Osten und Süden in die *Savannen* über. Hier fallen die Niederschläge nur noch zur Zeit des Sonnenhöchststands und lassen lichte Wälder, die während der Trockenzeit ihr Laub abwerfen, und Gräser wachsen. Die Savannen sind der Lebensraum des zum Teil in seinem Bestand stark gefährdeten Großwilds (Elefanten, Giraffen, Büffel, Löwen u. a.). In der Südhälfte des Kontinents schließen sich an die Savannen die Trockenräume der *Kalahari* und *Namib* an, in der Nordhälfte gehen die Savannen über die äußerst dürregefährdete *Sahelzone* in die *Sahara* über, die mit fast 9 Mio. km² die größte Wüste der Erde ist. Hier wurde bei Al Azizia in Libyen mit 57,8 °C die höchste Temperatur auf der Erde gemessen. In der Sahara fallen nur selten geringe Niederschläge, die dann sofort verdunsten und kein Pflanzenwachstum ermöglichen. Der Anbau von Nutzpflanzen bleibt daher auf die Oasen und bewässerten Gebiete entlang des Nils beschränkt. Im äußersten Süden und Norden des Kontinents herrscht sommertrockenes Mittelmeerklima mit meist immergrünen, hartlaubigen Pflanzen als typischer Vegetation.

### Bevölkerung:

Die Bezeichnung »Schwarzer Erdteil« trifft auf Afrika nur teilweise zu. Der Lebensraum der negriden

(= dunkelhäutigen) Völker beginnt erst südlich der Sahara, während der Norden von hellhäutigeren Menschen besiedelt ist. Man spricht deshalb von »Weiß-Afrika« und »Schwarz-Afrika«. Vor allem in Ostafrika haben sich beide Teile beeinflusst und durchdrungen, so dass zahlreiche Mischbevölkerungen entstanden sind. Mit dem Arabischen als gemeinsamer Sprache und dem Islam als gemeinsamer Religion stellt sich Nordafrika als ein relativ einheitlicher Kulturraum dar. Demgegenüber zerfällt Ost- und Südafrika in zahlreiche Stammesverbände mit unterschiedlichen Sprachen und verschiedenen Religionen (Islam, Christentum, Naturreligionen). Miteinander rivalisierende Stammesgruppen waren in der jüngeren Geschichte Afrikas häufig der Auslöser für blutige, bürgerkriegsartige Auseinandersetzungen.

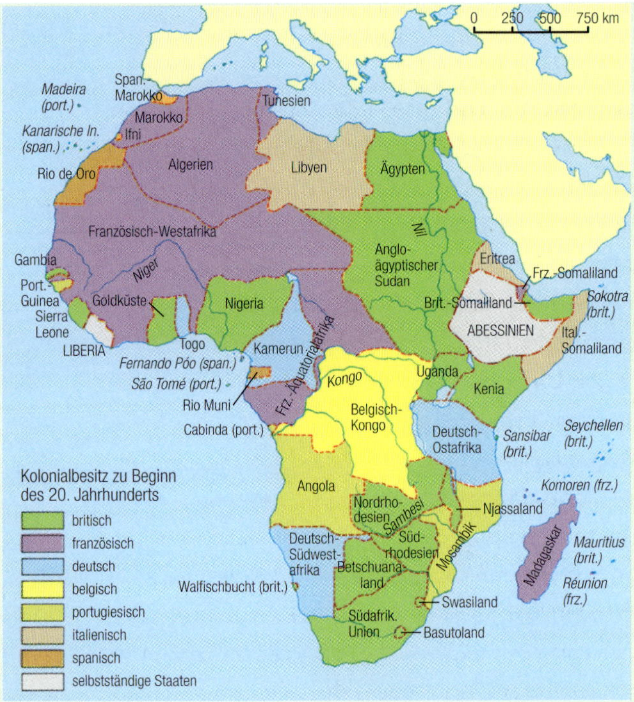


*Die Grafik zeigt die Aufteilung Afrikas unter den Kolonialmächten. Der Erschließung Afrikas durch europäische Forscher und christliche Missionare folgte Ende des 19. Jh. die politische Unterwerfung fast des ganzen Erdteils und seine Aufteilung unter westeuropäischen Kolonialmächten. Erst nach dem Zweiten Weltkrieg vollzog sich auch in Afrika ein rascher Prozess der Entkolonialisierung.*

### Wirtschaft:

Ein Großteil der ärmsten Länder der Erde liegt in Afrika. Diese Länder haben in der Regel noch keine nennenswerte Industrie aufbauen können. Ihre Außenwirtschaft basiert oft nur auf wenigen Exportprodukten (z. B. Kaffee, Kakao, Baumwolle). Die Versorgung der rasch wachsenden Bevölkerung mit Nahrungsmitteln wird immer problematischer, da sich die Ackerflächen aus klimatischen Gründen nur sehr begrenzt erweitern lassen. Regelmäßig treten Hungersnöte auf, oft ausgelöst durch Dürren oder kriegsähnliche Wirren. Demgegenüber sind diejenigen Länder bevorteilt, die Anteil haben an den reichen Bodenschätzen Afrikas (Erdöl, Gold, Diamanten, Kupfer u. a.). Nur in sehr wenigen afrikanischen Ländern (z. B. Südafrika u. Ägypten) konnte sich bislang auch eine umfangreiche Industrie entwickeln.

### Entdeckungsgeschichte:

Die Ägypter leiteten im 2. Jahrtausend v. Chr. durch ihre Fahrten ins goldreiche Abessinien die Entschleierung Afrikas ein. Im 15. Jh. erkundeten portugiesische Seefahrer die Küsten Afrikas. Erst Ende des 18. Jh. begannen die Europäer mit der Erforschung des Landesinneren, der dann die Aufteilung Afrikas in Kolonien folgte. Zu den bedeutendsten Entdeckern Afrikas gehören D. *Livingstone* (zentralafrikanische Seen), M. H. *Stanley* (Kongo) und H. *Barth* (Sudan).

**Aggregat** [lat.], äußerliche (zufällige oder absichtliche) Zusammenfassung mehrerer (gleich- oder verschiedenartiger) Dinge.

**Aggregatzustand** [der], die Zustandsform von Stoffen: fest, flüssig, gasförmig. Als vierter Aggregatzustand wird manchmal das → Plasma (3.) angesehen. Der Aggregatzustand kann durch Erhitzen, Abkühlen oder die Veränderung des wirkenden Drucks gewechselt werden. Bei normalem Druck nennt man die Temperatur des Übergangs von fest zu flüssig *Schmelzpunkt* (die Umkehrung ist der *Gefrierpunkt*) und von flüssig zu gasförmig *Siedepunkt* (die Umkehrung heißt *Kondensationspunkt*). Bei manchen Stoffen (z. B. Salmiak, Schwefel) geht der Aggregatzustand vom festen zum gasförmigen über. Dies nenntman *Sublimation*.

**Aggression** [die], allgemein ein feindseliges Verhalten oder Gefühl. Eine Aggression zwischen Völkern ist das gewaltsame, meist militärische Vorgehen eines Staates gegen einen anderen.

**Agitation** [die], die oft aggressive Werbung für eine politische Gruppe oder Weltanschauung.

**agrar...**, ein Wortbestandteil mit der Bedeutung »Landwirtschaft...«.

**Agreement** [ə'griːmənt, das, engl.], Übereinkunft, Vertrag zwischen Staaten.

*Ägypten: Die typischen Küstensegelschiffe auf dem Nil werden Feluken genannt.*

***Ländersteckbrief***
**Ägypten**

| | |
|---|---|
| **Fläche:** | 1 002 000 km² |
| **Einwohner:** | 75,4 Millionen = 75 je km² |
| **Hauptstadt:** | Kairo |
| **Religion:** | 94% Islam, Christentum |
| **Amtssprache:** | Arabisch |
| **Währung:** | 1 Ägyptisches Pfund = 100 Piasters |

**Ägypten**, Staat in Nordostafrika.

**Landesnatur:** Mit Ausnahme der Stromoase des Nils und einiger Oasen ist das Land wüstenhaft. In der *Libyschen Wüste* (felsiges Tafelland, von Sanddünen durchzogen) hat Ägypten Anteil an der Sahara. Östlich des Nils fällt die *Arabische Wüste* (bis 2187 m hoch) zum Roten Meer ab. Höchste Erhebung: Jabal Katrinah 2637 m (*Sinai-Halbinsel*). Das Klima ist im Sommer heiß und trocken, im Winter mild, geringe Niederschläge; starke Temperaturschwankungen.

**Bevölkerung:** Die Bewohner sind v. a. arabische Fellachen und Beduinen, Nubier und Angehörige der Sudanvölker. Der Islam ist Staatsreligion, im Süden gibt es christliche Kopten.

**Wirtschaft:** Das fruchtbare Kulturland nimmt nur 2,5% der Landfläche ein. Es gestattet bis zu drei Ernten im Jahr. Die Bewässerung und Energieversorgung ist v.a. durch den Staudamm bei Assuan gesichert. Es werden besonders Baumwolle, Getreide und Zuckerrohr angebaut. Verbreitet ist noch die nomadische Viehzucht. Bodenschätze (Erdöl, Erdgas, Eisen-, Kupfererz, Phosphat) werden zunehmend gefördert. Die Industrie erzeugt Baumwollwaren, Nahrungs- und Genussmittel, Düngemittel sowie Maschinen und Fahrzeuge. – Dem Tourismus kommt erhebliche wirtschaftliche Bedeutung zu. Zu den wichtigsten Reisezielen gehören die Pyramiden von Gizeh sowie die Tempel von Karnak und Theben. – Eisenbahnen und Straßen erschließen das Niltal bis nach Assuan, das Nildelta und die Mittelmeerküste. Von internationaler Bedeutung ist der Suezkanal. Internationale Flughäfen sind in Kairo und Alexandria, Seehäfen in Alexandria, Port Said und Suez.

**Geschichte: – Altertum:** In Ägypten entwickelte sich eine der ältesten Hochkulturen der Menschheit. Um 3150 v.Chr. wurden Unterägypten (das Nildelta) und Oberägypten (das Niltal von Kairo bis Assuan) zu einem Reich zusammengelegt. Etwa gleichzeitig wurden Schrift und Kalender ausgebildet, wenig später die Steinbaukunst, Plastik und Malerei entwickelt. Es bestand ein absolutes Gottkönigtum mit einer straff organisierten Beamtenschaft. Wichtigste Residenzstädte waren Memphis (bei Kairo) und Theben (bei Luxor). Im Alten Reich (um 2682–2191 v.Chr.) wurden die Pyramiden von Gizeh errichtet. Das Mittlere Reich (um 2025–1070 v.Chr.) unterhielt Handelsbeziehungen im östlichen Mittelmeerraum und trieb Expansionspolitik nach Süden und Nordosten. Im Neuen Reich wurde Ägypten Großmacht; es unterwarf Palästina und Syrien und eroberte Teile des heutigen Sudan. Bedeutende Herrscher dieser Zeit, die auch eine kulturelle Blüte hervorbrachten, waren *Thutmosis III.* (1479–1425 v.Chr.), *Echnaton* (1351 bis 1334 v.Chr.) und *Ramses II.* (1279–1213 v.Chr.). Die drei Zwischenzeiten und die Spätzeit waren v.a.

*Ägypten: Die Bewohner Ägyptens sind zu 80% ackerbautreibende Fellachen. Sie gelten als arabisierte Nachkommen der ägyptischen Urbevölkerung.*

gekennzeichnet durch soziale Unruhen, Zerfall der Reichseinheit und Fremdherrschaft. 332–330 v.Chr. herrschten in Ägypten die griechischen Ptolemäer, 30 v.Chr. bis 395 n.Chr. die Römer, anschließend kam es zum Byzantinischen Reich. Seit dem 4.Jh. war Ägypten größtenteils christlich.

**Mittelalter:** 640/641 eroberten die Araber Ägypten, führten den Islam ein und machten es zur Provinz des Kalifenreichs. Seit dem 9.Jh. war Ägypten faktisch unabhängig. Mehrere Dynastien folgten aufeinander: 868–905 Tuluniden, 935–969 Ichschididen, 969 bis 1171 Fatimiden, 1171–1250 Ajjubiden, 1250–1517 Mamluken. Mit der 970 gegründeten Universität Al Azhar in Kairo wurde Ägypten ein religiöses Zentrum des Islam. 1517 wurde es von den Osmanen erobert. Die Verwaltung blieb in den Händen der Mamluken. Ägypten wurde zur Provinz des Osmanischen Reichs.

**Neuzeit:** 1805 wurde der in osmanischen Diensten stehende Offizier *Mohammed Ali* erblicher Statthalter und damit Begründer der bis 1952 regierenden Dynastie. Er brach die Macht der Mamluken und rief europäische Berater und Techniker ins Land. 1859 bis 1869 wurde der Suezkanal gebaut. Nach anti-europäischen Unruhen besetzten 1882 britische Truppen das Land, das formal unter osmanischer Oberhoheit blieb. 1914–1922 war Ägypten britisches Protektorat, danach unabhängig, aber weiter unter starkem britischem Einfluss. 1952 wurde König *Faruk* von Offizieren gestürzt. Oberst Nasser übernahm die Macht, seit 1954 regierte er als diktatorisch herrschender Präsident. Er verstaatlichte 1956 den Suez-Kanal, was zu kriegerischen Auseinandersetzungen mit Großbritannien, Frankreich und Israel führte. Ägypten knüpfte enge Beziehungen zur UdSSR. 1967 erlitt es im Sechstagekrieg gegen Israel eine schwere Niederlage. Nassers Nachfolger *Sadat* (1970–1981) lockerte das diktatorische Regime, wandte sich dem Westen zu, führte 1973 gegen Israel den Oktoberkrieg, der Ägypten einen Teilerfolg brachte und schloss 1979 als erster arabischer Staatschef Frieden mit Israel. Präsident *Mubarak* (seit 1981) setzte die Zusammenarbeit mit dem Westen fort und war bemüht, die durch den Friedensschluss mit Israel herbeigeführte Isolierung Ägyptens im arabischen Lager zu überwinden. Im Golfkonflikt 1990/1991 stellte sich Ägypten auf die Seite der USA. Die ungelösten Wirtschaftsprobleme des Landes führten in der Folgezeit zu einer Stärkung des militanten islamischen Fundamentalismus. 1987, 1993, 1999 und 2005 wurde Mubarak im Präsidentenamt bestätigt.

**Ahorn** [der], Gattung der Ahorngewächse, auf der Nordhalbkugel verbreitete Laubbäume. Die bei uns einheimischen Arten *Spitzahorn*, *Bergahorn* und *Feldahorn* haben fünflappige Blätter. Ihre Früchte werden aus zwei geflügelten Nüssen gebildet. Der in Amerika angebaute *Zuckerahorn* liefert den Ahornzucker.

### *Was ist …*
## Aids

Aids, Abkürzung für englisch ***a****cquired* ***i****mmune* ***d****eficiency* ***s****yndrome*, ist eine erworbene Immunschwäche, deren Ursache Viren sind, die als HI-Viren (HIV, Human Immunodeficiency Virus) bezeichnet werden. Sie binden sich im Körper an Immunzellen, T-Helferzellen und Makrophagen, die für ein Funktionieren der Immunabwehr unerlässlich sind, und schädigen diese im Verlauf der Erkrankung zunehmend, was nach unterschiedlich langem Verlauf zum Tod führt. Zwischen Ansteckung und Ausbruch der Erkrankung können mehrere Jahre liegen. Die typischen Symptome der Krankheit wurden erstmals 1981 in den USA beobachtet, das HI-Virus als Krankheitserreger wurde 1984 identifiziert. Weltweit sind bisher mehr als 60 Mio. Menschen mit HIV infiziert worden. Heute leben rund 39,5 Mio. Menschen mit dem HI-Virus. 2006 sind rund 2,9 Mio. Menschen an den Folgen ihrer HIV-Infektion gestorben, davon drei Viertel allein in Afrika, und schätzungsweise 4,3 Mio. Menschen haben sich neu mit dem HI-Virus infiziert. In den südlich der Sahara gelegenen afrikanischen Staaten steht Aids als Todesursache an erster Stelle, weltweit gehört Aids zu den fünf häufigsten Todesursachen.

**Krankheitsverlauf:** 3–6 Wochen nach einer Infektion kommt es bei etwa der Hälfte der Infizierten zu vorübergehenden grippeähnlichen Symptomen: Fieber, Schwitzen, Schlappheit, Übelkeit, Durchfall und Appetitlosigkeit. Nach 12–16 Wochen, manchmal auch schon eher, sind Antikörper gegen HIV vorhanden und können durch eine Untersuchung des Blutes festgestellt werden. Der Ausbruch der Krankheit erfolgt erst mehrere Jahre nach der Infektion, ansteckend ist der Infizierte aber schon, wenn er noch keine Symptome hat. In dieser symptomfreien Phase breitet sich das Virus unaufhaltsam im Körper aus. Obwohl das Immunsystem fortwährend Viren abtötet, entstehen immer mehr neue. Mit dem Ausbruch der eigentlichen Krankheit wird der Infizierte zunehmend anfällig für Parasiten, Pilze oder Viren. Vermehrt treten Folgeerkrankungen wie Lungenent-

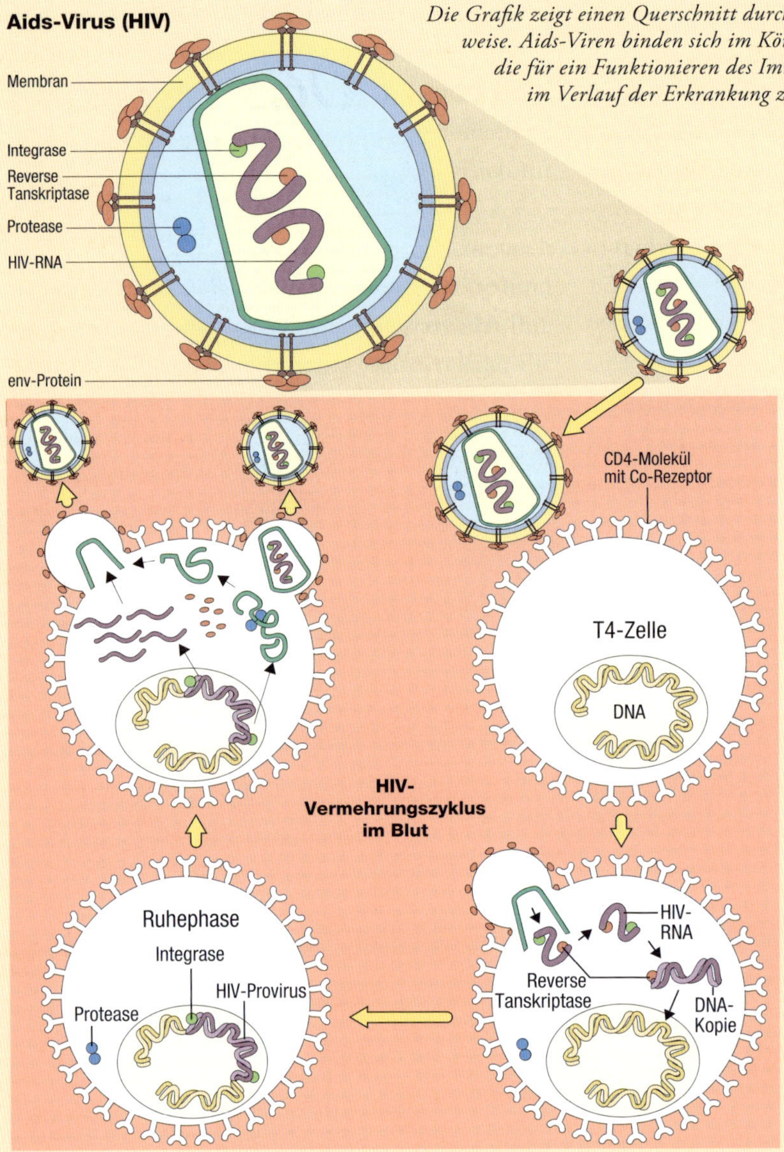


*Die Grafik zeigt einen Querschnitt durch ein Aids-Virus und seine Wirkungsweise. Aids-Viren binden sich im Körper an T4-Zellen (T4-Lymphozyten), die für ein Funktionieren des Immunsystems unerlässlich sind und die im Verlauf der Erkrankung zunehmend geschädigt werden.*

zündung, Pilzinfektionen, bestimmte Krebsarten und eine ständige Gewichtsabnahme auf. Nach Befall des Gehirns kommt es zu neurologischen Erkrankungen wie Lähmungen, Psychosen und schließlich einem fortschreitenden Verfall der geistigen Fähigkeiten.

**Übertragung:** Übertragen wird Aids durch direkten Blutkontakt, durch den gemeinsamen Gebrauch von Spritzen unter Drogensüchtigen sowie durch ungeschützten Geschlechtsverkehr. Eine Ansteckung durch bloßen Körperkontakt oder durch infizierte Gegenstände gibt es nicht. Darum ist es ungefährlich, Aidskranke zu berühren oder aus demselben Glas mit ihnen zu trinken. Als Risikogruppen galten früher v. a. Homosexuelle, Prostituierte und Drogenabhängige. Jedoch ist jeder von Ansteckung bedroht, der ungeschützten sexuellen Kontakt mit einem Infizierten hat. Einen wirksamen Schutz bieten Kondome.

**Therapie:** Aids kann heute mit neuartigen Kombinationstherapien behandelt werden, die die Lebenszeit etwa um 20–30 Jahre verlängern können. Dabei bremst die gleichzeitige Gabe mehrerer Medikamente die Vermehrung des Virus. Derartige Therapien bedeuten lediglich einen Aufschub, aber keine Heilung. Da sie sehr teuer sind, kommen sie in den Ländern der Dritten Welt kaum zum Einsatz.

**Airbag** ['ɛəbæg, der, engl.], *Luftsack*, eine Sicherheitseinrichtung in Autos, die vor Kopf- und Brustverletzungen schützen soll. Bei einem Aufprall füllt sich der Beutel blitzartig mit Gas und fängt so den nach vorn geschleuderten Körper von Fahrer und Beifahrer auf. Einige Autos sind auch mit Seitenairbag, seitlichem Kopfairbag oder Knieairbag ausgestattet.

**Airbus** [der, engl.], ein in Europa entwickeltes Großraum-Passagierflugzeug und Frachtflugzeug für Kurz-, Mittel- und Langstrecken. Siehe auch ZEIT-Beitrag →»Airbus: Ein Flugzeug wie ein Haus«, Seite 34–37.

**akklimatisieren** [lat.], sich einem anderen Klima anpassen; im übertragenen Sinn: sich auf etwas Neues einstellen.

**Akkord** [der], **1.** in der Musik der harmonische Zusammenklang von drei oder mehr (Drei-, Vier- oder Fünfklang) verschiedenen Tönen. **2.** eine Form der Lohnberechnung; dabei richtet sich der Lohn nach dem Arbeitsergebnis, meist nach der Menge der fertig gestellten Stücke.

**Akkordeon** [das], ein aus der Ziehharmonika entwickeltes Musikinstrument. Es besteht aus einem Blasebalg und Metallzungen, die durch Tasten und Knöpfe bewegt werden. Durch Ziehen und Drücken wird Luft über die Metallzungen gepresst, und es entstehen Töne, die durch Drücken der Tasten verändert werden. Zu den Tönen der Melodie kann man durch Drücken der Knöpfe die passenden Begleitakkorde spielen (daher der Name Akkordeon).

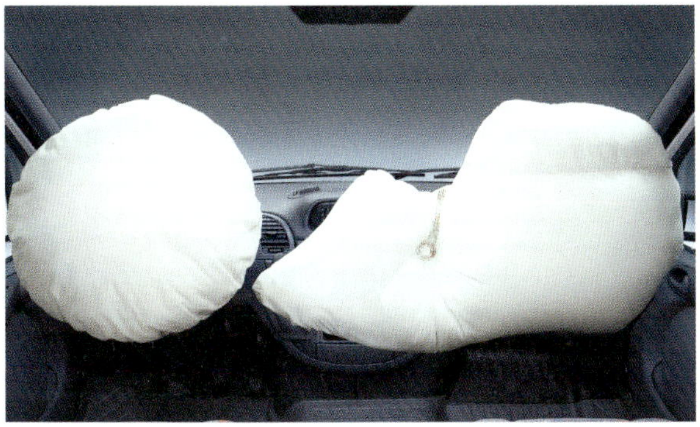

*Der Airbag bläst sich bei einem Unfall in Sekundenbruchteilen auf und kann so die Verletzungsgefahr bei einem Zusammenprall erheblich verringern.*

*Akkordeon: Auf der Melodieseite des Akkordeons befinden sich die Tasten, auf der Bassseite die Knöpfe für Grundbasstöne und Akkorde.*

**Akkumulator** [der, lat.], kurz *Akku*, ein Speicher für elektrische Energie (Gleichstrom). Beim Laden des Akkumulators wird elektrische in chemische Energie umgewandelt, bei Energieabgabe verläuft dieser Vorgang in umgekehrter Richtung. Eine Akkumulator-Zelle besteht aus einem Gehäuse aus nicht leitendem Material, in dem zwei Metallplatten in einer Säure oder Lauge aufgehängt sind. Ein bekanntes Beispiel für einen Akkumulator ist die Autobatterie. Beim Laden wird die positive Platte (*Anode*) an der Oberfläche zu Bleioxid oxidiert, die negative Platte (*Kathode*) dagegen zu metallischem Blei reduziert. Beim Entladen bildet sich an beiden Platten Bleisulfat. Zwischen den Platten eines geladenen Bleiakkumulators herrscht eine Spannung von 2 Volt. Mehrere in Reihe geschaltete Akkumulator-Zellen haben entsprechend höhere Spannungen (12 Volt = 6 Akkumulatorzellen).

**akkurat** [lat.], sorgfältig, genau.

**Akkusativ** [der] → Kasus.

Der Airbus A380 ist das größte Passagierflugzeug der Welt

**Airbus**

# *Ein Flugzeug wie ein Haus*

**Von Claas Pieper**

Der Airbus A380 ist das größte Passagierflugzeug der Welt. Als es im Jahr 2005 zum ersten Mal abhob, liefen manchen Arbeitern, die es zusammengeschraubt, -genietet und -geklebt hatten, Freudentränen über die Wangen. Die Flugzeugbauer waren stolz, dass der Rekordflieger wirklich abhob. Der Moment war auch deshalb etwas Besonderes, weil bisher die Amerikaner das größte Flugzeug gebaut hatten, den sogenannten Jumbojet. Der war schon 1969 am Himmel, ein Jahr bevor Deutschland und Frankreich die Firma Airbus gründeten.

Airbus ist ein Fantasiename: »Air« ist das englische Wort für Luft, und »bus« ist die Abkürzung vom lateinischen *omnibus,* was »für alle« bedeutet.

Jahrelang hatten die Europäer zugeschaut, wie der Traum vom Fliegen in den USA verwirklicht wurde, und Mitte der 1960er Jahre haben sie sich dann gesagt: Das können wir auch! Alle Menschen sollten mit den Luft-Bussen der Firma Airbus durch die Luft reisen können.

## *Luftreisen für alle!*

Die deutsche und die französische Regierung unterstützen das Unternehmen seit Jahren mit viel Geld: Sie erhofften sich von Anfang an viele Arbeitsplätze in der Luftfahrtbranche. Und sie behielten recht. Mehr als 110 000 Menschen arbeiten heute für Airbus. Rund 57 000 sind direkt in den Werken angestellt, und noch einmal genauso viele liefern Flugzeugteile zu, zum Beispiel Fußbodenbeläge oder Wasserleitungen.

Kriegsflugzeuge hatten Deutsche, Franzosen und Briten schon seit Jahrzehnten gebaut. Dieses Wissen konnten sie nutzen, zumal die Europäer auch noch eine Marktlücke erkannten: Sie entwickelten einen Flieger, der weniger Kerosin – so heißt das Flugbenzin – als die Konkurrenten verbrauchte.

## Schwer wie 140 Elefanten

Die hatten sich lange nicht um Treibstoffpreise geschert. Benzin war in den USA, verglichen mit Europa, schon immer billig. Deshalb war der Airbus eine günstige Alternative für europäische Fluggesellschaften, und schon nach einigen Jahren konnte Airbus seine neuen Flugzeuge verkaufen. Seitdem ist die Rivalität zwischen dem amerikanischen Flugzeugbauer Boeing und Airbus so ausgeprägt wie die zwischen den Fußballmannschaften Werder Bremen und FC Bayern. Und wie beim Fußball hat mal der eine, dann wieder der andere die Nase vorn.

Meist messen sich die Unternehmen an der Anzahl der ausgelieferten Flugzeuge. Bisher hat Airbus das meiste Geld mit kleinen Flugzeugen der sogenannten A320-Familie verdient. Weil Fliegen in den vergangenen Jahren immer billiger wurde und manchmal schon günstiger ist als eine Zug- oder Busfahrt, steigen die Passagierzahlen rasant. In den nächsten 20 Jahren könnte sich die Zahl der Fluggäste verdreifachen. Airbus und Boeing wissen das schon lange, weil sie die Fluggesellschaften ganz genau über deren Pläne für die Zukunft ausfragen.

Während Boeing auf das erwartete Wachstum mit vielen kleineren Flugzeugen reagiert, setzt Airbus auf den Riesenjet A380. Deshalb rückten an den Flughäfen in New York, London und Frankfurt vor kurzer Zeit Bautrupps an. Die Ankunft- und Abflugbereiche waren zu klein für den neuen Flieger, in den bis zu 853 Passagiere passen. Von der linken bis zur rechten Flügelspitze misst er fast 80 Meter, das ist breiter als ein Fußballfeld. Im hinteren Teil des Flugzeugs gibt es eine beleuchtete Treppe, denn wie ein Haus hat dieses Flugzeug zwei Etagen. Und dann das Gewicht: Wenn der A380 voll beladen ist, wiegt er so viel wie 140 Afrikanische Elefanten.

Noch ist der A380 ein Exot auf den großen Flughäfen. Aber schon in wenigen Jahren soll er zahlreiche Großstädte verbinden – Chicago und

*Pilot und Mechaniker kommen stolz von einem Testflug mit dem neuen Riesenflugzeug zurück*

Paris, Peking und Dubai oder München. Die meisten Flughäfen platzen schon jetzt aus allen Nähten. In London-Heathrow, dem größten Flughafen Europas, gibt es Staus auf den Pisten: Es wollen zu viele Flugzeuge gleichzeitig starten. Der Airbus A380 könnte da Abhilfe schaffen.

## Der A380 braucht weniger Benzin

Die Sache hat aber einen Haken: Die Leute wohnen ja nicht alle da, wo die großen Flughäfen sind. Wer von Hamburg nach New York möchte, fliegt oft erst nach Frankfurt oder London und steigt dort um. Und wenn dann noch Menschen aus Berlin, Hannover, Stuttgart und Bremen dazukommen, sind fünf Flugzeuge unterwegs gewesen, bevor der Airbus A380 in die Luft geht.

Wenn man diese Flüge mit einrechnet, ist es schon etwas schwieriger, der Behauptung von Airbus zuzustimmen, dass der A380 das umweltfreundlichste Flugzeug der Welt ist. Angeblich verbraucht er, wenn er voll besetzt ist, auf einer Strecke von 100 Kilometern 3,6 Liter Kerosin pro Passagier. Das ist fast ein Liter weniger, als der Jumbojet verbraucht. Wenn das Flugzeug aber nicht so gut besetzt ist, dann hinkt dieser Vergleich.

Anders als ein Auto kann der Airbus nicht einfach in einer Fabrik gebaut werden. Die größten Flugzeuge bestehen aus mehreren Millionen Teilen. Deshalb arbeiten Ingenieure, Techniker und Handwerker in vier Ländern zusammen. Der Vorteil dabei ist, dass sich jedes Land auf die Herstellung ganz bestimmter Teile konzentrieren kann. Die Engländer liefern die Tragflächen, aus Deutschland kommen die Schalen, und in Frankreich wird alles zusammengebaut.

Doch bei dem komplizierten Zusammenspiel gehen die Probleme los. Jeder will seinen Anteil haben am Rekordflieger und wacht eifersüchtig darüber, bei neuen Aufträgen nicht zu kurz zu kommen. Die Konkurrenz ist deshalb groß zwischen den 16 Standorten in Deutschland, Frankreich, Spanien und Großbritannien. Am schlimmsten – sagen Mitarbeiter in den Werken – ist die Rivalität zwischen Deutschen und Franzosen.

Deren Regierungen sind wie Eltern: Sie wollen immer bei allem mitreden und stets recht behalten. Andererseits hätte es ohne sie Airbus auch nicht gegeben. Ein einzelner Unternehmer hätte niemals genug Geld für den Flugzeugbau zusammenbekommen. Bis der erste A380 ausgeliefert wurde, hat Airbus rund 14 Milliarden Euro in seine Entwicklung gesteckt. Einen Unternehmer, der so viel Geld für ein Produkt

*Der A318 ist als »kleiner Bruder« des A380 bereits auf vielen europäischen Kurzstrecken unterwegs*

*Während der Produktion werden die Flügel besonders streng auf Stabilität geprüft*

ausgibt, ohne zu wissen, ob es sich überhaupt verkauft, kann man lange suchen! Ein weiteres Problem der Flugzeugindustrie ist, dass viele Fluggesellschaften erst bestellen, wenn sie den Flieger auch am Himmel sehen.

## Kostspielige Extras

Das allerdings kann – so jedenfalls war es beim A380 – von der Idee bis zum Erstflug mehr als zehn Jahre dauern. Und in diesen Jahren passiert eine ganze Menge. Manchmal treffen die Topmanager – so heißen die Chefs der Unternehmen – leider die falschen Entscheidungen.

Das ist leider auch beim Airbus A380 passiert. Da durfte sich jede Fluggesellschaft aussuchen, welche Lichter wo leuchten. Zahlreiche Ingenieure hatten ihre Chefs davor gewarnt. Es ist schon kompliziert genug, ein großes Flugzeug ohne Extras zu bauen. Aber die Chefs wollten nicht hören. Damit möglichst viele Fluggesellschaften bestellten, bekam jeder eine Extrawurst versprochen. Da konnte sich zum Beispiel eine arabische Fluggesellschaft einen Sternenhimmel aus unzähligen kleinen Lichtern für die Deckenbeleuchtung bestellen. Aber 2006 wurde es den Ingenieuren zu viel, denn sie hatten mit einem wahren Kabelsalat zu kämpfen.

Darum konnte der Airbus A380 nicht wie versprochen im Sommer 2006 an den ersten Kunden ausgeliefert werden, sondern erst im Herbst 2007. Die Lieferverzögerung kostet das Unternehmen Milliarden von Euro, und deshalb sollen einige Tausend Arbeiter entlassen und auch ein paar Werke verkauft werden. Eine verrückte Situation: Das Unternehmen hat mehr Aufträge, als die Arbeiter in fünf Jahren schaffen können. Und trotzdem müssen einige gehen! Manche von ihnen werden wieder geweint haben. Diesmal aus Wut über ihre Chefs.

*Genauer betrachtet …*
**Akne**

Akne ist die weltweit häufigste Hauterkrankung unter Jugendlichen. Jungen sind häufiger und schwerwiegender betroffen als Mädchen. Ursache für die aknetypischen Pickel sind Entzündungen der Talgdrüsen in der Haut, die durch hormonelle Veränderungen ausgelöst werden. Die Aknepusteln heilen in der Regel narbenlos ab. Durch Kratzen und starkes Ausdrücken können sie sich jedoch entzünden und hinterlassen beim Abheilen dann Narben. Eine reinigende, schonende Gesichtspflege verspricht Linderung. Für die fachgerechte, äußerliche Behandlung von Akne ist die Kosmetikerin zuständig. Sonnen- und Dampfbäder sowie besondere Schälmittel für die Haut bringen Besserung. In besonders schweren Fällen sollte der Hautarzt aufgesucht werden, der eine Akne-Therapie mit speziellen Medikamenten verordnen kann. In den meisten Fällen verschwindet die Krankheit bis zum dritten Lebensjahrzehnt von allein.

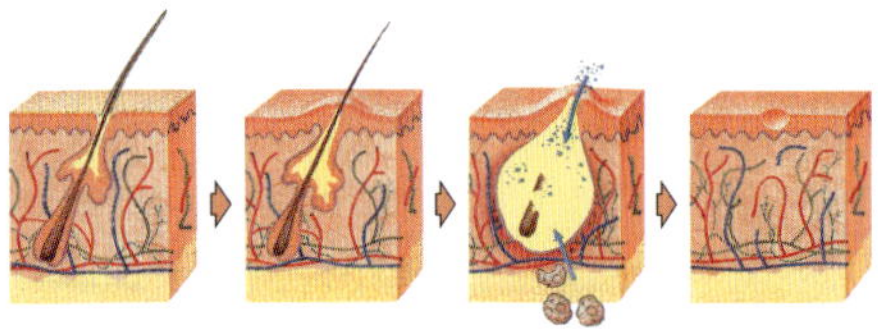

*Verlauf der Aknebildung*

**Akne** [die], eine eitrige Hauterkrankung, die durch eine überschießende Talgproduktion entsteht. Dazu kommt es vor allem während der Pubertät, wenn zu viele männliche Geschlechtshormone gebildet werden, und zwar bei Jungen und Mädchen. Auch → »Genauer betrachtet«.

**Akribie** [die, griech.], Gründlichkeit, Genauigkeit.

**Akronym** [griech.], Kurzwort aus den Anfangsbuchstaben mehrerer Wörter, z. B. NATO, UNO.

**Akropolis** [die], im Altertum in Griechenland die befestigte Oberstadt (Burg) auf einem Hügel. Am bekanntesten ist die Akropolis von Athen.

**Akt** [der], **1.** Vorgang, Handlung, Vollzug. **2.** in der Kunst die Darstellung eines nackten Menschenkörpers. **3.** im Drama eine Folge von Szenen (Auftritten), die einen Handlungsabschnitt (Aufzug) bilden.

**Aktie** [die], eine Urkunde über einen bestimmten Betrag, durch deren Kauf man an einer Firma, die die Form einer *Aktiengesellschaft* hat, beteiligt ist. Aktien werden an der Börse gehandelt und sind in ihrem Wert (*Kurs*) von Angebot und Nachfrage abhängig. Die Käufer (*Aktionäre*) sind durch die Aktie anteilig am Gewinn und Verlust der Gesellschaft beteiligt. Erwirtschaftet das Unternehmen Gewinne, wird ein Teil am Jahresende an die Aktionäre als *Dividende* ausgezahlt. Siehe auch ZEIT-Beitrag → »Aktien: Wettscheine auf die Zukunft«, Seite 40–43.

**Aktiengesellschaft** [die], Abkürzung AG, eine Handelsgesellschaft, die ihr Vermögen (Kapital) durch den Verkauf von Anteilscheinen (*Aktien*) erhalten hat. Die Geschäftspolitik einer Aktiengesellschaft wird vom Vorstand bestimmt, der von einem Aufsichtsrat (als Vertretung der Aktionäre) kontrolliert wird.

**Aktiv** [das], in der Grammatik die Tatform der Verben (z. B. *ich male*); Gegensatz: Passiv (*ich werde gemalt*).

**Akupunktur** [die], ein jahrtausendealtes chinesisches Heilverfahren, bei dem die Heilwirkung durch das Einstechen feiner Nadeln an bestimmten Körperstellen erzielt wird. Bei der *Akupressur* wird entsprechend Druck auf bestimmte Körperstellen ausgeübt.

**Akustik** [die], in der Physik die Lehre vom Schall. Von dieser Bedeutung abgeleitet, bezeichnet man als Akustik auch die Schallverhältnisse in Räumen, z. B. in Konzertsälen oder in Theatern.

**akut** [lat., »scharf«], plötzlich auftretend, dringend, z. B. eine Gefahr oder eine Krankheit. Gegensatz: *chronisch.*

**Akzent** [der], **1.** Hervorhebung einer Wortsilbe oder eines Wortes durch besondere Betonung. **2.** Tonfall, Spracheigentümlichkeit (z. B. fremdländischer Akzent). **3.** das Betonungszeichen über einem Vokal in manchen Sprachen, z. B. im Französischen, im Spanischen und Tschechischen.

**Al**, chemisches Zeichen für → Aluminium.

**Alabaster** [der], eine helle, marmorähnliche Art von Gips.

**Alaska**, nördlichster und größter Staat der USA, von den anderen amerikanischen Bundesstaaten durch Kanada getrennt. Alaska hat 630 000 Einwohner, davon sind 16% Indianer und Eskimos (Inuit). Hauptstadt ist *Juneau.* Alaska hat ein kalt-trockenes Klima; es ist reich an Bodenschätzen (Erdöl, Kohle, Gold). 1867 wurde Alaska von Russland an die USA verkauft.

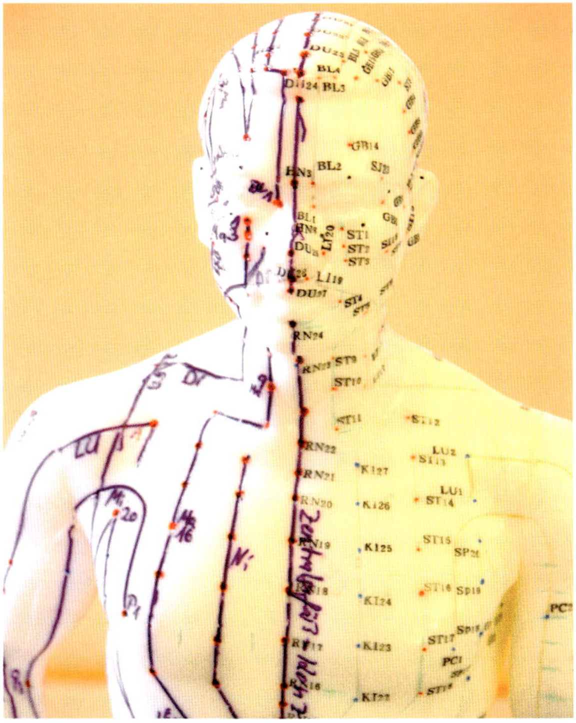

*Die Akupunktur erzielt eine Heilwirkung durch das Einstechen feiner Nadeln an ganz bestimmten Körperstellen des Patienten.*

***Ländersteckbrief***
**Albanien**

| | |
|---|---|
| **Fläche:** | 28 748 km² |
| **Einwohner:** | 3,1 Millionen = 108 je km² |
| **Hauptstadt:** | Tirana |
| **Religion:** | Islam, Christentum |
| **Amtssprache:** | Albanisch |
| **Währung:** | 1 Lek = 100 Qindarka |

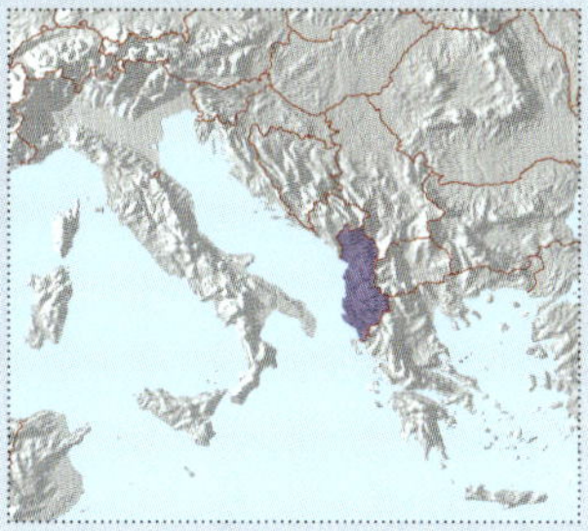

**Albanien**, Staat in Südosteuropa.

**Landesnatur:** Hinter einer Flachküste und anschließenden Küstenebenen steigt das Land nach Osten zu einem überwiegend zerklüfteten Kalksteingebirge an *(Nordalbanische Alpen).* An der Küste herrscht Mittelmeerklima, im Gebirge gemäßigtes Kontinentalklima.

**Bevölkerung:** Die Albaner (98%) gliedern sich in die Gegen im Norden und die Tosken im Süden. 70% der Bevölkerung sind islamisch, 20% orthodox und 10% katholisch.

**Wirtschaft:** Die Landwirtschaft betreibt den Anbau von Tabak, Obst, Wein, Oliven, Getreide, Baumwolle; Viehzucht. Bodenschätze: Braunkohle, Erdöl (bei Kuçovë), Chromerz; Nahrungsmittel-, Tabak- und chemische Industrie. Häfen: Durrës und Vlorë.

Fortsetzung → Seite 44

*New York am »schwarzen Freitag«, dem 30. Oktober 1929: Wie nie zuvor sind die Börsenkurse eingebrochen. In der Not verkauft dieser Aktienbesitzer sein Auto*

**Aktien**

# Wettscheine auf die Zukunft

**Von Robert Heusinger**

Nathan Rothschild war nicht nur ein bekannter Londoner Bankier, er war auch unheimlich schlau und gerissen. Vor allem aber wollte er steinreich werden. Seine Geheimwaffe waren Tauben. Genauer: Brieftauben. Vor 200 Jahren, als es noch kein Telefon, keinen Fernsehapparat oder Computer gab, überbrachten Tauben Nachrichten. Sie transportierten kleine Zettel dreimal so rasch wie ein galoppierender Reiter. Mit Hilfe von Brieftauben wusste Nathan Rothschild in der Regel früher als die anderen Menschen um ihn herum, was in der Welt Großes passiert war. Doch das erzählte er nicht weiter. Niemand sollte wissen, was morgen oder erst übermorgen in der Zeitung stehen würde.

Einen seiner größten Momente hatte er im Jahr 1815. Bereits am 19. Juni wusste Nathan Rothschild, dass die englische Armee tags zuvor gegen den französischen Kaiser Napoleon Bonaparte gesiegt hatte. Niemand sonst in London hatte zu der Zeit einen blassen Schimmer, dass Napoleon in der Schlacht im belgischen Waterloo vernichtend geschlagen worden war.

## Vorsprung durch Wissen

Wie aber nutzte Rothschild seinen Wissensvorsprung? Er stellte den anderen Bankiers in London eine Falle. Rothschild marschierte schnurstracks zur Börse und verkaufte alle Aktien, die er besaß, so erzählt es zumindest die Legende. Er blickte absichtlich ganz ernst drein und gab sich sehr viel Mühe, dass alle anderen seine Verkäufe bemerkten. Das war der Trick. Wenn der Mann mit den Brieftauben so plötzlich alle Aktien verkaufte, musste etwas Schlimmes auf dem Schlachtfeld in Belgien passiert sein. Die anderen Börsianer fürchteten, die englische Armee könnte verloren haben. Sie machten sich Sorgen, dass England für den Krieg würde büßen müssen – etwa durch hohe Strafzahlungen. Sicherheitshalber beschlossen sie, ebenfalls Aktien zu verkaufen.

## Panik an der Börse

An der Börse brach daraufhin Panik aus. Denn alle wollten Aktien verkaufen. Wenn aber alle verkaufen wollen und niemand kaufen will, fallen die Preise der Aktien. Sie wurden von Minute zu Minute billiger. Erst als sie spottbillig waren, fing vor allen anderen einer wieder an zu kaufen. Wer wohl? Richtig: Nathan Rothschild. So besaß er am Abend viel mehr Aktien als noch am Morgen. Denn mit dem Geld, das er morgens beim Verkauf eingestrichen hatte, konnte er jetzt am Abend viel mehr Aktien zurückkaufen, die ja deutlich billiger geworden waren. Als am 21. Juni endlich die Nachricht in London eintraf, dass die englischen Truppen samt ihren Verbündeten triumphiert hatten, ärgerten sich alle außer Nathan Rothschild. Sein Trick war aufgegangen. Über Nacht hatte er unheimlich viel Geld gewonnen, Geld, das die anderen Bankiers verloren hatten. Was sind aber eigentlich Aktien?

Früher waren Aktien ein Stück bedrucktes Papier. So ähnlich wie Geldscheine, nur viel größer. Allerdings steht auf den Aktien nicht, was sie wert sind. Man kann mit ihnen – im Gegensatz zu Geld – nicht einfach einkaufen gehen. Heute werden die meisten Aktien nur noch als Zahlen in großen Computern gespeichert.

Wer eine Aktie hat, besitzt einen kleinen Anteil an einer ganz großen Firma. Der Käufer einer Aktie wird zum Miteigentümer, und das steht auf seinem Stück Papier. Einmal im Jahr treffen alle Miteigentümer, Aktionäre genannt, zusammen. Auf der Hauptversammlung bestimmen sie gemeinsam, was die Firma im nächsten Jahr tun soll. Sie wählen Kontrolleure, den Aufsichtsrat, damit in der Firma auch wirklich das geschieht, was die Aktionäre wollen. Dabei besitzt nicht jeder Aktionär eine Stimme, sondern so viele Stimmen wie er Aktien sein Eigen nennt.

*Aktionärsversammlung bei Daimler Chrysler: Lauter Teilhaber am großen Geschäft*

Aktien gibt es meist nur von ganz großen Firmen. Von Firmen, die wegen erfolgreicher Produkte oder beeindruckender Erfindungen zu groß geworden sind, als dass sie noch einem einzigen Menschen gehören könnten. Irgendwann fehlte dem Eigentümer schlicht Geld, um den weiteren Aufstieg der Firma zu finanzieren, um neue Fabriken zu bauen oder neue Leute einzustellen. Deshalb besorgte er sich Geld bei Nachbarn und Freunden. Im Gegenzug gab er ihnen Anteile an seinem Unternehmen. Doch irgendwann reichten selbst die Nachbarn und Freunde nicht mehr aus, so groß wurde die Firma. Da blieb nur noch der Weg an die Börse, wo ganz viele Menschen zusammenkommen, um Geld anzulegen.

An Geld mangelt es an der Börse meist nicht. So konnten Firmen entstehen mit 100 000 Mitarbeitern und mehr, die in ganz vielen Fabrikhallen mit ganz vielen Robotern und Maschinen zum Beispiel Autos herstellen. So wie BMW, der Autobauer aus München. Jeder, der Aktionär von der Firma BMW werden möchte, braucht 45 Euro auf seinem Sparkonto. Damit hätte man sich Anfang September 2007 eine Aktie von BMW kaufen können. Eine von insgesamt 600 Millionen. Was aber bringt der Besitz eines kleinen Anteils an BMW? Zahlt der Autobauer Zinsen auf die Aktie, wie die Bank Zinsen für das Geld auf dem Sparkonto zahlt? Nicht ganz. BMW schüttet einmal jährlich einen Teil seines Gewinns aus, also des Geldes, das das Unternehmen mit dem Verkauf seiner Autos verdient hat. Das nennt man dann Dividende.

## Das Auf und Ab der Kurse

70 Cent Dividende gab es etwa 2007 für jede einzelne BMW-Aktie. Doch die Dividende ist nicht garantiert. BMW muss Gewinne machen, also viele Autos herstellen und vor allem verkaufen. Nur wenn BMW Gewinn macht, gibt es auch Dividende. Je höher der Gewinn ausfällt, desto mehr Geld bekommt der Aktionär. Das ist der Unterschied zwischen der Aktie und dem Sparbuch, wo die Zinsen von vornherein feststehen.

Das Sparkonto ist sicher, die Aktie unsicher. Aber deshalb ist sie noch lange nicht unattraktiv. Viel spannender als die Höhe der jährlichen Dividende ist die Entwicklung des Wertes der Aktie, auch Kurs genannt. Wer Aktionär werden möchte, muss das Risiko mögen. Er darf nicht traurig sein, wenn das hart verdiente Geld, oder das angesparte Taschengeld, plötzlich viel weniger wert ist. Wenn die Anschaffung des neuen Com-

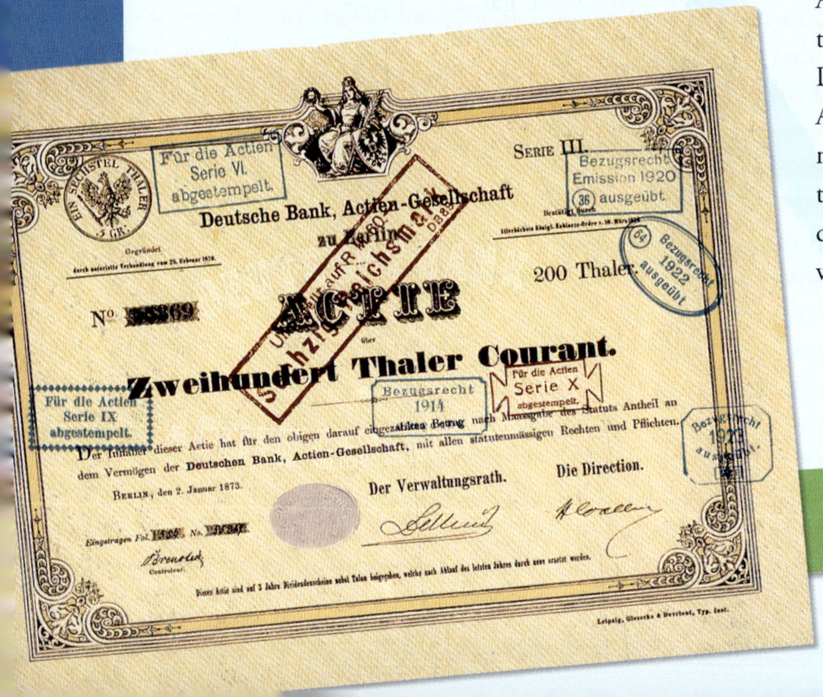


Aktie der Deutschen Bank aus dem Jahr 1872

*Kaufen! Verkaufen! An der Börse, so wie hier in Chicago, geht es hektisch zu*

puters verschoben werden muss, weil die Kurse an der Börse gefallen sind. Denn genauso geht es auch umgekehrt. Steigen die Kurse an der Börse, kann sich das Taschengeld ganz schnell vermehren, viel schneller als auf jedem Sparkonto.

## Optimisten und Pessimisten

Schauen wir auf die Kursentwicklung bei BMW: Zwischen September 2006 und September 2007 ist der Aktienkurs um sechs Euro gestiegen, also um gut 13 Prozent. Und damit rund zehnmal so schnell wie das Geld auf dem sicheren Sparkonto. Doch im Mai 2007 war der Aktienkurs noch viel höher, er lag bei mehr als 50 Euro. Von Mai aus betrachtet hatte der BMW-Aktionär bis September also rund sechs Euro verloren. Das wäre mit dem Sparbuch nie passiert. Wer Aktien besitzt, muss mit den Kursschwankungen leben können. Wie kommt es zu diesen Kursschwankungen?

Aktien sind eigentlich Wettscheine auf die Zukunft. Sieht die Zukunft rosig aus, kaufen immer mehr Menschen teure Autos, dann ist die BMW-Aktie eine tolle Aktie, deren Kurs steigen wird. Zweifeln die Börsianer an dem Erfolg der neuen Modelle oder droht gar eine Wirtschaftskrise, die viele Menschen arm machen könnte, braucht niemand die Aktie eines Produzenten von teuren Autos. Da jedoch niemand weiß, wie die Zukunft ausschauen wird, treffen an der Börse jeden Tag Optimisten und Pessimisten zusammen. Optimisten sind Menschen, die glauben, dass alles gut wird, Pessimisten sehen dagegen gerne schwarz. Und je nachdem, ob es gerade mehr Pessimisten gibt oder mehr Optimisten, steigen oder fallen die Kurse.

Am einfachsten lässt sich deshalb Geld an der Börse verdienen, wenn man etwas weiß, was die anderen noch nicht wissen. So wie Nathan Rothschild dank seiner Brieftauben.

*Albanien: Die südalbanische Bezirkshauptstadt Berat wurde bereits im 5. Jh. gegründet.*

**Geschichte:** Seit dem Altertum stand Albanien unter Fremdherrschaft (u. a. Römer, Byzantiner, Bulgaren). Nach vorübergehender Selbstständigkeit unter Skanderbeg (1443–1468) war es türkische Provinz. Erst 1912 wurde es unabhängig. 1922–1939 regierte A. *Zogu*, seit 1928 als König. 1939 wurde Albanien von Italien besetzt, 1946 kommunistische Volksrepublik unter Parteichef E. *Hoxha*, der eine stalinistische Politik betrieb. 1960 brach Albanien mit der UdSSR, 1978 auch mit China. Nach Hoxhas Tod 1985 wurde R. *Alia* Parteichef. 1990 begann die Demokratisierung des Landes. Die Kommunisten verzichteten auf ihr Machtmonopol. Die Volksrepublik wurde zur Republik Albanien. Nach dem Zusammenbruch betrügerischer Anlagegesellschaften führten bürgerkriegsähnliche Unruhen 1997 zu Chaos und Anarchie. 1998 trat eine neue Verfassung in Kraft. Staatspräsident ist seit 2007 B. *Topi*, Ministerpräsident seit 2005 S. *Berisha*.

**Albatrosse** [Pl.], sehr gut segelnde Meeresvögel, die über den Ozeanen der südlichen Erdhalbkugel zu Hause sind. Am größten wird der *Wanderalbatros* mit einer Spannweite von über 3 m. Albatrosse ernähren sich von Tintenfischen, Fischen und Krebsen.

**Albertus Magnus**, Albert der Große; * 1193 oder um 1206, † 1280; bedeutender und vielseitiger Theologe und Wissenschaftler des Mittelalters.

**Albino** [der], ein Mensch oder ein Tier, dem Farbstoffe (Pigmente) in Haut, Haaren und Augen fehlen. Menschliche Albinos sind hellhäutig, Tiere weiß, und die Augen sind rot, weil das Blut durchscheint. Der Pigmentmangel ist angeboren.

**Alchemie** [die], *Alchimie*, die → Chemie des Altertums und des Mittelalters.

**Alcopops**, speziell für junge Leute entwickelte, sehr süße Alkoholmixgetränke in poppigen Farben; ca. 5% Alkoholgehalt.

**Alemannen** [Pl.], ein Volksstamm der westgermanischen Sweben (= Schwaben). Im 3. Jh. stießen die Alemannen aus ihrem Siedlungsgebiet am oberen Main vor und kamen während der Völkerwanderung bis ins Elsass und in die Schweiz. Ende des 5. Jh. wurden sie von den Franken unterworfen. Die Bezeichnung Alemannen wurde später durch den alten Namen Schwaben ersetzt.

?

*Wer war …*

## Alexander der Große

Alexander (III). der Große (* 356 v. Chr., † 323 v. Chr.) war 336–323 v. Chr. König von Makedonien. Alexander eroberte in nur knapp 10 Jahren das größte Reich in der Geschichte der Alten Welt. Es zerfiel bald nach seinem Tod, doch wurde die griechische Kultur durch die Feldzüge Alexanders nach Ägypten und Vorderasien getragen.

Alexander, der Sohn *Philipps II.* von Makedonien, wurde von *Aristoteles* erzogen. Nach der Ermordung seines Vaters wurde Alexander König. Nachdem er mehrere Aufstände gegen die makedonische Herrschaft in Griechenland niedergeschlagen hatte, ließ er sich 336 v. Chr. zum Führer (*Hegemon*) eines makedonisch-griechischen Heeres für einen Feldzug gegen die Perser ausrufen. Trotz zahlenmäßiger Unterlegenheit besiegte Alexander das Heer des persischen Königs *Dareios III.* in mehreren Schlachten. 332/331 v. Chr. eroberte Alexander Ägypten und gründete Alexandria. 330 v. Chr. ließ er den Palast von Persepolis im Südwesten Persiens niederbrennen. 327–325 v. Chr. führte Alexander sein Heer nach Indien. Seine erschöpften Truppen zwangen ihn 324 v. Chr. schließlich zur Umkehr.

*Das berühmte Alexander-Mosaik (im Bild ein Ausschnitt mit Alexander dem Großen) stellt die Schlacht bei Issos 333 v. Chr. gegen den persischen Großkönig Dareios III. dar; 1. Jh. Neapel, Archäologisches Nationalmuseum*

**Alexandria**, wichtigster Hafen und zweitgrößte Stadt Ägyptens, 3,39 Mio. Einwohner. Alexandria wurde 331 v. Chr. von *Alexander dem Großen* gegründet. In der Antike wurde die Stadt zum Mittelpunkt des hellenistischen Geisteslebens (u. a. mit einer berühmten Bibliothek). Auf einer vorgelagerten Insel wurde ein Leuchtturm gebaut, der zu den → Weltwundern zählte.

**Alexandriner**, zwölf- oder dreizehnsilbiger Vers aus sechs Jamben mit Pause (Zäsur) nach der 3. Hebung.

**Algebra** [die], ein Teil der Mathematik, der sich mit dem Lösen von Gleichungen in abstrakter Form beschäftigt, das heißt, man benutzt Buchstaben anstelle von Zahlen und setzt z. B. x oder y als Unbekannte ein. Heute versteht man darunter allgemein die Lehre von den *algebraischen Strukturen*. Dabei werden Verknüpfungsgebilde (Mengen mit mindestens einer Verknüpfung) auf ihre Eigenschaften untersucht.

**Algen** [Pl.], Sammelbegriff für wasserlebende niedere Pflanzen, die nicht in Wurzel, Spross und Blätter gegliedert sind. Der einfach gebaute Pflanzenkörper kann einzellig oder mehrzellig sein. Algen haben keine Leitungsbahnen, weil sie über die ganze Oberfläche Wasser und Nährstoffe aufnehmen können. Sie unterscheiden sich stark in Größe und Farbe. Man gliedert sie nach den Farbstoffen in *Braun-*, *Grün-*, *Rot-* und *Blaualgen*. Die nicht mit den übrigen Algen verwandten bakterienähnlichen Blaualgen (heute Cyanobakterien genannt) sind nur rund $^{2}/_{1000}$ mm groß, während einige Braunalgen (→ Tang) bis zu 100 m lang werden. Von Grünalgen stammen alle Landpflanzen ab. Winzige Planktonalgen sind die wichtigste Nahrung für Kleintiere und damit auch für Fische. Algenschleime werden manchen Lebensmitteln als Dickungsmittel zugesetzt, z. B. dem Speiseeis. Auch → Pflanzen.

### *Ländersteckbrief*
### Algerien

| | |
|---|---|
| **Fläche:** | 2 381 741 $km^2$ |
| **Einwohner:** | 33,4 Millionen = 14 je $km^2$ |
| **Hauptstadt:** | Algier |
| **Religion:** | Islam |
| **Amtssprache:** | Arabisch |
| **Währung:** | 1 Algerischer Dinar = 100 Centimes |

**Algerien**, Staat in Nordafrika.

**Landesnatur:** Hinter der Küstenregion (bis 100 km breit) erhebt sich der Tellatlas, an den sich südlich die Hochebene der Chotts anschließt (400–1000 m ü. M.). Darauf folgt der Saharaatlas (im *Jabal Shilyah* 2328 m), der steil zur Sahara (85% der Fläche von Algerien) abfällt. Das Atlasgebiet hat Mittelmeerklima mit Winterregen.

**Bevölkerung:** Die Bevölkerung besteht vorwiegend aus Arabern und aus verschiedenen Berberstämmen (Kabylen, Tuareg, Mzabiten). Der Islam sunnitischer Richtung ist Staatsreligion.

**Wirtschaft:** Nur die Küstenregion wird landwirtschaftlich genutzt; Frühgemüse, Wein, Getreide, Früchte und Tabak werden exportiert; Dattelpalmen in den Oasen; im Gebirge großflächige Wiederaufforstungen (»Grüne Mauer«, 5 bis 20 km breit). Umfangreiche Erdölvorkommen in der Sahara; das Gebiet von Hassi R'Mel ist eines der größten Erdgasfelder der Erde; hochwertiges Eisenerz, Phosphat, Zink-, Blei- und Kupfererze, Schwefelkies sowie Salz werden abgebaut. Die Industrie verarbeitet v. a. die Bergbauprodukte und die Erzeugnisse der Landwirtschaft und Fischerei. Sehr verbreitet ist das Handwerk: Teppichweberei, Verarbeitung von Leder, Keramik u. a. Haupthandelspartner: Frankreich, Italien. – Im Norden dichtes Eisenbahn- und Straßennetz. Das algerische Teilstück der Transsaharastraße ist durchgehend befahrbar. Wichtige Häfen: Algier, Annaba, Oran, der Erdölhafen Bejaïa und die Erdgashäfen Arzew und Skikda. Internationale Flughäfen sind in Algier, Oran, Annaba und Constantine.

**Geschichte:** Nach phönizischem und karthagischem Einfluss setzten sich die Römer in Algerien durch (*Numidia*, *Mauretania*), das im 7. Jh. arabisch wurde. 1519 gelangte es an das Osmanische Reich. 1830 besetzten französische Truppen Algier, 1847 wurde ganz Algerien französisch. Den erwachenden algerischen Nationalismus unterdrückte Frankreich; auch nach dem Zweiten Weltkrieg gewährte es Algerien keine Autonomie. 1954 begann unter Führung von A. *Ben Bella* der Aufstand der »Nationalen Befreiungsfront« (FLN) gegen die Kolonialmacht. 1962 konnte die unabhängige Republik Algerien ausgerufen werden; Ben Bella wurde zunächst Ministerpräsident, dann Staatspräsident. 1 Mio. Europäer verließen das Land. 1965 wurde Ben Bella von Armeechef H. *Boumedienne* gestürzt. Algerien verschrieb sich einem islamisch geprägten Sozialismus. Nachfolger Boumediennes wurde 1979 B. *Chadli*, der ein Mehrparteiensystem einführte. Nach dem Wahlsieg der *Islamischen Heilsfront* trat Chadli 1992 zurück. Ein Oberster Staatsrat übernahm zunächst die Macht und verbot die Heilsfront. Es kam zum bürgerkriegsähnlichen Konflikt mit den Islamisten, der rund 100 000 Tote forderte. A. *Bouteflika* (seit 1999 Präsident, 2004 wiedergewählt) bemühte sich um eine Politik der Aussöhnung.

*Alhambra: Der von schmalen Säulengängen umschlossene Löwenhof bildet den Mittelpunk des Palastes.*

**Algier** ['alʒir], Hauptstadt und wichtigster Handelshafen Algeriens mit rund 2,17 Mio. Einwohnern.

**Algorithmus**, allgemein jedes Rechen- oder Arbeitsverfahren, das zur Lösung von Aufgaben in genau festgelegten, endlich vielen Schritten vorgeht.

**Alhambra** [die, span., arab., »die Rote«], ein großer, prachtvoller Palast in Granada (Spanien), im 13. und 14. Jh. von den damaligen islamischen Herrschern errichtet.

**Ali Baba und die 40 Räuber**, ein Märchen aus »1001 Nacht«. Aus dem Märchen stammt die Zauberformel »Sesam, öffne dich!«.

**Alibi** [das, lat., »anderswo«], der Nachweis von Tatverdächtigen, dass sie zur Tatzeit am Tatort nicht anwesend waren.

**Alimente** [Pl.], die Unterhaltszahlungen, die ein Vater nach dem Gesetz seinem nicht ehelichen Kind schuldet.

**Alkalimetalle** [Pl.], die in der I. Hauptgruppe des Periodensystems stehenden, sehr reaktionsfähigen Elemente Lithium, Natrium, Kalium, Rubidium, Cäsium und Francium. Sie haben die Eigenschaft, sehr heftig mit Wasser zu reagieren und dabei Wasserstoff und Laugen zu bilden. Besonders die Elemente Kalium und Natrium spielen in den lebenden Zellen eine bedeutende Rolle, da sie den Wasserhaushalt beeinflussen.

**Alkohole** [Pl.], chemische Verbindungen aus Kohlenstoff, Wasserstoff und Sauerstoff, die mindestens eine OH-Gruppe (O = Sauerstoff, H = Wasserstoff) enthalten. Allgemein versteht man unter Alkohol den in alkoholischen Getränken enthaltenen Ethylalkohol (*Äthanol*, *Weingeist*, *Spiritus*; chemische Formel $C_2H_5OH$). Er wird durch alkoholische Gärung gewonnen. Dabei zerlegen z. B. Hefepilze die in Weintrauben und Getreide enthaltenen Kohlenhydrate in Ethylalkohol und Kohlendioxid. Da Alkohol berauschend wirkt, ist er ein beliebtes Genussmittel. Er beeinträchtigt jedoch das Konzentrations- und Reaktionsvermögen und wirkt in größeren Mengen wie Gift für den Organismus. Bei regelmäßigem Genuss besteht die Gefahr der Alkoholkrankheit. Siehe auch ZEIT-Beitrag → »Alkohol: Fünf Liter Schnaps!«, Seite 48–51.

**Alkoholkrankheit** [die], die seelische und körperliche Abhängigkeit von Alkohol, das heißt eine Sucht, die sich durch regelmäßigen und übermäßigen Genuss alkoholischer Getränke entwickeln kann. Die Alkoholkrankheit kann zu seelischen und körperlichen Schäden (besonders Lebererkrankungen) und zum Tod (Alkoholvergiftung) führen. Die Abhängigkeit kann nur durch den völligen Verzicht auf Alkohol sowie durch die offene Auseinandersetzung mit dem Problem bewältigt werden. Die Behandlung besteht in einer Entziehungskur und begleitender Psychotherapie.

**Allah** [arab., »Gott«], im Islam der Name des von *Mohammed* verkündeten alleinigen Gottes.

**Allegorie** [die], die bildhafte Darstellung eines abstrakten Begriffs, z. B. der Tod als Sensenmann.

*Übersichtsplan der Alhambra: Die zahlreichen Räume des Palastes gruppieren sich um Innenhöfe.*

*Beschwipste Brause: Mit Alcopops fangen viele das Trinken an*

**Alkohol**

# *Fünf Liter Schnaps!*

**Von Gudrun Kirfel**

Warum trinken Erwachsene Alkohol, obwohl er abscheulich riecht und bitter schmeckt? Sie haben sich an den Geschmack gewöhnt, so sehr, dass sie ihn mögen und ihr liebstes alkoholisches Getränk nicht mehr missen wollen. Vielen bringt der Alkohol gute Laune, andere macht er mutiger, lässt sie kurzfristig ihre Sorgen vergessen. Die meisten entspannt er. Wer allerdings zu viel Alkohol trinkt, dem wird entsetzlich übel: Der Körper wehrt sich dagegen, vergiftet zu werden – durch zu viel Bier, Wein oder Schnaps.

Auch Schüler trinken oft schon Alkohol: Weil sie dazugehören oder erwachsen wirken wollen. Und weil es scheinbar cool ist, weil es zum Party-machen irgendwie dazugehört. Das ist ähnlich wie mit den Zigaretten. Kein Kind kann sich vorstellen, jemals zu rauchen. Die erste Zigarette schmeckt fürchterlich, löst Hustenattacken aus, und danach stinkt man nach Rauch. Doch wer dabeibleibt, gewöhnt sich an den Geschmack und meint schon bald, nicht mehr ohne Zigaretten auszukommen. Er schädigt seinen Körper mit jedem Zug.

Etwas muss also dran sein an Alkohol und Tabak, sonst würden nicht so viele Erwachsene rauchen oder trinken. An jeder Ecke ist ein Weinladen, im Supermarkt messen die Alkoholregale zehn Meter und mehr. Durchschnittlich 116 Liter Bier trinkt jeder Deutsche im Jahr und fünf Liter Schnaps! Alkohol wird in unserer Gesellschaft nicht geächtet, sondern geachtet. Und man kann ihn ja auch genussvoll trinken: Ein Glas Wein kann zu einem guten Essen gehören wie ein gutes Gespräch.

Es kommt wie bei so vielen Dingen auf das richtige Maß an. Denn wer regelmäßig zu viel trinkt, bekommt schnell ein Problem, handelt unkontrolliert, kann nicht mehr aufhören. Mehr als 200 Menschen sterben in Deutschland täglich an den Folgen ihres Missbrauchs.

## *Irgendwann siegt die Neugierde*

Der Alkohol hemmt bestimmte Vorgänge im Gehirn und führt so zu einem Rausch. Diesen Rausch gibt es in verschiedenen Ausprägungen. Von einer leichten, gelösten oder fröhlichen Stimmung bis hin zur totalen Trunkenheit mit Erinnerungslücken, Übelkeit und Erbrechen. In erhöhter Konzentration kann Alkohol sogar tödlich sein. Wie viel jemand verträgt, hängt von seinem Körpergewicht ab. Wer mehr wiegt, verträgt mehr, Männer können aufgrund ihres Körperbaus oft mehr trinken als Frauen. Jeder muss daher für sich selbst lernen, seine eigenen Grenzen zu setzen. Das ist wie mit einer Tafel Schokolade: Jeder hat sich schon einmal vorgenommen, nur einen Riegel zu essen. Aber dann isst man doch noch einen und noch einen, und plötzlich ist die Tafel aufgegessen – trotz der Kilos, die man zunimmt, trotz der Angst vor dem Zahnarzt oder des festen Vorsatzes, mit der Schwester zu teilen, konnte man das Maß nicht halten.

Wie Süßigkeiten zur Kindheit gehören, gehören erste Erfahrungen mit Alkohol zum Erwachsenwerden. Irgendwann siegt die Neugierde über alle Warnungen – oder es steigt der Druck in der Clique, weil alle schon Erlebnisse mit Alkohol haben und man nicht länger nachstehen möchte.

Gefährlich kann es werden, wenn man solche Erfahrungen allzu früh macht: Nervenärzte vergleichen das Gehirn von Kindern und Jugendlichen gern mit einer Baustelle. Straßen werden erst noch eingefahren, der Grundstein für vieles lässt sich legen. Für Sportlerlaufbahnen, Künstlerlebenswege – oder aber für Suchtkarrieren.

Um Kinder vor den gefährlichen Wirkungen des Alkohols zu schützen, gibt es das Jugendschutzgesetz. Es schreibt unter anderem vor, ab wann Kinder Alkohol trinken dürfen. Bier und Wein sind ab 16 Jahren erlaubt, hochprozentige Getränke erst ab 18 Jahren, an Betrunkene darf gar nichts ausgeschenkt oder verkauft werden. Trotzdem gibt es viele Kneipen, Tankstellen und

*Verkehrskontrolle: Das Messgerät zeigt an, wie viel Alkohol man getrunken hat*

Supermärkte, die sich über diese Verbote hinwegsetzen.

Insgesamt, haben die Forscher herausgefunden, trinkt die Mehrheit der Schüler heute weniger Alkohol als früher. Aber eine kleine Gruppe trinkt immer mehr und immer maßloser. Bei diesen Jugendlichen sinkt das Einstiegsalter. Manchmal werden schon Zwölfjährige mit einer Alkoholvergiftung ins Krankenhaus eingeliefert. Auffallend viele Mädchen sind darunter. Früher tauchten sie in Statistiken über Alkoholmissbrauch kaum auf.

Traurige Berühmtheit erlangte im Frühjahr 2007 ein 16-jähriger Junge aus Berlin. Er hatte bei einem Wetttrinken so viel Schnaps in sich hineingekippt, dass er ins Koma fiel und wenige Wochen später starb. Schüler, die so heftig trinken, nennen das selbst »Kampftrinken« oder »Komasaufen«. Viele betreiben das Alkoholtrinken wie eine Sportart, so wie Fußball. Jeder möchte der Beste sein, am längsten durchhalten. In letzter Zeit wird deshalb viel über ein Verbot sogenannter Flatrate-Partys gestritten. Wie bei einer Telefon- oder Internet-Flatrate zahlen die Besucher solcher Partys einen einmaligen Preis. Dafür können sie dann trinken, so viel sie wollen. Solche Angebote werden auch »Saufpauschale« genannt, sie zielen besonders auf Schüler, deren Taschengeld sonst nicht für viel Alkohol reichen würde. Mit Werbesprüchen wie »All you can drink!« (Trink, soviel du kannst) oder »Feiern, bis der Lehrer klingelt« werben die Diskotheken um junge Kunden.

## Die eigenen Grenzen kennen

Doch immer öfter klingelt nicht der Lehrer, sondern der Notarzt. Viele Jungen und Mädchen meinen, wenn sie den Eintrittspreis einmal bezahlt haben, müssten sie so viel trinken, wie nur irgend geht, damit sich der Abend auch lohnt. Viele überschätzen, wie viel sie vertragen. So wie Natascha und Jennifer (beide 16), Erik (17) und Jeanette (15). In einer Diskothek in Hannover betranken sie sich, bis sie nicht mehr konnten. Natascha und Jennifer übergaben sich auf der Toilette, weil ihnen so schlecht war. Erik schaffte gerade noch den Weg nach draußen, erbrach sich vor der Tür und torkelte dann nach Hause. Jeanette war so betrunken, dass ihre Freundinnen den Rettungswagen riefen, der sie dann ins Krankenhaus brachte.

Die Zahl der Krankenhauseinlieferungen von Schülern nach Alkoholmissbrauch steigt in den letzten Jahren dramatisch an. Bei den Mädchen hat sie sich binnen kurzer Zeit sogar verdreifacht. Im Krankenhaus versuchen die Ärzte den

*Sogenannte Flatrate-Partys werben für maßloses Trinken*

Alkoholtrinken gilt oft als cool – mancher trinkt daher auch, um dazuzugehören

Betrunkenen zu helfen. Jeanette etwa drohte an ihrem Erbrochenen zu ersticken. Sie musste sogar gewickelt werden, weil sie keine Kontrolle mehr über ihren Körper hatte. Am nächsten Morgen wachte sie in Windeln auf und konnte sich an nichts erinnern.

## Wenn Alkohol süchtig macht

In einigen Städten gibt es mittlerweile Entziehungskliniken nur für Kinder und Jugendliche. Hier machen die Betroffenen einen schmerzhaften und langwierigen Alkoholentzug durch. Für Wochen und Monate leben sie hinter verschlossenen Türen, fern von ihrem Zuhause. Wie Elena, die heute 17 ist und schon vier Monate in einer hannoverischen Entziehungsklinik lebt. Mit 14 trank sie zum ersten Mal Alcopops, das sind süße Brausen, die mit Alkohol versetzt werden. Sie schmeckten ihr so gut, dass sie immer mehr trank und ihren ersten Rausch erlebte. Schnell wollte sie den nun jedes Wochenende haben, und weil Alcopops zu teuer waren, kaufte sie sich billigen Schnaps im Supermarkt und verdünnte den mit Saft oder Cola.

Schon nach kurzer Zeit fing sie auch unter der Woche an zu trinken, ihre Leistungen in der Schule wurden immer schlechter. Später trank sie sogar morgens: Sie konnte ohne Alkohol nicht mehr aufstehen. Sie schwänzte immer öfter den Unterricht, lebte mit 16 fast nur noch auf der Straße. Ihren 17. Geburtstag feierte sie nach einer Alkoholvergiftung im Krankenhaus. Die Ärzte schafften es, sie zum Entzug zu überreden.

Elena muss jetzt lernen, sich Grenzen zu setzen und verantwortungsvoll mit ihrem Leben umzugehen. Nie wieder darf sie auch nur einen Tropfen Alkohol trinken. Aber eines Tages, hofft sie, wird sie ihren Schulabschluss nachholen und wieder ein ganz normales Leben führen.

*Was ist eine …*
## Allergie

Eine Allergie ist eine Überempfindlichkeitsreaktion des Immunsystems auf normalerweise harmlose Stoffe, sogenannte *Allergene*. Beim ersten Kontakt mit dem Allergen kommt es zur Antikörperbildung (*Sensibilisierung*), beim wiederholten Kontakt zur allergischen Reaktion, die von leichter Hautrötung, oft begleitet von Juckreiz, bis zu Kreislaufversagen reichen kann.

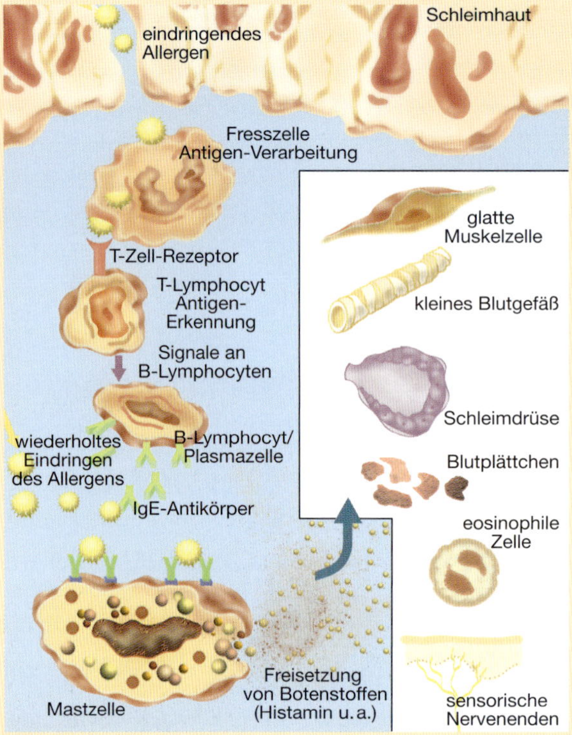

*Allergische (Ketten-)reaktion im Körper*

**Ursachen:** Das Immunsystem unseres Körpers bildet beim Eindringen von Bakterien und Viren Antikörper, um diese unschädlich zu machen. Bei einer Allergie reagiert das Immunsystem auch auf Stoffe, die normalerweise keine Erkrankungen auslösen. Die Veranlagung für eine Allergie ist vermutlich ererbt. Zahlreiche Faktoren müssen aber zusammenwirken, damit eine Allergie tatsächlich auftritt. Solche Faktoren können Fremdstoffe in der Nahrung, die Schadstoffbelastung der Umwelt, intensiver Kontakt mit Allergenen, aber auch psychischer Stress sein. Dementsprechend haben Allergien in den Industrieländern deutlich zugenommen. Allergen können nahezu alle Substanzen sein. Manche treten besonders häufig als Auslöser in Erscheinung, etwa Hausstaub, Blütenpollen, Tierhaare, Schimmelpilze, Nahrungsmittel (besonders Milch, Mehl, Eier, Meerestiere, Nüsse, Erdbeeren), Nahrungsmittelzusatzstoffe, Chemikalien in Kosmetika, Reinigungs- und Waschmitteln, Nickel, Insektengifte und bestimmte Medikamente (z. B. Penicillin).

**Verlauf:** Während einer anfänglichen Sensibilisierungsphase treten zunächst noch keine Symptome auf. Bei erneutem Kontakt mit dem Fremdkörper reagieren jedoch die gebildeten Antikörper und es kommt zur *Antigen-Antikörper-Reaktion*. Diese setzt Gewebshormone wie Histamin frei: Blutkapillaren erweitern sich, ihre Wände werden durchlässig und es tritt Flüssigkeit aus dem Blut in das umgebende Gewebe aus. Die Haut rötet sich, juckt und das Gewebe schwillt an. Damit ist eine allergische Erkrankung (*Allergose*) entstanden. Bei jedem erneuten Kontakt mit dem Allergen treten nun die allergischen Symptome auf. Eine Kreuzallergie liegt vor, wenn das Immunsystem auf einen strukturell verwandten Stoff bereits beim Erstkontakt allergisch reagiert. Es gibt u. a. folgende Allergieformen: Hautkontakt mit dem Auslöser verursacht Juckreiz, Ekzeme, Nesselsucht oder Kontaktdermatitis. Blütenpollen oder Stäube führen zu Tränenfluss, brennenden Augen und Schwellung der Nasenschleimhäute (Heuschnupfen). Mit der

Nahrung aufgenommene Stoffe rufen Magen-Darm-Störungen hervor. Dauerschnupfen deutet auf eine Hausstauballergie hin, die sich bis zum Asthma steigern kann. Die gefährlichste, aber verhältnismäßig seltene allergische Reaktion ist der anaphylaktische Schock mit Atemnot und akutem Blutdruckabfall bis hin zum Kreislaufversagen.

**Therapie:** Bei Verdacht auf eine Allergie muss zunächst mithilfe von genauer Selbstbeobachtung, Hauttests und Blutuntersuchungen das Allergen oder die Allergene gefunden werden. Die wirksamste Maßnahme ist immer die Vermeidung des Allergens. Ist das nicht möglich, können spezielle Medikamente, sogenannte Antihistaminika oder Cortison, Linderung verschaffen. Manchmal lässt sich auch durch *Hyposensibilisierung* die Überempfindlichkeit gegen Allergene abbauen: Über lange Zeiträume hinweg werden die allergieauslösenden Stoffe in extremer Verdünnung gespritzt oder geschluckt, wobei die Dosis allmählich gesteigert wird. Nach Abschluss der Behandlung werden die Allergene wieder in höherer Konzentration vertragen.

**Allerheiligen**, ein katholisches Fest zum Gedächtnis aller Heiligen; es wird seit dem 9. Jh. am 1. November gefeiert.

**Allerseelen**, ein katholischer Gedächtnistag für alle Verstorbenen, der am 2. November gefeiert wird.

**Allianz** [die], ein Bündnis, Zusammenschluss von Staaten für politische Zwecke oder zur Erhaltung einer bestimmten zwischenstaatlichen Ordnung; die verbündeten Staaten heißen *Alliierte*.

**Alligatoren** [Pl.], eine Familie der → Krokodile.

**Alm** [die], Alp; ein hoch gelegener Viehweideplatz, besonders in den Alpen. Die Alm wird vom Frühjahr bis zum Herbst bezogen.

**Almsick**, Franziska van, * 1978, deutsche Schwimmerin. Sie gewann zahlreiche Meistertitel und bei den Olympischen Spielen 1992–2004 insgesamt 4 Silber- und 6 Bronzemedaillen. 2004 trat sie vom aktiven Sport zurück.

**Aloe** [die], eine Gattung der Liliengewächse, die in den Steppen Afrikas heimisch ist, mit dickfleischigen, rosettenförmig angeordneten Blättern. Die Aloe ist bei uns als Zier- und Heilpflanze bekannt.

**Alpaka** [das], eine Art der → Lamas sowie die Wolle dieser Tiere.

**Alpen** [Pl.], das größte und höchste Gebirge Europas, an dem die Länder Österreich, Deutschland, Frankreich, Schweiz, Italien und Jugoslawien Anteil haben. Die Alpen erstrecken sich 1200 km von Westen nach Osten und sind 150–200 km breit. Der höchste Berg

*Aloe: Im Inneren der dickfleischigen Blätter befindet sich ein Gel, das für medizinische Zwecke verwendet werden kann.*

*Alpen: Die Linie Rheintal–Splügen–Comer See gilt als Grenze zwischen Ost- und Westalpen. In den Ostalpen werden die vorwiegend kristallinen Zentralalpen durch große Tälerlinien von den Nördlichen Kalkalpen und den Südlichen Kalkalpen getrennt. In den Westalpen wird eine Reihe kristalliner Zentralmassive durch Täler von einer Gneiszone im Süden sowie einer Kalkzone im Westen und Norden geschieden.*

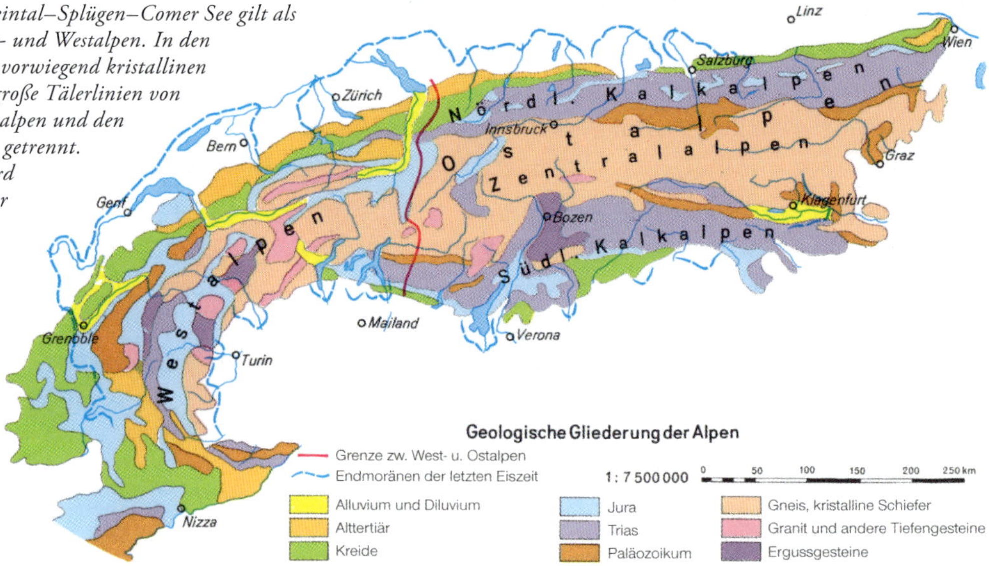


ist der 4807 m hohe *Montblanc* in Frankreich. Der höchste deutsche Berg ist die *Zugspitze* mit 2962 m. Durch den starken Tourismus sind in den Alpen hohe Umweltbelastungen entstanden. Rodungen für Skipisten und Lifte haben z. B. zu erheblichen Bodenerosionen geführt.

**Alphabet** [das, griech.], eine Bezeichnung für die Reihenfolge der Schriftzeichen einer Sprache, benannt nach Alpha und Beta, den beiden ersten Buchstaben im griechischen Alphabet. Die deutsche Sprache enthält 26 Schriftzeichen (Buchstaben), dazu drei Schriftzeichen für die Umlaute ä, ö, ü.

**Al Qaida** ['kaːida, arab. »Basis«], Ende der 1980er Jahre in Afghanistan gegründetes Terrornetzwerk des islamistischen Extremisten Usama *Bin Ladin*; die Organisation operiert weltweit; Hauptgegner sind die USA und Israel; neben den Anschlägen auf das World Trade Center und das Pentagon am 11. 9. 2001 werden dieser Gruppe zahlreiche weitere Terroraktionen zugeschrieben; durch die US-amerikanische Militäroffensive 2001 wurde die Infrastruktur der Terroristen in Afghanistan weitgehend zerstört.

**Alt** [der, lat.], Altstimme, tiefe Stimmlage bei Frauen und Knaben.

**Altai**, ein etwa 2500 km langes Gebirge im Innern Asiens. Der Altai hat viele vergletscherte Gipfel, der höchste ist der Belucha mit 4506 m. Das Gebirge ist reich an Bodenschätzen, z. B. Wolfram, Bunt- und Edelmetalle.

**Altar** [der, lat., »erhöhter Opferplatz«], ursprünglich tischartiger Platz, auf dem den Göttern das Opfer dargebracht wurde. In der christlichen Kirche entwickelte sich der Altar erst später aus dem Tisch, den man zur Feier des Abendmahls verwandte.

*Ein Dorf in der Altai-Region im südlichen Ostsibirien*

**Alternative** [die, lat.], eine zweite Möglichkeit (neben einer ersten); Ausweichmöglichkeit.

**Altertum** [das] → Geschichte.

**Altes Testament** [das], Abkürzung AT, ein Teil der → Bibel.

**Altlasten** [Pl.], seit 1986 (Abfallbeseitigungsgesetz) auf Mülldeponien gelagerte Abfälle, die die Umwelt gefährden.

**Altweibersommer** [der], eine Schönwetterperiode Ende September bis in den Oktober hinein in Mitteleuropa (in Nordamerika Indianersommer). Er hat seinen Namen von feinen Spinnfäden in der Luft, die im Volksglauben mit Frauenhaar verglichen wurden.

**Aluminium** [das, lat.], ein chemisches Element mit dem Zeichen Al. Aluminium ist ein silberweißes, leicht glänzendes Leichtmetall. Wegen seiner besonderen Festigkeitseigenschaften und seiner Unempfindlichkeit gegen Sauerstoff und Feuchtigkeit wird es besonders in Legierungen mit anderen Metallen als Konstruktionsmetall gebraucht, z. B. im Flugzeugbau. Es kommt in der Natur in Bauxit vor, aus dem es durch Elektrolyse gewonnen wird.

**Alzheimer-Krankheit** [die], eine bisher nicht heilbare Erkrankung des Gehirns, benannt nach dem Neurologen Alois Alzheimer (1864–1915). Die fortschreitende Schrumpfung des Gehirns führt u. a. zum völligen Verlust des Gedächtnisses und der Sprache und schließlich zum totalen Verfall der Persönlichkeit des Erkrankten.

**Amalgam** [das, lat.], eine Legierung (Mischung) aus Quecksilber und anderen Metallen, die besonders als Plomben für Zahnfüllungen gebraucht wird.

**Amateure** [ama'tœːrə, Pl., franz., »Liebhaber«], Personen, die eine Tätigkeit nicht berufsmäßig, sondern als Hobby ausüben, z. B. Sportler.

**Amazonas** [der], längster Strom Südamerikas (6437 km lang, bis zu 5 km breit). Er entsteht durch die Vereinigung dreier Quellflüsse, die in den peruanischen *Kordilleren* entspringen. Er durchfließt das brasilianische Tiefland und mündet mit einem über 250 km breiten Delta mit drei Armen in den Atlantischen Ozean. Auch → »Genauer betrachtet«.

### *Genauer betrachtet …*
### Amazonas

Der spanische Entdecker Francisco de *Orellana* befuhr erstmals den Amazonas in seiner ganzen Länge. Orellana hatte an einer Expedition teilgenommen, um das Gebiet jenseits der Anden zu erkunden und das sagenhafte Goldland »Eldorado« zu finden. Nach einer schweren und verlustreichen Andenüberquerung hatten sie den Río Napo erreicht. Orellana und einige Männer wurden auf einem aus rohem Urwaldholz gezimmerten Schiff ausgeschickt, um Nahrung zu suchen. Sie gelangten zu einem um 1500 von dem Spanier Vicente Yánez *Pinzón* entdeckten Fluss und erreichten am 24. August 1542, nach rund achtmonatiger Fahrt, seine Mündung. Während der Fahrt waren sie mehrfach in kriegerische Auseinandersetzungen mit bewaffneten Indianerfrauen geraten. Daher nannte Orellana den Fluss nach den sagenhaften *Amazonen* aus der griechischen Mythologie.

**Amazonen** [Pl.], ein kriegerischer Frauenstamm in der griechischen Sagenwelt, dessen Angehörige nur Mädchen aufzogen und zum Waffendienst heranbildeten.

**ambulant** [lat.], umherziehend, nicht ortsgebunden; *ambulantes Gewerbe*: Straßenhandel; *ambulante Behandlung*: eine ärztliche Behandlung, bei der Patienten nicht im Krankenhaus liegen müssen.

**Ameisen** [Pl.], eine Insektenfamilie mit etwa 9600 bekannten Arten, die über die ganze Welt verbreitet ist. Die Ameisen leben in Staaten. Zu einem Staat gehören eine oder mehrere Königinnen, Männchen und Arbeiterinnen. Im Frühjahr fliegen die Königinnen und die Männchen zur Begattung aus. Die Männchen sterben anschließend, die Königinnen fliegen zu ihrem alten Staat zurück oder bilden einen neuen. Sie verlieren ihre Flügel und legen von nun an nur noch Eier. Aus den Eiern schlüpfen Larven, die sich verpuppen. Aus den Puppen entwickeln sich Arbeiterinnen, wenn die Eier befruchtet waren, während die Männchen aus unbefruchteten Eiern entstehen. Die Arbeiterinnen haben die Aufgabe, die Nester der Ameisen zu bauen, die Brut zu pflegen und den Staat vor Angreifern zu schützen. Zu diesem Zweck sind die Arbeiterinnen mancher Ameisen als Soldaten mit besonders großen Mundwerkzeugen ausgestattet. Ameisen können 6 Jahre alt werden. Sie ernähren sich von Pflanzensäften, von anderen Insekten, ganz besonders aber von den zuckerhaltigen Ausscheidungen der Blattläuse (Honigtau). Bei uns steht die *Rote Waldameise* unter Naturschutz. Sie ist besonders nützlich, da sie im Wald Schädlinge auf dem Boden und an Bäumen vertilgt.

*Ameisen: Die Grafik zeigt die Größenunterschiede zwischen Königin, Arbeiterin und Soldatenameise.*

*Ammoniten traten im Devon auf und verschwanden zur selben Zeit wie die Saurier.*

**Amerika** → Seite 57.

**Aminosäuren** [Pl.], von über 260 bekannten Aminosäuren sind 22 Bestandteile der Eiweiße, die ein wesentlicher Baustein aller Lebewesen sind. Aminosäuren, die der Körper nicht selbst herstellen kann, muss er mit der Nahrung aufnehmen. Sie heißen *essenzielle Aminosäuren.*

**Amman**, Hauptstadt von Jordanien, moderne Handels- und Industriestadt an der Nordspitze des Toten Meers, 1,8 Mio. Einwohner.

**Ammoniak** [das], ein farbloses, stechend riechendes, wasserlösliches Gas (chemische Formel NH3), das bei Fäulnis von Eiweißstoffen entsteht. Die wässrige Lösung von Ammoniak heißt Salmiakgeist. Ammoniak dient besonders als Kühlmittel in Kältemaschinen und zur Herstellung von Kunstdünger.

**Ammoniten** [Pl.], eine ausgestorbene Gruppe von *Kopffüßern*, die die Meere vom Devon bis zur Kreidezeit bevölkerte. Charakteristisch für sie war ein zumeist spiralig aufgerolltes und gekammertes Kalkgehäuse von wenigen Zentimetern bis 2,5 m im Durchmesser, das oft fossil erhalten geblieben ist.

**Amnesie** [die, griech.], Erinnerungsverlust, zeitlich begrenzter Gedächtnisausfall.

**Amnestie** [die], die Begnadigung durch Gesetz.

**Amnesty International** ['æmnəsti intə'næʃnəl, engl.], Abkürzung *ai*, eine internationale Organisation, die sich für die Rechte politischer Gefangener einsetzt. ai wurde 1961 gegründet und erhielt 1977 den Friedensnobelpreis.

*Mehr wissen ...*

## Die »Neue Welt«: Amerika

Der Doppelkontinent Amerika setzt sich aus Nordamerika (mit Grönland 21,8 Mio. km², rund 331 Mio. Einwohner) und Südamerika (17,8 Mio. km², 375 Mio. Einwohner) zusammen. Beide sind durch die zentralamerikanische Landbrücke mit den ihr vorgelagerten Westindischen Inseln miteinander verbunden (Zentralamerika mit Westindien 2,7 Mio. km², 186 Mio. Einwohner). Insgesamt ist Amerika mit rund 42,3 Mio. km² nur wenig kleiner als Asien und erstreckt sich von Nord nach Süd über 16 000 km. Damit ist es der Kontinent mit der größten Nord-Süd-Ausdehnung. Amerika umfasst etwa 28% der Landoberfläche der Erde, beherbergt mit 892 Mio. Menschen aber nur 14% der Erdbevölkerung. Der Kontinent, der nach dem Seefahrer Amerigo *Vespucci* benannt worden ist, wird wegen der relativ späten Entdeckung durch die Europäer auch als »Neue Welt« bezeichnet. Nach sprachlich-kulturellen Gesichtspunkten wird der Erdteil auch in das überwiegend englischsprachige Angloamerika (USA, Kanada) und das vor allem spanisch- oder portugiesischsprachige Lateinamerika unterteilt.

### Landesnatur:

Der Oberflächenaufbau des Kontinents weist eine einheitliche Dreigliederung auf. Im Westen erheben sich die *Kordilleren (Rocky Mountains, Anden),* im mittleren Teil erstrecken sich weite, von breiten Strömen durchflossene Ebenen, der Osten wird von Mittelgebirgen *(Appalachen, Bergland von Guyana, Brasilianisches Berg- und Tafelland)* eingenommen. Die Kordilleren (im *Aconcagua* bis 6960 m hoch) sind ein geologisch unruhiger Raum mit häufigen Erdbeben und vielen, zum Teil noch aktiven Vulkanen. Die mittleren Ebenen sind vor allem in den USA in Kulturlandschaften mit Ackerbau und Viehzucht umgewandelt worden; sie beherbergen mit den Großen

*Cowboys treiben eine Rinderherde in Utah/USA zusammen.*

Seen in Nordamerika die größte Süßwasserfläche der Erde und mit dem Amazonastiefland in Südamerika das größte tropische Regenwaldgebiet. Amerika hat sowohl auf der Nord- als auch auf der Südhalbkugel Anteil an allen Klimaten der Erde: An die subpolare Klimazone im Norden und äußersten Süden (Feuerland) des Kontinents schließt sich die gemäßigte Klimazone an (Südkanada, ein Großteil der USA, der Süden Chiles und Argentiniens). In Mittelamerika und dem größten Teil Südamerikas überwiegen dagegen subtropische und tropische Klimate. Im Bereich der Anden ist das Klima von der Höhenlage abhängig.

Der Artenreichtum der Tierwelt ist in Amerika, insbesondere in Südamerika, wesentlich vielfältiger als der in Europa. Zu den typischen Vertretern, die nur hier verbreitet sind, gehören in Nordamerika Puma, Opossum und Klapperschlange, in Südamerika Lama, Alpaka, Jaguar und Ameisenbär.

### Bevölkerung:

Die Eskimo (Inuit) im hohen Norden Kanadas und die Indianer im übrigen Amerika bilden die ursprüngliche Bevölkerung des Kontinents. Die Hochlandbewohner Mexikos (*Azteken*), Yucatáns (*Maya*)

und Peru-Boliviens (*Inka*) hatten schon vor Kolumbus hohe Kulturen entwickelt. Während die Indianer in weiten Teilen Nordamerikas fast völlig ausgerottet wurden, sind sie in Mittel- und Südamerika noch weit verbreitet. Durch die Einwanderer erhielt Nordamerika ein vorwiegend britisches (in Kanada auch französisches) Gepräge; Mittel- und Südamerika wurden kulturell von Spaniern und Portugiesen geformt. Den überwiegenden Anteil der US-amerikanischen Bevölkerung stellen Weiße (75%) und Schwarze (12%), die Nachkommen der als Sklaven ins Land geholten Afrikaner. Mischungen zwischen Weißen, Schwarzen und Indianern sowie die spätere Einwanderung asiatischer Volksgruppen (Chinesen, Japaner, Filippinos) ergaben das farbige Bevölkerungsbild des heutigen Amerikas.

*Die traditionelle Festkleidung amerikanischer Blackfoot Indianer zeichnet sich durch reichen Federschmuck aus.*

**Wirtschaft:**

Die Landwirtschaft wird in Nordamerika überwiegend auf spezialisierten Großfarmen mit hohem Maschineneinsatz betrieben. Die hoch entwickelte Industrie ist äußerst vielseitig und von weltweiter Bedeutung. In krassem Gegensatz zum hoch entwickelten Angloamerika steht die wirtschaftliche Lage Süd- und Mittelamerikas. Der Haupterwerbszweig ist hier zumeist noch die Landwirtschaft, in Südamerika besonders die Viehzucht. Die Industrie ist regional äußerst unterschiedlich entwickelt. Einige südamerikanische Länder gelten schon nicht mehr als Entwicklungsländer (z. B. Brasilien, Argentinien). Es bestehen oft tiefe soziale Gegensätze sowohl innerhalb der einzelnen Staaten als auch zwischen den Staaten.

**Entdeckungsgeschichte:**

Wikinger unter Leif *Eriksson* erreichten um 1000 die Küste von Labrador und Newfoundland. *Kolumbus* betrat – überzeugt, in Indien zu sein – am 12. 10. 1492 die Bahamainsel San Salvador und später die Küsten Mittelamerikas. G. *Caboto* entdeckte 1497 die Ostküste Nordamerikas. Im 16. Jh. eroberten vor allem Spanier weite Gebiete Süd- und Mittelamerikas. In Nordamerika drangen zunächst Holländer und Franzosen, später Engländer weiter ins Innere vor.

**Amöben** [Pl.], *Wechseltierchen*, winzige Einzeller, manche bis 2 mm groß, die im Schlamm von Gewässern, in feuchter Erde, manche auch als harmlose Bewohner im menschlichen Darm leben. Sie bewegen sich durch Ausstrecken und Einziehen von »Scheinfüßchen« (Ausflüssen von Zellplasma) fort. Eine Art

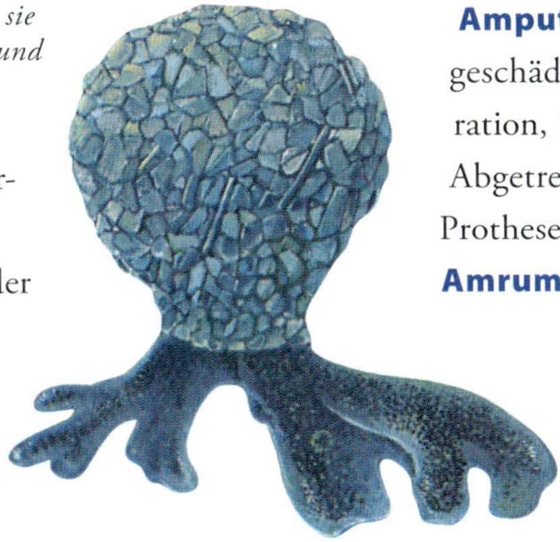

*Amöben verändern dauernd ihre Gestalt, indem sie ihr Zellplasma in alle Richtungen fließen lassen und »Scheinfüßchen« ausbilden.*

ruft eine schwere Durchfallkrankheit hervor (Amöbenruhr).

**Amor**, in der römischen Götterwelt der Gott der Liebe, entspricht dem griechischen Gott → Eros.

**Amortisation** [die], Tilgung einer Schuld; Ausgaben (Investitionen) z. B. für Maschinen haben sich amortisiert, wenn durch diese Maschinen die entstandenen Kosten gedeckt sind und nun Gewinne entstehen.

**Ampere** [ã'pɛːr, das], Kurzzeichen A, die Einheit der elektrischen Stromstärke, die nach dem französischen Naturwissenschaftler André Marie *Ampère* (* 1775, † 1836) benannt wurde.

**Amphibien** [Pl.] → Lurche.

**Amphitheater** [das], altrömisches Freilufttheater mit stufenweise ansteigenden Sitzreihen um eine ovale oder runde *Arena*; diente z. B. den Kämpfen der Gladiatoren. Das größte Amphitheater war das *Kolosseum* in Rom, das älteste erhaltene Amphitheater wurde 70 v. Chr. in Pompeji gebaut.

**Amplitude** [die, lat., »Weite«], der größte Ausschlag einer Schwingung.

*Amseln verlegen ihren Lebensraum immer öfter vom Wald in die Nähe von Menschen, man nennt sie deshalb Kulturfolger.*

**Amputation** [die], das Abtrennen eines geschädigten Körperteils durch eine Operation, beispielsweise nach einem Unfall. Abgetrennte Körperteile können durch Prothesen ersetzt werden.

**Amrum**, eine der → Friesischen Inseln.

**Amsel** [die], Schwarzdrossel; ein zu den *Drosseln* gehöriger Singvogel. Das Männchen hat ein tiefschwarzes Gefieder und einen leuchtend gelben Schnabel, das Weibchen ist braun gefärbt mit braunem Schnabel. Amseln sind in Asien und Europa heimisch.

*Amsterdam: Der Stadtkern ist von zahlreichen Wasserkanälen, sogenannten Grachten, durchzogen.*

**Amsterdam**, Hauptstadt, größte Stadt und zweitgrößter Hafen der Niederlande, 737 000 Einwohner. Amsterdam entstand im 13. Jh. aus einer Fischersiedlung und war seit 1369 Mitglied der Hanse. Der Stadtkern ist von Kanälen (Grachten) durchzogen, an denen Patrizierhäuser und Lagerspeicher auf Pfahlrosten errichtet wurden. Die Versandung des IJsselmeeres machte den Bau des 27 km langen Nordseekanals nötig.

**Amundsen**, Roald, * 1872, † 1928; norwegischer Polarforscher. Er erreichte am 15. 12. 1911 als Erster den Südpol. Amundsen verunglückte bei einer Suchaktion bei Spitzbergen und ist seitdem verschollen.

**Amur**, ein Strom in Ostsibirien, 4416 km lang, 500–2000 m breit, über 1900 km Grenzfluss zwischen China und Russland.

**Anabolika** [Pl., griech.], bestimmte Hormone, die den Stoffwechsel, z. B. das Muskelwachstum, fördern. In der Medizin u. a. bei schweren Erschöpfungszuständen angewendet, kann ihr Missbrauch (wie im Sport, → Doping) zu lebensgefährlichen Gesundheitsschäden führen.

**anachronistisch**, unzeitgemäß, zeitlich falsch eingeordnet.

**analog**, entsprechend, übereinstimmend.

**Analphabeten** [Pl.], Personen, die nicht lesen und schreiben können. Die meisten Analphabeten leben in den Entwicklungsländern. Dort sind viele Kinder zum Abbruch der Schulausbildung gezwungen, weil sie zum Familieneinkommen beitragen müssen. Auch in Deutschland gibt es etwa 4 Mio. Analphabeten.

**Analyse** [die], Auflösung, Zerlegung. In der *Chemie* versteht man unter Analyse die Bestimmung der Zusammensetzung eines Stoffes hinsichtlich Art (qualitative Analyse) oder Menge (quantitative Analyse) seiner Bestandteile, in der *Logik* die Zerlegung eines Begriffs in seine wesentlichen Merkmale. Gegenbegriff: *Synthese*.

*Ananas: Die Ananasstaude wird heute in allen warmen Zonen in großen Plantagen angebaut.*

*Anden: Der Fiz Roy (3375 m) befindet sich auf der Grenze zwischen Chile und Argentinien.*

**Analysis**, Teilgebiet der Mathematik, das mit Grenzwerten arbeitet. Es umfasst u. a. die → Differenzialrechnung und die → Integralrechnung.

**Anämie** [die], *Blutarmut*, eine Krankheit, bei der das Blut zu wenig rote Blutkörperchen enthält und die ganz verschiedene Ursachen haben kann. Sie geht einher mit Blässe, Müdigkeit und Schlappheit.

**Ananas** [die], Frucht der Ananasstaude, die in den Tropen gedeiht. Der zapfenartige Fruchtstand trägt eine charakteristische Blattrosette.

**Anapäst**, Versfuß aus zwei kurzen und einer langen Silbe.

**Anarchie** [die, griech., »Herrenlosigkeit«], der Zustand der Gesetzlosigkeit in einem Staat und die Ablehnung jeder staatlichen Ordnung.

**Anästhesie** [die], in der Medizin die Betäubung der Schmerzempfindung durch örtliche Narkose (z. B. beim Zahnarzt) oder durch eine Vollnarkose (z. B. bei größeren Operationen).

**Anatolien**, das Kerngebiet der Türkei; ein trockenes Hochland.

**Anatomie** [die], die Lehre vom Bau des Körpers.

**ANC** → African National Congress.

**Anchorman** ['æŋkəmæn], Hauptmoderator einer Nachrichtensendung im Fernsehen.

**Andalusien**, eine historische Landschaft in Südspanien mit der Hauptstadt Sevilla. Von 711–1492 stand Andalusien unter der Herrschaft der Araber. Sie schufen die Bewässerungsanlagen, die die Täler und Ebenen von Andalusien fruchtbar machen.

**Anden**, ein mächtiges Gebirge am Westrand von Südamerika; von Kap Hoorn bis Trinidad 7300 km lang und 200 bis 700 km breit, höchster Berg ist der *Aconcagua* (6960 m).

**Andersen**, Hans Christian, * 1805, † 1870; dänischer Dichter, schrieb weltberühmte Märchen wie »Des Kaisers neue Kleider«, »Die Prinzessin auf der Erbse«, »Das hässliche Entlein« und »Die kleine Seejungfrau«, die zum Wahrzeichen im Hafen von Kopenhagen wurde.

***Ländersteckbrief***
**Andorra**

| | |
|---|---|
| **Fläche:** | 468 km² |
| **Einwohner:** | 67 000 = 143 je km² |
| **Hauptstadt:** | Andorra la Vella |
| **Religion:** | römisch-katholische Kirche |
| **Amtssprache:** | Katalanisch |
| **Währung:** | 1 Euro = 100 Cent |

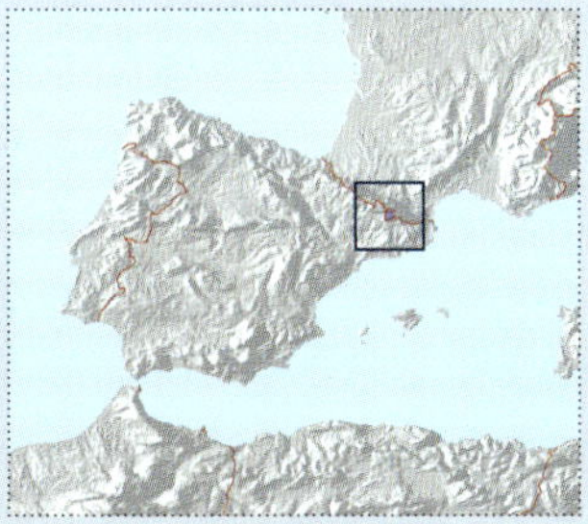

**Andorra**, Staat in Südwesteuropa.

Von hohen Felsgebirgen umgebene Hochtäler kennzeichnen die Landesnatur des Pyrenäenstaates; es herrschen kühle und feuchte Sommer, milde Winter. Die Bevölkerung (Spanier, Andorraner, Franzosen) ist katholisch und spricht Spanisch oder Katalanisch. Die Wirtschaft wird bestimmt durch den Handel mit Importwaren; Viehwirtschaft (Schafzucht); Tourismus.

**Geschichte:** Die heutige Stellung Andorras geht auf einen Vertrag aus dem Jahre 1278 zurück, in dem sich der Graf von Foix und der Bischof von Seo de Urgel (Spanien) die Herrschaft über das Fürstentum teilten. Rechtsnachfolger des Grafen wurde das französische Staatsoberhaupt. Andorra war ein Co-Fürstentum mit republikanischer Autonomie. 1993 wurde eine demokratische Verfassung verabschiedet. Danach haben der Bischof sowie der französische Präsident nur noch repräsentative Rechte. Andorra wurde Mitglied der UNO und des Europarates. Regierungschef ist seit 2005 A. *Pintat Santolària*.

**Androgene** [Pl.] → Geschlechtshormone.

**Andromedanebel** [der], großer Spiralnebel im Sternbild *Andromeda*, der als einziger Spiralnebel mit bloßem Auge sichtbar ist.

**Anekdote** [die], eine knapp erzählte Begebenheit, die für eine Persönlichkeit oder für eine bestimmte Zeit charakteristisch ist, meistens mit einer Pointe.

**Anführungszeichen** [das] → Zeichensetzung.

**Angelsachsen**, zusammenfassende Bezeichnung für die germanischen Stämme der Angeln, Sachsen und Jüten, die Mitte des 5. Jh. Britannien eroberten und die Kelten in den Westen der Insel abdrängten. Heute versteht man unter Angelsachsen die aus England stammenden Bewohner des Commonwealth und der USA.

**Angina** [die, griech., lat., »Enge«], eine Halsentzündung, besonders der Mandeln.

**anglikanische Kirche** [die], *Church of England*, die englische Staatskirche, die sich im 16. Jh. mehr aus politischen als aus religiösen Gründen von Rom lossagte und unabhängig wurde. König Heinrich VIII. ernannte sich selbst zum Oberhaupt der anglikanischen Kirche, ohne Lehre oder Gottesdienst zu verändern. Erst nach seinem Tod kam es unter calvinistischem Einfluss zu Reformen. Der Erzbischof von Canterbury ist heute das Oberhaupt der anglikanischen Kirche.

### *Ländersteckbrief*
### Angola

| | |
|---|---|
| **Fläche:** | 1 246 700 km² |
| **Einwohner:** | 16,4 Millionen = 13 je km² |
| **Hauptstadt:** | Luanda |
| **Religion:** | Christentum, Naturreligionen |
| **Amtssprache:** | Portugiesisch |
| **Währung:** | 1 Kwanza = 100 Centimos |

**Angola**, Staat in Südwestafrika.

**Landesnatur:** Das Land ist überwiegend Hochland (im Zentrum Hochland von Bie, im Nordosten *Lundaschwelle*), das an den Rändern zum schmalen Küstentiefland und zu den umgebenden Becken abfällt. An der Küste Regenwald, sonst Trockenwald und Savanne; tropisches, wechselfeuchtes Klima. Zu Angola gehört die Exklave Cabinda.

*In Angola wird die Landwirtschaft wie hier beim Maismahlen teils noch in traditioneller Weise betrieben.*

**Bevölkerung:** Die vorwiegend christliche Bevölkerung besteht überwiegend aus Bantuvölkern (120 Stämme), einzelnen Gruppen von Buschleuten und Mulatten.

**Wirtschaft:** Die Landwirtschaft liefert Kaffee, Sisal, Zucker und Tabak. Bodenschätze: Erdöl (88% der Gesamtausfuhr), Diamanten (12%), Mangan, Kupfer, Gold, Silber und Eisen. Die Industrie verarbeitet v. a. die Produkte der Landwirtschaft – Haupthäfen sind in Luanda, Lobito und Namibe.

**Geschichte:** Im 15. Jh. erreichten portugiesische Seefahrer die Küste des heutigen Angola. Die portugiesische Kolonialherrschaft verlagerte sich erst im 19. Jh. von der Küste ins Landesinnere. 1951–1975 war Angola portugiesische Überseeprovinz. Im Bürgerkrieg zwischen drei Befreiungsbewegungen setzte sich die prosowjetische *MPLA* durch. Am 11. 11. 1975 wurde Angola unabhängig. Die MPLA rief die Volksrepublik aus und konnte sich mit kubanischer Truppenunterstützung gegen die von Südafrika unterstützte *UNITA-Guerilla* behaupten. 1979 übernahm J. E. *dos Santos* das Amt des Staatspräsidenten. 1988 einigten sich Angola, Kuba und Südafrika auf den Abzug der kubanischen Truppen. 1991 kam es zum Friedensschluss zwischen Regierung und UNITA. Nach dem Sieg der MPLA bei den Wahlen 1992 nahm die UNI-

TA den bewaffneten Kampf wieder auf. Im November 1994 unterzeichneten die Konfliktparteien eine neue Friedensvereinbarung. Eine endgültige Beilegung der militärischen Auseinandersetzungen gelang jedoch nicht. Im Februar 2002 fiel der UNITA-Führer J. Savimbi in einem Gefecht mit der Regierungsarmee. Danach kam es zu einer Annäherung zwischen UNITA und Regierung, so dass ein Friedensabkommen unterzeichnet werden konnte.

**Angst** [die], unbestimmtes, oft grundloses Gefühl des Bedrohtseins; unterscheidet sich von der Furcht durch fehlende oder unbestimmte Gegenstandsbeziehung. Siehe auch → ZEIT-Beitrag »Angst: Finstere Keller und haarige Spinnen«, Seite 64–67.

**Anion** [das], ein negativ geladenes Teilchen, das zum positiven Pol, der *Anode*, wandert.

**Anis** [der], ein Doldengewächs mit weißen Blüten aus dem Mittelmeerraum. Die Früchte werden als Gewürz und Heilmittel bei Husten verwendet.

**Ankara**, seit 1923 die Hauptstadt der Türkei, 3,2 Mio. Einwohner, Verwaltungs- und Kulturzentrum des Landes.

**Anker** [der], ein Gerät zum Festhalten schwimmender Körper, besonders von Schiffen, im Wasser.

**Annan**, Kofi, * 1938; ghanaischer Politiker. Er war 1997–2006 Generalsekretär der UNO und setzte sich für den Erhalt des Friedens und die Wahrung der Menschenrechte ein. 2001 erhielt er zusammen mit der UNO den Friedensnobelpreis.

**Annexion** [die], die gewaltsame Eingliederung eines fremden Gebietes durch einen Staat. – Verb: annektieren.

**anno** [lat.], im Jahre; *Anno Domini* = im Jahre des Herrn.

**Anode** [die, griech., »Aufstieg«], der positiv geladene Pol in elektrochemischen Stromquellen oder Batterien beziehungsweise die positive Elektrode in Elektronenröhren. Den negativen Pol bildet die *Kathode*.

**anonym**, ungenannt, ohne Unterschrift.

**anorganisch**, der unbelebte Teil der Natur. Gegensatz: *organisch*.

**Anpassung**, *Adaption*, die Fähigkeit, sich veränderten Umweltbedingungen durch Änderung in Verhaltens- und Lebensweise und z. T. auch in Körperbau und Körperfunktionen einzufügen.

**Anselm von Canterbury** [-'kæntəbəri], * 1033, † 1109; mittelalterlicher Theologe. Er war einer der bedeutendsten Theologen des Mittelalters, der in seiner Theologie Glaube und Vernunft zu verbinden suchte. Er wurde 1494 heiliggesprochen und 1720 zum Kirchenlehrer ernannt.

**Antananarivo**, die Hauptstadt von Madagaskar, sie trug bis 1976 den Namen *Tananarive*, 1,4 Mio. Einwohner.

**Antarktis** [die], die um den Südpol liegenden Land- und Meergebiete. Die Antarktis ist, abgesehen von Forschungsstationen, nicht bewohnt. Das Festland ist gebirgig und von einer durchschnittlich 2000–2500 m dicken Eismasse überzogen. Die Antarktis hat ein extrem kaltes, trockenes Klima (bis –88 °C), und es kommen nur wenige Pflanzen (Moose, Flechten, Gräser) vor. Auf den vorgelagerten Inseln leben Pinguine und Robben.

*Antarktis: Pinguine verlassen ihre angestammten Brutgebiete auch während des unwirtlichen antarktischen Winters nicht.*

Angst ist ein überlebenswichtiges Gefühl: Es warnt uns vor Gefahren

**Angst**

# Finstere Keller und haarige Spinnen

**Von Susanne Gaschke**

Unter den Märchen der Brüder Grimm ist ein sehr seltsames: Es handelt von *Einem, der auszog, das Fürchten zu lernen.* Dieser junge Mann wandert in die Welt hinaus, um – wenn er schon sonst nicht viel weiß – wenigstens zu erfahren, was es bedeutet, »sich zu gruseln«.

Damit haben die meisten Menschen eigentlich nie Probleme: Wer geht schon gern in einen dunklen Keller? Wer hat nicht schon einmal abends unter dem Bett oder hinter den Vorhängen nachgeschaut, wenn er allein zu Hause war? Oder ganz einfach Angst gehabt, irgendwo herunterzufallen, für einen Fehler zur Rechenschaft gezogen oder von Freunden zurückgewiesen zu werden?

Angst ist ein menschliches Grundgefühl, und sich rechtzeitig zu ängstigen, zu fürchten oder zu gruseln ist zunächst einmal wichtig für uns: Die Angst warnt uns vor Gefahren, denen wir besser aus dem Weg gehen, und sie zeigt uns, wann wir vorsichtig sein sollten.

## Vorsicht, Säbelzahntiger!

Dabei haben sich die Dinge, vor denen Menschen Angst haben müssen, natürlich im Laufe der Zeit verändert: Steinzeitmenschen fürchteten sich davor, von einem Säbelzahntiger zerrissen oder von einem Mammut aufgespießt zu werden – und sie hatten allen Grund, vor schlechtem

Wetter, Hunger und Krankheiten Angst zu haben. Die Furcht vor Spinnen und Schlangen ist wahrscheinlich so alt wie die Menschheit (auch Tiere meiden diese Wesen); sie hat sich bis heute erhalten, obwohl unser Verstand uns sagen könnte, dass wir gegen Schlangen- und Spinnenbisse medizinisch inzwischen einiges tun können und die meisten Tiere vollkommen harmlos sind. Das nützt aber rein gar nichts: Bei achtbeinigem Gekrabbel in der Badezimmerecke zucken die meisten von uns heute noch zusammen.

## Aufpassen! Hellwach sein!

Gefahrensignale lösen einen Reiz in einem Teil des Gehirns aus, den man »Mandelkern« nennt, das Fremdwort dafür lautet »Amygdala«. Dieser Mandelkern sorgt dafür, dass in einer gefährlichen Situation zwei Stoffe, die sogenannten Stresshormone Kortisol und Adrenalin, ausgeschüttet werden. Sie signalisieren dem Körper: Achtung! Aufpassen! Hellwach sein! Das Herz klopft schneller, alle Organe sind optimal durchblutet, wir atmen heftiger – jetzt wären wir gut gerüstet für zwei der typischen Reaktionen auf Gefahr: Flucht oder Kampf.

Je nach Größe und Bösartigkeit der Bedrohung kann das eine oder das andere sinnvoller sein. In bestimmten Situationen ist es aber auch am sichersten, zu erstarren, sich tot zu stellen: Wenn einem im Park ein zähnefletschender Hund entgegenkommt, sollte man auf jeden Fall stehen bleiben, weil Weglaufen erst recht dessen Jagdinstinkt anregen würde. Wenn wir eine Gefahr heil überstanden haben, »belohnt« uns unser Körper, indem er ein weiteres Hormon ausschüttet: Serotonin, einen Stoff, der bewirkt, dass wir uns glücklich und erleichtert fühlen, etwa nach einer bestandenen Prüfung oder nachdem wir eine Achterbahnfahrt überstanden haben.

Das Glücksgefühl nach bezwungener Gefahr ist sicher ein Grund dafür, dass Menschen sich auch freiwillig in Situationen begeben, die ihnen Angst machen müssen. Dass sie sich Filme ansehen, bei denen fast sicher ist, dass die gruseligen Bilder den Zuschauer bis in den Schlaf verfolgen werden. Oder dass sie etwas so vergleichsweise Sinnloses ausprobieren wie Bungeejumping.

Wahrscheinlich ist die Suche nach solchem Nervenkitzel in einer Gesellschaft verbreiteter, in der die Menschen einigermaßen friedlich und im Wohlstand leben. Dort wo Krieg und Hungersnot herrschen, haben die Leute genug zu fürchten und müssen sich keine künstlichen Aufregungen suchen. In unserem sicheren und ziemlich reichen Land aber kommt es vor, dass Menschen sich

Kaum eine Angst ist so weit verbreitet wie die vor Spinnen

manchmal – bewusst oder unbewusst – nach Gefahren sehnen. Um etwas Aufregendes zu erleben. Und vielleicht auch, um Mut zeigen zu können. Das sind berechtigte Wünsche, denn offenbar ist der Mensch nur in der Lage, Entspannung zu genießen, wenn er auch Anspannung kennt.

Man sollte freilich im Auge behalten, wie viel künstliche Aufregung einem guttut und wann man – nach dem fünfzigsten oder hundertsten Actionfilm – vielleicht verlernt, echte Gefahren noch vernünftig einzuschätzen. Und es ist ja auch nicht so, dass wir in einer Welt leben, in der es nichts mehr zu fürchten gibt. Menschen fürchten, dass sie von geliebten Menschen verlassen werden; dass sie selbst oder die, die ihnen nahestehen, an einer schweren Krankheit sterben; dass sie ihre Arbeit verlieren oder sonstwie ins Elend geraten. Längst haben solche Ängste die Furcht vor wilden Tieren und wohl auch die ernsthafte Sorge, es könne in näherer Zukunft einen Krieg geben, abgelöst.

## *Wenn die Angst krank macht*

Die alltäglichen Ängste sind trotzdem schlimm genug, besonders wenn die natürlichen Reaktionen wie Kampf oder Flucht dagegen wenig helfen. Richtig problematisch wird es aber, wenn die Angst eines Menschen krankhafte Züge annimmt. Wenn er nicht mehr vernünftig überlegen kann, wie er eine drohende Gefahr abwehren könnte – weil ihm die Gefahr in seiner Krankheit viel größer erscheint, als sie ist. Womöglich existiert sie überhaupt nur in seiner Einbildung! Ziemlich viele Menschen sind von solch krankhafter Angst ergriffen: in Deutschland fast jeder Zehnte. Für diese Leute kann das Leben wahrhaft schrecklich sein, weil sie jede wache Minute damit verbringen, sich zu fürchten: vor der Dunkelheit. Vor Musik. Vor anderen Menschen.

Gegen manche Angstkrankheiten verschreiben Ärzte Medikamente. Am erfolgreichsten scheinen aber jene Therapeuten zu sein, die ihre Patienten dazu bringen, ausgerechnet das zu tun, was sie in ihrer Angst sonst vermeiden: nämlich sich besonders lange und besonders intensiv genau der Sache auszusetzen, die einem Schrecken einjagt. Wer Angst vor dem Fliegen hat, versucht sich bei dieser Behandlungsmethode dazu zu

*Angst und Neugier vor dem Fernseher: Manche Filmbilder verfolgen uns bis in den Schlaf*

Kreischend in der Achterbahn: Ist die Angst überstanden, schüttet der Körper Glückshormone aus

überwinden, in ein Flugzeug einzusteigen; wer sich vor Höhen fürchtet, wird vorsichtig auf Türme und Brücken geführt. Offenbar hilft es bei krankhafter Angst, sich seine ängstlichen Gefühle gleichsam abzugewöhnen. Für die normale Alltagsangst gilt das nur begrenzt.

## Ganz schön mutig!

Auch im Alltag bedeutet Mut zwar, seine Angst klug zu überwinden – aber die Betonung liegt auf »klug«. Man muss also das Risiko abwägen, wenn man mutig sein will. Wer zum Beispiel für einen Mitschüler eintritt, der von allen verachtet wird – weil er nicht den richtigen Haarschnitt hat, die falschen Sachen trägt, oder angeblich blöd ist –, der geht ein kalkuliertes Risiko ein. Die anderen mögen ein paar Tage lang auch über ihn oder sie herziehen, aber im Großen und Ganzen wird diese Art von Mut der Gruppe Respekt einflößen. Eine ganze Flasche Wodka zu trinken, weil ein richtiger Rausch als Mutprobe gilt, ist hingegen nicht mutig, sondern dumm – denn die Folge ist im schlimmsten Fall eine lebensbedrohliche Alkoholvergiftung.

Die Deutschen, heißt es, neigen, verglichen mit anderen Völkern, ganz besonders zur Angst – so sehr, dass »German Angst«, deutsche Angst, ein Fremdwort bei Engländern und Amerikanern geworden ist. Dieses Gefühl hat viele geschichtliche Ursachen: unter anderem, dass sich Deutschland immer von Feinden umzingelt wähnte und dass die Deutschen sehr lange brauchten und dabei entsetzliche Fehler machten, bis sie sich daran gewöhnt hatten, in einer modernen Demokratie zu leben und ihre Probleme nicht mit Gewalt zu lösen. Im Moment sieht es so aus, als hätten sie begriffen, dass sie vor ihren Nachbarn keine Angst haben müssen – und dementsprechend auch nicht mehr vor sich selbst.

**Antenne** [die], **1.** eine Vorrichtung aus elektrisch leitfähigem Material zum Ausstrahlen und Empfangen elektromagnetischer Wellen. Für die verschiedenen Wellenlängen werden unterschiedliche Bauarten der Antennen verwendet. **2.** Fühler von Krebsen und Insekten.

**Anthropologie** [die, griech.], die Wissenschaft von der Abstammung und Entwicklung des Menschen.

**anti ...**, gegen.

**Antibabypille** [die], kurz: *Pille*; eine Pille, die bei regelmäßiger Einnahme durch Hormone der Empfängnisverhütung dient.

**Antibiotika** [Pl.], von Bakterien oder niederen Pilzen abgesonderte Stoffe, die bestimmte Krankheitserreger abtöten oder in ihrem Wachstum hemmen können. Am bekanntesten ist das von A. *Fleming* 1928 entdeckte Penizillin.

### *Ländersteckbrief*
### Antigua und Barbuda

| | |
|---|---|
| **Fläche:** | 457 km² |
| **Einwohner:** | 82 000 = 179 je km² |
| **Hauptstadt:** | Saint John's |
| **Religion:** | Christentum |
| **Amtssprache:** | Englisch |
| **Währung:** | 1 Ostkaribischer Dollar = 100 Cents |

**Antigua und Barbuda**, Staat in der Karibik.

Der Staat im Norden der Kleinen Antillen umfasst die Inseln Antigua, Barbuda und Redonda; im Südwesten von Antigua tief zerschnittenes Bergland, ansonsten flache Tafelländer; tropisches Klima mit Sommerregen. Die Bevölkerung (zu 94% Schwarze) ist christlich. Anbau von Zuckerrohr, Baumwolle, Obst und Gemüse; Textilindustrie, Maschinenbau; Tourismus.

**Geschichte:** 1493 entdeckte Kolumbus Antigua. Die englische Kolonisation Antiguas begann 1632, auf Barbuda 1678. 1967 erhielt Antigua und Barbuda innere Autonomie, am 1. 11. 1981 die volle Unabhängigkeit im Rahmen des Commonwealth.

### *Was ist die ...*
### Antike

Die Antike bezeichnet das griechisch-römische Altertum. Sie umfasst etwa den Zeitraum zwischen 2000 v. Chr. und dem Niedergang des römischen Kaiserreichs Ende des 5. Jh. n. Chr.

**Griechische Antike:** Die Keimzelle der griechischen Antike bildete die Insel Kreta, deren Kultur auf das griechische Festland übergriff. Dort waren indogermanische Stämme aus dem Balkan eingewandert, unter deren Königen die mykenische Kultur aufblühte. Im 12. Jh. v. Chr. zerschlugen die in Griechenland eingewanderten Dorer die blühende mykenische Kultur. Zwischen 850–500 v. Chr. entwickelte sich die griechische Staatenwelt zur politischen, kulturellen und wirtschaftlichen Macht. Die griechische Kultur breitete sich über Stadtgründungen (*Kolonisation*) im Mittelmeer- und Schwarzmeerraum aus. Die »klassische« Antike (5./4. Jh. v. Chr.) mit dem Zentrum Athen gilt meist als Blütezeit der Epoche. Es entwickelten sich Philosophie (*Sokrates, Platon, Aristoteles*) und Wissenschaften

*Römisches Mosaik: Es zeigt den Philosophen Platon zusammen mit Schülern seiner Akademie.*

(Medizin, Mathematik, Astronomie, Zoologie, Botanik, Geographie), Tragödiendichtung (*Sophokles*) und Geschichtsschreibung. Mit *Alexander dem Großen* beginnt die sogenannte hellenistische Zeit (4.–1. Jh. v. Chr.): In einem griechisch geprägten gemeinsamen Kultur- und Wirtschaftsraum erblühten Kunst und Geistesleben. Mittelpunkt der hellenistischen Welt war Alexandria in Ägypten mit seiner bedeutenden Bibliothek.

**Römische Antike:** Die Stadt Rom stieg bis Anfang des 3. Jh. v. Chr. zur Führungsmacht in Italien auf. Nach erfolgreichen Kriegen gegen Karthago (264 bis 241 v. Chr., 218–201 v. Chr.) und das Seleukidenreich (190 v. Chr.) beherrschte Rom den Mittelmeerraum. Griechenland wurde römische Provinz; damit trat Rom das kulturelle und wissenschaftliche Erbe der Griechen an. Mit der Herrschaft von *Augustus* endete die Zeit der Römischen Republik (31/27 v. Chr.). In der folgenden Kaiserzeit erlebten Kunst, Philosophie und Wissenschaften eine hohe Blüte. Der frühere Stadtstaat hatte sich zu einem Weltreich entwickelt, das sich über das gesamte Mittelmeergebiet und über West- und Mitteleuropa ausdehnte. Auf dem Boden dieses Weltreichs gewann das Christentum rasch an Bedeutung und konnte schließlich in der Spätantike, nach 300 n. Chr., in den Rang einer Staatsreligion aufsteigen. In den Stürmen der Völkerwanderungszeit brach das Römische Reich auseinander. Damit war die Schwelle zum → Mittelalter erreicht.

**Antikörper** [Pl.], im Körper der Wirbeltiere erzeugte Schutzstoffe von Eiweißcharakter, die zur Abwehr meist körperfremder Schadstoffe dienen. Die Schadstoffe, die die Bildung von Antikörpern veranlassen, werden *Antigene* genannt. Bei *Immunität* sind genügend Antikörper im Organismus vorhanden, bei einer *Allergie* zu viele.

**Antillen**, eine Inselgruppe Mittelamerikas im Karibischen Meer. Zu den *Großen Antillen* gehören Kuba, Jamaika, Hispaniola und Puerto Rico. Zahlreiche kleinere Inseln bilden die *Kleinen Antillen*.

**Antilopen** [Pl.], Horn tragende, paarhufige Wiederkäuer, die besonders in Afrika und Südasien leben. Sie können 25 bis 180 cm hoch werden und leben gesellig, oft in großen Herden, z. B. Gazellen, Gnus und Kudus.

**Antipathie** [die], Abneigung, Widerwille; Gegensatz: *Sympathie*.

**Antipoden** [Pl., griech., »Gegenfüßer«], ursprünglich die Bewohner der Gegenseite der Erdkugel, im übertragenen Sinn auch die Menschen, die eine entgegengesetzte Meinung vertreten.

**Antisemitismus** [der], die Feindschaft gegen Juden. Schon im Mittelalter hatten die Juden unter Verleumdung und Verfolgung zu leiden. Man bezeichnete sie (im Unterschied zu den *Ariern*) als die Angehörigen einer minderwertigen Rasse. Seine schlimmsten Auswirkungen fand der Antisemitismus in Deutschland zur Zeit des Nationalsozialismus. Die Juden wurden durch die *Nürnberger Gesetze* völlig rechtlos und in Konzentrationslagern ermordet. In Deutschland und in den im Zweiten Weltkrieg besetzten Gebieten kamen mindestens 5–6 Mio. Juden um. Auch heute sind die Vorurteile des Antisemitismus noch nicht überwunden.

**Antithese**, ein Satz, der zu einem anderen, der *These*, in Gegensatz steht.

**Antwerpen**, die zweitgrößte Stadt Belgiens, Haupthafen, an der Schelde gelegen und wirtschaftliches Zentrum, 455 000 Einwohner. Antwerpen war Mitglied der Hanse und im 16. Jh. der führende europäische Handelsplatz.

*Antwerpen: Die Liebfrauenkathedrale ist die größte gotische Kirche Belgiens. Im Inneren hängen mehrere Meisterwerke von Peter Paul Rubens.*

**Aorta** [die], die Hauptschlagader, → Blutkreislauf.

**Apartheid** [die], die ehemalige Politik der Rassentrennung in der Republik Südafrika. Sie führte zur Benachteiligung der zahlenmäßig überlegenen farbigen

*Apartheid: 20 Tage Gefängnis oder eine Geldstrafe riskiert 1970 dieser Mann, der auf einer für Weiße reservierten Parkbank sitzt.*

Bevölkerung und festigte die Vorherrschaft der weißen Minderheit. Die Apartheid wird nahezu von der ganzen übrigen Welt verurteilt, da sie gegen die Menschenrechte verstößt. 1990 begann die schrittweise Aufhebung der Apartheid. Die ersten freien Wahlen in Südafrika 1994 beendeten die Politik der Apartheid.

**Apennin** [der], ein fast 1500 km langes Gebirge, das ganz Italien von Norden nach Süden durchzieht und am höchsten im Gran Sasso d'Italia ist (2914 m).

**Apfel** [der], die Frucht des Apfelbaums, der zu den Rosengewächsen gehört. Die Früchte haben Kerne. Bekannte Sorten sind Boskop, Cox Orange, Golden Delicious und Granny Smith.

**Apfelsine** [die], *Orange*, eine *Zitrusfrucht*, die besonders im Mittelmeerraum, im Kapland, in Westindien und in Kalifornien angebaut wird.

**Aphorismus** [der], inhaltsreicher Denkspruch.

**Aphrodite**, die griechische Göttin der Schönheit und der Liebe, Tochter des *Zeus*; sie entspricht der römischen Göttin *Venus*.

**Apokalypse** [die, griech., »Offenbarung«], allgemein eine prophetische Schrift über das Ende der Welt; besonders das letzte Buch der Bibel, das als »Offenbarung des Johannes« bekannt ist und den nahenden Weltuntergang und das Anbrechen des Gottesreichs bildhaft ausmalt.

**Apollo(n)**, ein griechischer Gott mit Beinamen *Phöbus* (»der Reine, Strahlende«), Sohn des Göttervaters *Zeus*. Apollon ist der Gott des Lichts, der Jugend, der Dichtung und der Musik, der Heilkunde und der Weissagung.

**Apostel** [Pl.], allgemein Ausgesandte, Bevollmächtigte; besonders die von Jesus Christus eingesetzten 12 Jünger, die er zur Verkündigung des Evangeliums aussandte.

**Apostroph** [der], *Auslassungszeichen*. Der Apostroph steht u. a. für ausgelassene Vokale, besonders das e (»Wie geht's?«), oder für ein Genitiv-s bei Namen, die auf s, ss, ß, tz, x oder z enden (»Siegfried Lenz' Roman«).

**Appalachen**, ein Gebirge im östlichen Nordamerika. Das Gebirge ist reich an Bodenschätzen, der höchste Berg ist der Mount Mitchell (2037 m).

*Aquädukt: Pont du Gard, ein vollständig erhaltener römischer Aquädukt aus dem 1. Jh. n. Chr.*

*Aquarium: Einen Einblick in die komplexen Lebensräume von Meeresbewohnern gibt das Sea Life Dortmund, ein über 1000 m² großes Meerwasseraquarium.*

**Appenzell**, ein Kanton im Nordosten der Schweiz.

**Apposition** [die], die nähere Bestimmung eines Substantivs durch ein weiteres Substantiv, das im gleichen Kasus steht, z. B. »der Löwe, der König der Wüste«.

**Aprikose** [die], *Marille*, ein Steinobst aus der Familie der Rosengewächse. Es stammt aus Innerasien und wurde im Altertum von den Griechen im Mittelmeerraum eingeführt. Aprikosen bevorzugen ein warmes Klima.

**apropos** [apro'po:, franz.], nebenbei gesagt.

**Aquädukt** [der], eine über große Bogenbrücken geführte altrömische Wasserleitung.

**Aquaplaning** [das, lat., engl.], das unkontrollierte Gleiten eines Autoreifens auf nassen Straßen oder in Pfützen. Aquaplaning entsteht schnell bei hoher Geschwindigkeit und schlechten Reifenprofilen.

**Aquarell** [das], ein mit wasserlöslichen Farben gemaltes Bild mit durchscheinendem Charakter.

**Aquarium** [Pl. Aquarien], ein wassergefüllter Glasbehälter, in dem Wassertiere wie Fische, Krebse, Schnecken sowie Pflanzen gehalten werden. Man unterscheidet Süßwasser-, Seewasser-, Kaltwasser- und Warmwasser-Aquarien. Als Aquarien bezeichnet man auch Gebäude mit Sammlungen von Wassertieren, die meist zoologischen Gärten angeschlossen sind.

**Äquator** [der, lat., »Gleicher«], gedachte Linie um die Erde, die sie in gleicher Entfernung zu den beiden Polen in eine nördliche und eine südliche Halbkugel teilt. Der Äquator ist die Nulllinie für das System der Breitenkreise.

### *Ländersteckbrief* Äquatorialguinea

| | |
|---|---|
| **Fläche:** | 28 051 km² |
| **Einwohner:** | 515 000 = 18 je km² |
| **Hauptstadt:** | Malabo |
| **Religion:** | römisch-katholische Kirche |
| **Amtssprache:** | Spanisch |
| **Währung:** | CFA-Franc |

**Äquatorialguinea**, Staat in Zentralafrika.

Der Staat besteht aus dem Festlandsteil Mbini, der nach Osten bis auf über 1000 m ansteigt, und den vulkanischen Inseln Bioko und Annobón. Es herrscht feuchtheißes Klima mit Regenwäldern, an der Küste Mangroven. Die Bevölkerung ist katholisch und besteht vorwiegend aus Bantu. Die Landwirtschaft erzeugt Kakao (auf Bioko), Kaffee, Bananen, Zuckerrohr, Sisal, Baumwolle und Palmprodukte; Gewinnung von Edelhölzern, Fischfang; Erdölförderung.

*Äquatorialguinea: Bananen und Maniok sind wichtige Anbauprodukte der fruchtbaren Insel.*

**Geschichte:** Die Inseln Bioko und Annobón, im 15. Jh. von Portugiesen entdeckt, gingen 1778 in spanischen Besitz über. Spanien vereinigte sie im 20. Jh. mit dem festländischen Besitz. 1968 wurde Äquatorialguinea unabhängig. Der seit 1968 regierende Diktator F. Macías Nguema wurde 1979 gestürzt und hingerichtet. Seitdem regierte das Militär unter Oberst T. *Obiang Nguema Mbasogo*. 1991 trat eine neue Verfassung in Kraft. Das Regime unterdrückte aber weiterhin die demokratischen Kräfte des Landes. Bei Präsidentschaftswahlen 1996 und 2002 wurde Obiang Nguema Mbasogo im Amt bestätigt.

**Äquivalenz** [die, lat.], Gleichwertigkeit.

**Ar**, eine Maßeinheit für ein Flächenmaß, Kurzzeichen a: 1 a = 100 m²; 100 Ar = 1 Hektar.

**Araber**, eine Völkergruppe in Vorderasien und Nordafrika, ursprünglich die Bewohner der Halbinsel *Arabien*. Sie gehören dem Islam an und haben eine semitische Sprache. Schon im frühen Mittelalter erlangte die arabische Wissenschaft (besonders auf den Gebieten der Astronomie, Medizin, Chemie und Mathematik) große, z. T. überragende Bedeutung.

**Arabien**, die wenig gegliederte, größte Halbinsel Asiens und der Welt zwischen Persischem Golf, Indischem Ozean und Rotem Meer. Die wüstenhafte Halbinsel ist nur an den Rändern erschlossen, den

*Arabien: Kamele sind noch heute hilfreiche Lasttiere, um Waren durch die Wüste zu transportieren.*

größten Teil nimmt Saudi-Arabien ein. Arabien ist die Heimat der Araber und bildet mit den heiligen Stätten Mekka und Medina ein Zentrum des Islams. Wegen der großen Erdölvorkommen erlangte Arabien wirtschaftliche und politische Bedeutung.

**arabische Ziffern** [Pl.], die bei uns gebräuchlichen Zahlen 1, 2, 3, 4, 5, 6, 7, 8, 9, 0. Seit dem Mittelalter werden in Europa arabische Ziffern statt der römischen Ziffern verwendet.

**Arafat**, Jasir (Jassir, Yasir, Yasser), * 1929, † 2004; Gründer und Führer der palästinensischen Untergrund-Organisation Al Fatah. Arafat kämpfte zeitlebens für einen unabhängigen Staat Palästina und bemühte sich um eine friedliche Verständigung mit Israel. Dafür erhielt er 1994 zusammen mit S. *Peres* und I. *Rabin* den Friedensnobelpreis. Nach dem Zusammenbruch des israelisch-palästinensischen Friedensprozesses 2000/2001 wurde er von Israel in Ramallah unter Hausarrest gestellt.

**Ararat**, erloschener Vulkan im Osten der Türkei, 5137 m hoch. In seiner Umgebung soll nach dem Alten Testament am Ende der Sintflut die Arche Noah gelandet sein.

**Arbeit** [die], in der Physik das Produkt aus Kraft und dem in Kraftrichtung zurückgelegten Weg. Arbeit wird in Joule gemessen.

## *Was ist …* Arbeit

Arbeit ist jede zu einem bestimmten Zweck verrichtete Tätigkeit, die der Befriedigung materieller oder geistiger Bedürfnisse des Einzelnen oder der Allgemeinheit dient. Durch die Zielsetzung und Planmäßigkeit unterscheidet sich Arbeit von Spiel und Sport. Die gesamte Umwelt (Gärten, Straßen, Häuser, Städte) legt Zeugnis von der Arbeit des Menschen ab. Die menschlichen Bedürfnisse zwingen ihn zur Arbeit. Denn Nahrung, Kleidung, Wohnung und alle übrigen Güter können ohne Arbeitsleistung nicht beschafft und erzeugt werden. Arbeit ist aber nicht nur Mühe und Anstrengung. Sie ist auch Ausdruck der menschlichen Persönlichkeit. Ihr Wert liegt in dem Beitrag, den der Einzelne mit ihr für die Allgemeinheit leistet.

**Wandel in den Auffassungen:** Die Ansichten über Sinn und Wert der Arbeit haben sich im Laufe der Geschichte geändert. Im Alten Testament wird Arbeit als Strafe für die Sünde dargestellt. In den alten Kulturen des Mittelmeerraumes galt Handarbeit als verächtlich und wurde den Sklaven aufgebürdet. Im Neuen Testament aber wird die Arbeit als Dienst am Reiche Gottes anerkannt. Diese Auffassung blieb auch für das Mittelalter bestimmend. Allerdings wurde die Minderbewertung der Handarbeit erst seit der Reformation überwunden. Insbesondere unter dem Einfluss des Calvinismus entwickelten sich allmählich der Berufsbegriff und das Berufsethos im heutigen Sinne.

**Arbeitsteilung und Berufsdifferenzierung:** Arbeit ist körperliche und geistige Tätigkeit zur Erzielung eines Ertrages oder eines Einkommens. Sie ist wirtschaftlich ein Produktionsfaktor, das heißt neben Boden und Kapital eine unerlässliche Grundlage jeder Gütererzeugung. Die Ergiebigkeit (*Produktivität*) der Arbeit ist durch fortschreitende Arbeitsteilung außerordentlich gesteigert worden. Als erste Form der Arbeitsteilung bildete sich eine berufliche Gliederung heraus. Einige Menschen beschränkten ihre berufliche Tätigkeit auf die Herstellung von Backwaren, von Schuhen oder von Kleidungsstücken. Sie wurden Bäcker, Schuhmacher, Schneider u.a. Später erfolgte eine weitere Arbeitsteilung innerhalb der einzelnen Berufe, indem sich jeder in seinem Beruf auf eine bestimmte Tätigkeit spezialisierte. So entwickelten sich aus dem Beruf des Schmieds die speziellen Berufe des Kessel-, Nagel-, Hufschmieds u.a. Die fortschreitende Mechanisierung der Arbeit führte schließlich zur *Arbeitszerlegung*, zur Beschränkung der Tätigkeit des Arbeitenden auf ganz bestimmte Arbeitsverrichtungen. So erfordert beispielsweise die Herstellung einer Maschine das Zusammenwirken vieler arbeitender Menschen, von denen jeder Einzelne nur eine begrenzte Teilaufgabe erfüllt.

**Formen der Arbeit:** Mit der beschleunigten Ausbreitung der Arbeitsteilung im Zuge der Industrialisierung wurde die Lohnarbeit zur vorherrschenden Form von Arbeit. Die Hingabe von Arbeit gegen Lohn begründet nun eine bestimmte gesellschaftliche Stellung, die Zugehörigkeit zum Proletariat bzw. zur Arbeitnehmerschaft. Der Philosoph G. W. F. *Hegel* erkannte in der Arbeit das die Mitglieder der Gesellschaft verbindende Glied, die Basis des individuellen und allgemeinen Reichtums. Nach K. *Marx* begründet die Arbeitsteilung im *Kapitalismus* den Gegensatz zwischen den gesellschaftlichen Klassen. In der modernen Volkswirtschaftslehre wird zwischen direkt und indirekt wertschöpfender Arbeit unterschieden. Erstere wird in der Erzeugung von Gütern des Endverbrauchs eingesetzt, letztere in der Herstellung von Produktionsmitteln, die ihrerseits zur Erzeugung von Endverbrauchsgütern benötigt werden. Die Betriebswirtschaftslehre unterscheidet zwischen der *dispositiven Arbeit* des Managements, das heißt den planenden und leitenden Tätigkeiten, und der ausführenden Arbeit. Die Ergiebigkeit der Arbeit hängt von der Art ihrer Kombination mit den übrigen Produktionsfaktoren ab. Wie der Anteil der Arbeit am Produktionsergebnis entgolten werden sollte, ist in der Wirtschaftstheorie ebenso wie in der praktischen Politik umstritten.

**Arbeiterbewegung** [die], der mit der Industrialisierung einsetzende Kampf der Arbeiter für bessere Arbeitsbedingungen, politische Gleichberechtigung und soziale Absicherung. Mitte des 19. Jh. kam es, angeregt durch die Gedanken des Sozialismus und besonders durch die Lehren von Karl *Marx*, zu den ersten organisierten Zusammenschlüssen der Arbeiter in *Gewerkschaften*. In der 2. Hälfte des 19. Jh. entstanden die ersten Arbeiterparteien Deutschlands (1875 Sozialistische Arbeiterpartei Deutschlands, seit 1890 Sozialdemokratische Partei Deutschlands). Seit der russischen Revolution von 1917 spalteten sich die Arbeiterparteien in Sozialisten und Kommunisten.

**Arbeitsamt** [das], eine staatliche Behörde, die die Aufgabe hat, Berufs- und Weiterbildungsberatung durchzuführen, Arbeitsplätze zu vermitteln sowie Aus- und Weiterbildungen und Umschulungen zu fördern und das Arbeitslosengeld auszuzahlen. 2003 wurde sie umbenannt in *Agentur für Arbeit*.

**Arbeitslosenversicherung** [die], ein Zweig der → Sozialversicherung. Träger ist die *Bundesagentur für*

*Arbeit (BA)* in Nürnberg. Wichtigste Leistung der Arbeitslosenversicherung ist das *Arbeitslosengeld*.

**Arbeitslosigkeit**, Mangel an Erwerbsgelegenheit für arbeitsfähige Personen. Die Höhe des Beschäftigungsstandes ergibt sich aus dem Verhältnis von Arbeitslosen zur arbeitsfähigen Bevölkerung (*Arbeitslosenquote*).

**Archaeopterix** [der], *Urvogel*, taubengroßes Verbindungsglied zwischen Vögeln (u.a. Federkleid, Flügelbildung, große Augenhöhlen) und Reptilien (u.a. bezahnte Kiefer, Gehirnbau, freie und bekrallte Finger). Vom Archaeopterix wurden mehrere relativ vollständige Exemplare sowie eine Feder aus dem Malm der Solnhofener Plattenkalke gefunden. Auch → Vögel.

**Archäologie** [die], Altertumskunde; die Wissenschaft, die sich mit der Erforschung vergangener Kulturen befasst. Dazu führen Archäologen Ausgrabungen durch, untersuchen die Funde sowie Schriftquellen und Denkmäler.

**Arche** [die], das Schiff, in dem Noah, seine Familie und je ein Paar aller Tierarten die Sintflut überlebten (1. Mose 6–8).

**Archetypus** [der], Urform, Urbild, Urtypus.

*Archäologie: Die mehr als 7000 tönernen überlebensgroßen Krieger des chinesischen Kaisers Qin Shi Huangdi stammen aus dem 3. vorchristlichen Jahrhundert. Sie wurden 1974 zufällig beim Bohren eines Brunnens entdeckt.*

### *Wer war …* Archimedes

*Antike Büste des Archimedes*

Archimedes (* um 285 v.Chr., † 212 v.Chr. [bei der Eroberung von Syrakus von einem römischen Soldaten getötet]) war ein Mathematiker, Physiker und Techniker der griechischen Antike. Archimedes legte mit seinen Methoden zur Berechnung infinitesimaler Größen den Grund zur Entwicklung der Differenzial- und Integralrechnung 2000 Jahre später. Seine Entdeckung der Hebelgesetze zählt zu den Meilensteinen in der Geschichte der Physik. Seinen Zeitgenossen war Archimedes vor allem wegen seiner Erfindungen auf dem Gebiet der praktischen Mechanik bekannt. Hierzu zählen die Schraube, die Wasserschnecke – ein Wasserhebegerät, bei dem eine von einem Rohr umschlossene, rotierende Schnecke Wasser auf ein höheres Niveau befördert –, der Flaschenzug und Kriegsmaschinen (z. B. Brennspiegel und Wurfmaschinen). Sein Ansehen in der Antike beruht wesentlich auf seinen Arbeiten zur reinen Mathematik. Archimedes entwickelte z. B. Verfahren zur Berechnung von Flächen- und Rauminhalten geometrischer Körper und von Quadratwurzeln sowie eine Methode zur beliebig genauen Bestimmung des Kreisumfangs. Für das heute mit $\pi$ bezeichnete Verhältnis von halbem Kreisumfang und Radius zeigte er, dass der Wert von $\pi$ zwischen $3\,^{10}/_{71}$ und $3\,^{1}/_{7}$ liegt, indem er dem Kreis ein regelmäßiges 96-Eck einbeschrieb und umschrieb. Auf dem Gebiet der Physik entdeckte er die Gesetze des Schwerpunkts, der schiefen Ebene, des Hebels und des Auftriebs (archimedisches Prinzip).

**Archipel** [der], eine Inselgruppe.

**Architektur** [die] → Baukunst.

**Archiv** [das], eine geordnete Sammlung von Schriftstücken, Ton- und Bildwerken.

**ARD**, Abkürzung für **A**rbeitsgemeinschaft der öffentlich-rechtlichen **R**undfunkanstalten der Bundesrepublik **D**eutschland. Die ARD wurde 1950 gegründet. Ihr gehören die Landesrundfunkanstalten Deutschlands an, die gemeinsam das 1. Programm des Deutschen Fernsehens betreiben, sowie die *Deutsche Welle,* der Auslandsrundfunk Deutschlands.

**Ardenne**, Manfred Baron von, * 1907, † 1997; deutscher Physiker. Er machte bedeutende Erfindungen auf den Gebieten der Funktechnik, des Fernsehens, der Elektronenoptik und der angewandten Kernphysik. Ab den 1960er Jahren arbeitete er vor allem in der medizinischen Forschung.

**Arena** [die, lat.], ursprünglich ein sandbestreuter Kampfplatz des römischen Amphitheaters, heute der Wettkampfplatz für Sportveranstaltungen oder der runde Innenraum im Zirkus.

**Arendt**, Hannah, * 1906, † 1975; amerikanische Philosophin, Soziologin und Politologin deutscher Herkunft. Sie war eine der wichtigsten politischen Denkerinnen des 20. Jh. und wurde durch ihre Forschungen zum Verhältnis von Macht und Gewalt sowie zur totalitären Herrschaft berühmt.

**Ares**, der griechische Kriegsgott, bei den Römern *Mars.*

***Ländersteckbrief***
**Argentinien**

| | |
|---|---|
| **Fläche:** | 2 780 400 km² |
| **Einwohner:** | 39,1 Millionen = 14 je km² |
| **Hauptstadt:** | Buenos Aires |
| **Religion:** | römisch-katholische Kirche |
| **Amtssprache:** | Spanisch |
| **Währung:** | 1 Argentinischer Peso = 100 Centavos |

**Argentinien**, Staat in Südamerika.

**Landesnatur:** Im Westen verläuft der Hochgebirgskamm der Anden (im *Aconcagua* 6960 m). Den wirtschaftlichen Kern des Landes bildet die weite Tiefebene der *Pampa*, an die sich im Süden das Steppenhochland des *Chaco* und im Nordosten das Waldgebiet von *Misiones* anschließen. Hauptflüsse sind der Paraná und der Uruguay. Das Klima ist im Norden warm-, im Süden kühlgemäßigt.

**Bevölkerung:** Die überwiegend katholische Bevölkerung besteht aus Weißen meist spanischer oder italienischer Herkunft. Rund 5% sind Mestizen.

**Wirtschaft:** Die Landwirtschaft liefert für den Export Getreide, Fleisch, Wolle, ferner Obst, Häute und Pflanzenöle. Bedeutende Bodenschätze: Steinkohle, Eisenerz, Erdöl und -gas. Industrie: Nahrungsmittel-, Textil-, Leder-, Holz-, Metall- und Maschinenindustrie, Fahrzeugbau. – Wichtigster Hafen im Überseeverkehr ist Buenos Aires. Große Bedeutung hat der Luftverkehr (internationaler Flughafen Buenos Aires).

**Geschichte:** 1515 entdeckte der Spanier J. Díaz de Solís die La-Plata-Mündung. 1776 wurde das spanische Vizekönigreich *Rio de la Plata* errichtet. Am 9. 7. 1816 wurde die Unabhängigkeit verkündet. Nach Bürgerkriegen entstand 1880 der heutige Einheitsstaat Argentinien. 1943 wurde die konservative Regierung mit Hilfe des Militärs durch J. *Péron* gestürzt, der 1946 Präsident wurde und eine populistische Politik zusammen mit seiner Frau Eva (Evita) betrieb. 1955 wurde Péron gestürzt, der nach seiner Rückkehr aus dem Exil 1973/1974 erneut Staatspräsident war. 1976–1983 regierte eine Militärjunta, die durch die Niederlage im Falklandkonflikt 1982 gezwungen war, freie Wahlen auszuschreiben. 1983–1989 war R. *Alfonsín* Staatspräsident; 1989–1999 regierte C. S. *Menem* von der peronistischen Gerechtigkeitspartei, 1999 wurde F. *de la Rua*, Kandidat einer Mitte-Links-Koalition, zu seinem Nachfolger gewählt. Er trat nach schweren Unruhen wegen einer katastrophal schlechten Wirtschaftslage zurück. Am 1. 1. 2002 wählte der Kongress den Peronisten E. *Duhalde* zum neuen Präsidenten. Dessen Nachfolger wurde nach den Wahlen 2003 N. *Kirchner*.

*Argentinien: Ein großer Teil des Landes besteht aus Weideland, insbesondere Rindfleisch ist ein wichtiges Exportgut.*

**Argon** [das], ein chemisches Element, Zeichen Ar. Das häufigste Edelgas, das in der Luft enthalten ist.

**Argument** [das], Begründung, Beweis.

**Arie** [die, ital.], ein instrumental begleitetes solistisches Gesangsstück, meist ein Teil eines größeren Musikwerks, z. B. einer Oper oder eines Oratoriums.

**Arier** [Pl., altindisch, »Edle«], im Altertum die Bezeichnung für Inder und Perser, die zur indogermanischen Sprachfamilie gehören. Der Ausdruck wurde später gleichbedeutend mit Indogermanen benutzt. Die Rassenideologie des 19. Jh. prägte den Begriff »arische Rasse« und setzte ihn mit »nordische Rasse« gleich. Bei den Nationalsozialisten verengte sich der Begriff »Arier« schließlich auf »Nichtjuden«.

**Aristokratie** [die, griech., »Herrschaft der Besten«], eine Staatsform, in der eine bevorzugte Minderheit (z. B. der Adel) herrscht. Auch die herrschenden Gruppen selbst nennt man Aristokratie.

**Aristophanes**, * 445 v. Chr., †um 385 v. Chr.; griechischer Komödiendichter in Athen. Er stellte in seinen Stücken das politische und künstlerische Leben seiner Zeit dar.

*Wer war ...*
## Aristoteles

Der griechische Philosoph Aristoteles (* 384 v. Chr., † 322 v. Chr.) gilt neben seinem Lehrer *Platon* als der größte Philosoph der Antike. In seinen Werken befasste er sich mit allen Wissensgebieten seiner Zeit, z. B. der Metaphysik, Naturwissenschaft, Ethik, Logik, Politik, Psychologie, Poetik und Kunsttheorie. Er machte die Philosophie zur führenden Wissenschaft.

Allen philosophischen Betrachtungen des Aristoteles liegt die Überzeugung zugrunde, dass die gesamte Natur, also auch der Mensch und die Gesellschaft, ein Objekt des Denkens und der Analyse darstellt und dass die Welt nicht dem Zufall, sondern vernünftigen Gesetzen unterliegt. Aufgabe der Philosophie ist für ihn, Wissen zu systematisieren. Daher bestimmte er u. a. Regeln, wie Dinge logisch definiert werden müssen, um zum Schluss zu korrekten Beurteilungen zu gelangen. Aristoteles gilt damit als Begründer der Logik und seine Regeln zur richtigen Urteilsbildung bilden bis heute die Grundlagen unseres Wissenschaftssystems. Für Aristoteles ist weniger das Handeln, sondern das Erkennen das eigentliche Ziel jedes Menschen. Genau wie aus jedem Keim durch geheimnisvolle Kraft eine Pflanze wird, geht er davon aus, dass es in jedem Menschen auch eine Kraft zur Selbstverwirklichung gibt, die ihn zur Welterkenntnis und damit zur Glückseligkeit führt. Ferner beschäftigte ihn die Frage nach dem ersten Ursprung von Welt und Mensch. Im Gegensatz zum christlichen Verständnis sah er Gott nicht als personifizierten Schöpfer an, sondern als einen geistigen Urgrund allen Seins. Im politischen Denken des Aristoteles spielt die Ethik eine wichtige Rolle, denn er setzt voraus, dass ein Mensch nur tugendhaft und moralisch sein kann, wenn er in einem gerechten Staat lebt.

Aristoteles gehörte 20 Jahre Platons Akademie an, bevor er 343 v. Chr. am makedonischen Hof Erzieher Alexanders des Großen wurde. 334 kehrte Aristoteles wieder nach Athen zurück und gründete eine eigene Schule (die sogenannte peripatetische Schule). Nach Alexanders Tod 323 musste Aristoteles als Freund des makedonischen Königshauses fliehen und starb 322 v. Chr. in Chalkis.

*Aristoteles gilt noch heute als einer der bedeutendsten Philosophen des Abendlandes.*

**Arithmetik** [die], ein Teilgebiet der Mathematik; die Lehre von den Zahlen, ihren Verknüpfungen und den hierfür geltenden Gesetzen.

**Arkaden** [Pl.], ein Gang, der auf einer Seite von aneinandergereihten Gewölbebogen, die auf Pfeilern oder Säulen ruhen, begrenzt wird.

**Arktis** [die], das um den *Nordpol* liegende Nordpolarmeer mit seinen Inseln (die größte ist Grönland) sowie die nördlichen Randstreifen der umliegenden Kontinente Amerika, Europa und Asien. Etwa zwei

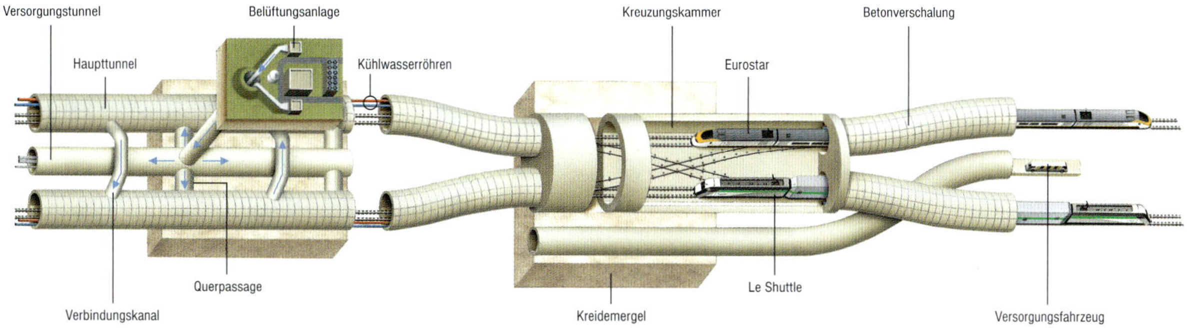


*Ärmelkanal: Eine Fahrt durch den 50 km langen Eurotunnel, der unter dem Ärmelkanal hindurchführt, dauert etwa 35 Minuten.*

Drittel des Nordpolarmeeres sind durch eine häufig wechselnde Eisbedeckung (Meereis, Treibeis, Packeis, Eisberge) gekennzeichnet. Ein Großteil der Landfläche ist von einer ständigen Eisdecke überzogen. Das Klima ist gemäßigter als in der Antarktis. Niederschläge fallen überwiegend als Schnee. In den eisfreien Gebieten gibt es einen spärlichen Pflanzenwuchs (Flechten, Moose der Eissteppe, Zwerghölzer). Hauptnutztier ist das Ren. Daneben gibt es Eisbären, Eisfüchse, Wölfe, Hermeline, Polarhasen, zahlreiche Vögel und vor allem Robben, Wale, Seehunde und Dorsche. Die Arktis ist reich an Bodenschätzen (Kohle, Uran, Gold, Nickel, Erdöl). Die Bevölkerung umfasst einige 100 000; neben den Angehörigen der Polarvölker wie z. B. Lappen (Samen), Eskimo (Inuit) und Jakuten (Sacha) leben in der Arktis auch zahlreiche Menschen aus gemäßigten Zonen, die hier Bergbau, Fischfang und Jagd betreiben. In der amerikanischen und russischen Arktis bestehen zahlreiche Wetter- und Radarstationen, Flugstützpunkte und Häfen.

**Armbrust** [die], eine alte Schusswaffe. Die Armbrust ist die Weiterentwicklung des Pfeilbogens, bestehend aus einem Schaft mit Kolben und Drücker und einem Bügel zum Spannen der Sehne. Als Geschosse dienten Bolzen, Pfeile oder Tonkugeln.

**Armee** [die], die gesamten Landstreitkräfte eines Staates, das Heer.

**Ärmelkanal** [der], *Der Kanal*, eine Meeresenge zwischen England und Frankreich; sie bildet die Verbindung zwischen Atlantik und Nordsee und ist zwischen Dover und Calais nur 33 km breit. 1994 wurde ein unter dem Kanal hindurchführender Eisenbahntunnel, auch *Eurotunnel* genannt, eröffnet. Auch → »Genauer betrachtet«, Seite 80.

### *Ländersteckbrief*
### Armenien

| | |
|---|---|
| **Fläche:** | 29 743 km² |
| **Einwohner:** | 3,0 Millionen = 101 je km² |
| **Hauptstadt:** | Eriwan |
| **Religion:** | Christentum |
| **Amtssprache:** | Armenisch |
| **Währung:** | 1 Dram = 100 Luma |

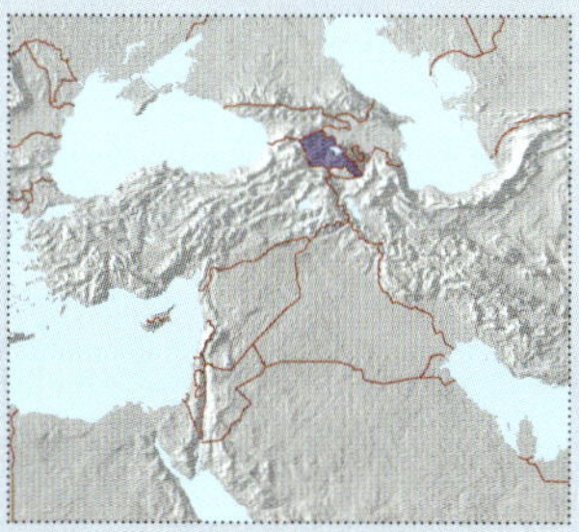

**Armenien**, Staat in Vorderasien.

**Landesnatur:** Im Norden erheben sich die stark zerklüfteten Gebirgsketten des Kleinen Kaukasus. Das Hochland im Süden ist in zahlreiche Beckenlandschaften, einige mit Seen, gegliedert. Armenien liegt in einer tektonisch äußerst unruhigen Region (häufige Erdbeben). Kontinentales Klima mit kalten Wintern und heißen Sommern; überwiegend Steppen.

**Bevölkerung:** 93% der Bewohner sind Armenier, 3% Aserbaidschaner, 2% Russen und 2% Kurden. Die Bevölkerung bekennt sich vorwiegend zum Christlichen Glauben.

**Wirtschaft:** In der Landwirtschaft Anbau von Getreide, Baumwolle, Wein; Viehzucht auf Gebirgsweiden. An Bodenschätzen gibt es Kupfer, Bauxit, Gold und Molybdän. Maschinen-, Metall-, Textil- u.a. Industrie; internationaler Flughafen in Eriwan.

**Geschichte:** Von etwa 900 v.Chr. an gehörte das Gebiet zum Reich von Urartu. Seit etwa 600 v.Chr. ist das Volk der Armenier nachweisbar. Unter der von Artaxias begründeten Dynastie (189 v.Chr. bis 1 v.Chr.) erlebte Armenien einen steilen politischen und kulturellen Aufstieg, auf dessen Höhepunkt unter *Tigranes II.* es von den Römern besiegt wurde und 66 v.Chr. die römische Oberhoheit anerkennen musste. 301 wurde das Christentum Staatsreligion in Armenien. Seit der 2. Hälfte des 7. Jh. war Armenien zum größten Teil arabischer Oberhoheit unterstellt. Seit Ende des 15. Jh. war es Streitobjekt zwischen Osmanischem und Persischem Reich. Im 17. und 18. Jh. eroberte Russland große Teile des Gebiets. Im Osmanischen Reich erhob sich eine armenische Befreiungsbewegung. 1915/1916 fielen dort über 1 Mio. Armenier Deportationen und Massenmorden zum Opfer. 1918–1920 wurde Armenien unabhängig, 1920 sowjetische Republik. 1991 erlangte Armenien erneut die Unabhängigkeit. Im blutigen Konflikt mit Aserbaidschan um Bergkarabach wurde 1994 ein Waffenstillstand geschlossen. 1995 trat eine neue Verfassung in Kraft. Staatspräsident ist seit 1998 R. *Kotscharjan*.

*Armenien: Am Fuß des Berges Ararat wird auf bewässerten Feldern Weinbau betrieben.*

### *Genauer betrachtet …* Ärmelkanal

Die Strecke von Dover nach Calais misst 33 km, aber durch die starke Nordweströmung können es für einen Schwimmer bis zu 60 km werden. Im August 1875 durchschwamm Matthew *Webb* als Erster den Ärmelkanal. Er benötigte 21 Stunden und 35 Minuten. Die erste Frau durchquerte den Ärmelkanal im Jahr 1926. Es war die Amerikanerin Gertrud *Ederle*. Sie schaffte es in 14 Stunden und 39 Minuten.

**Armin**, *Arminius*, fälschlich *Hermann der Cherusker*, * 18 v.Chr., † 19 n.Chr. (ermordet); Cheruskerfürst. 9 n. Chr. besiegte er drei römische Legionen unter dem Feldherrn *Varus* im Teutoburger Wald.

**Armstrong** [a:mstrɔŋ], **1.** Lance, * 1971; US-amerikanischer Radsportler. Er erzielte nach überwundener Krebserkrankung größte sportliche Erfolge: u.a. Sieger der Tour de France 1999–2005. **2.** Louis, genannt *Satchmo*, * 1900, † 1971; farbiger US-amerikanischer Jazztrompeter und -sänger. Armstrong war eine der zentralen Figuren in der Jazzgeschichte. **3.** Neil, * 1930; US-amerikanischer Astronaut. Er betrat am 21. 7. 1969 als erster Mensch den Mond. Mit an Bord der Apollo 11 waren die Astronauten E. *Aldrin* und M. *Collins*.

**Aronstab** [der], eine Pflanze unserer Laubwälder mit pfeilförmigen, gefleckten Blättern und einer besonderen Blüte: ein auffälliges Hüllblatt umgibt einen Kolben, an dem unten die Blüten sitzen und eine Reuse, durch die kleine Insekten wie in einer Falle zur Bestäubung festgehalten werden. Die Beeren sind scharlachrot und sehr giftig.

**Arroganz** [die], Anmaßung, Selbstherrlichkeit.

**Arsen** [das], ein chemisches Element mit dem Zeichen As. Das stahlgraue, metallisch glänzende, spröde Halbmetall ist ein starkes Gift.

**Art** [die], in der Biologie die Grundeinheit des natürlichen Systems der Lebewesen. Die Angehörigen einer Art stimmen in den wichtigsten Erbmerkmalen überein und können miteinander fruchtbaren Nachwuchs erzeugen. Die *Rasse* ist eine Untereinheit der Art. Mehrere Arten gehören zu einer *Gattung*.

**Arterie** [die], die Schlagader, die das Blut vom Herzen fortleitet; → Blutkreislauf.

*Der Aronstab hat eine Kesselfallenblume entwickelt, in der er kleine Insekten festhalten kann. Der Längsschnitt durch das Hüllblatt zeigt Blattscheide (1), Keule (2), Sperrhaare (3, umgewandelte Blüten), männliche Blüten (4) und weibliche Blüten (5). Nach der Befruchtung durch die am Insekt haftenden Pollenkörner reifen die roten Beeren (links) heran.*

**artesischer Brunnen** [lat., nach der franz. Grafschaft Artois], eine künstlich geschaffene Quelle, bei der das Wasser infolge Überdrucks (oft als Fontäne) austritt. Dies setzt unterirdische Wasseransammlungen in tief gelegenen Mulden zwischen zwei wasserundurchlässigen Schichten voraus.

**Artikel** [der], **1.** *Geschlechtswort*, eine Wortart, die das grammatische Geschlecht eines Substantivs kennzeichnet sowie den Beugungsfall. Man unterscheidet bestimmte Artikel (der, die, das) und unbestimmte Artikel (einer, eine, eines). **2.** eine Warensorte. **3.** ein Text, der in einer Zeitung oder Zeitschrift abgedruckt ist. **4.** ein Abschnitt eines Gesetzes oder Vertrages.

**artikulieren**, deutlich aussprechen, formulieren.

**Artillerie** [die], die mit schweren Geschützen ausgestatteten Teile des Heeres und der Kriegsmarine.

**Artist**, Varieté- und Zirkuskünstler.

**Artus**, ein sagenhafter König in Britannien um 500 n. Chr. Er gilt als Vorbild des tapferen Ritters. Mit den Helden seiner Tafelrunde (z. B. Erek, Iwein, Lanzelot, Parzival) bestand er viele Abenteuer.

**As**, chemisches Zeichen für das Element → Arsen.

**Asbest** [der, griech., »unverbrennbar«], faseriges, seidenglänzendes Mineral, das feuerfest und säurebeständig ist und sich gut zur Wärmedämmung und zum Isolieren gegen Elektrizität eignet. Seitdem man weiß, dass Asbeststaub krebserregend ist, wird der Stoff nur noch selten benutzt.

**Aschermittwoch** [der], der Mittwoch nach dem Fastnachtsdienstag; mit ihm beginnt die Fastenzeit.

**Asen**, ein Göttergeschlecht der germanischen Mythologie; das Oberhaupt ist *Wodan (Odin).*

***Ländersteckbrief***
**Aserbaidschan**

| | |
|---|---|
| **Fläche:** | 86 600 km² |
| **Einwohner:** | 8,5 Millionen = 98 je km² |
| **Hauptstadt:** | Baku |
| **Religion:** | Islam, Christentum |
| **Amtssprache:** | Aserbaidschanisch |
| **Währung:** | 1 Aserbaidschan-Manat = 100 Gepik |

**Aserbaidschan**, Staat in Nordafrika.

Der Staat, zu dem auch die Republik *Nachitschewan* und das Gebiet der *Bergkarabachen* gehören, umfasst die Kura-Niederung mit dem Tiefland von Lenkoran, die Halbinsel Apscheron mit der Hauptstadt Baku, den Südosten des Kaukasus und in Nachitschewan einen Teil des Armenischen Hochlands. Die Bevölkerung setzt sich aus rund 91% Aserbaidschanern (Aseri), ferner Armeniern, Russen, Tataren u.a. zusammen. 90% sind Muslime.

Die Wirtschaft beruht v.a. auf den reichen Bodenschätzen (u.a. Erdöl, Erdgas, Eisen-, Zink- und Kupfererze); petrochemischer und Hüttenindustrie, Maschinenbau. In der Steppe künstliche Bewässerung mit Anbau von Baumwolle, Getreide und Gemüse; ansonsten Anbau von Tee, Zitrusfrüchten, Tabak, Wein und Obst. Wichtigster See- und Flughafen ist in der Hauptstadt Baku.

**Geschichte:** Seit dem 7. Jh. v. Chr. gehörte das Gebiet wechselnd zum Perser- oder zum Mederreich. Nach der Eroberung durch die Araber im 7. Jh. nahm das Land den Islam als Staatsreligion an. Das Gebiet wurde im 11. Jh. von den Türken unterworfen, im 13. Jh. von den Mongolen und Anfang des 14. Jh. von den Persern. 1813 und 1823 wurde der nördliche Teil von Russland erobert und als Provinz eingegliedert. 1918–1920 vorübergehend unabhängig war Aserbaidschan seit 1920 Sowjet-Republik. Im Zuge des Zerfalls der UdSSR erklärte Aserbaidschan 1991 seine Unabhängigkeit. Im blutigen Konflikt mit Armenien um Bergkarabach wurde 1994 ein Waffenstillstand geschlossen. Staatspräsident ist seit 2003 I. *Alijew.*

**Asien** → Seite 83.

**Askese** [die, griech., »Übung«], strenge Enthaltsamkeit, körperliche und geistige Selbstüberwindung zur Erlangung ethischer Ziele, übersinnlicher Fähigkeiten oder christlicher Vollkommenheit.

**asozial** [lat.], gemeinschaftsunfähig, gemeinschaftsschädigend.

**Assessmentcenter** [əˈsɛsməntˈsɛntə], Verfahren zur Auswahl von Bewerbern oder zur Beurteilung des Führungspotenzials von Mitarbeitern eines Unternehmens. In ein- oder mehrtägigen Veranstaltungen und typischen nachgestellten Berufssituationen werden die vorher ausgewählten Bewerber in Gruppendiskussionen, Rollenspielen oder Präsentationsübungen hinsichtlich ihrer Kommunikations-, ihrer Konfliktfähigkeit und ihres sozialen Verhaltens getestet.

**Assimilation** [die, lat., »das Ähnlichmachen«], **1.** Angleichung, Anpassung, Verschmelzung. **2.** in



Fortsetzung → Seite 84

*Mehr wissen …*
## Geheimnisvolle, fremde Welt: Asien

Asien ist ein Kontinent der Superlative. Mit 44,8 Mio. $km^2$ ist es der größte Kontinent der Erde und beherbergt mit über 3,9 Mrd. Einwohnern mehr Menschen als alle anderen Erdteile zusammen. In Asien liegt der höchste Berg der Erde (*Mount Everest*, 8846 m), der tiefste See (*Baikalsee*, 1637 m) und der größte Binnensee (*Kaspisches Meer*, 386 500 $km^2$).

### Landesnatur:

Tieflandcharakter herrscht vor allem in Westsibirien und Nordostchina, während in Ost- und Mittelsibirien, in Arabien und Indien Tafelländer und Hochebenen das Landschaftsbild bestimmen. Eine ausgedehnte Gebirgszone durchzieht den Kontinent von West nach Ost. Sie schließt in Anatolien, Iran, Tibet und der Mongolei weite Hochländer ein. In Armenien und im *Pamir* bildet sie mächtige Gebirgsknoten und erreicht im *Himalaya* und *Karakorum* ihre größten Höhen. In Hinterindien biegen die Gebirgsketten, durch tiefe Talschluchten voneinander getrennt, nach Süden um und setzen sich, zum Teil vom Meer überflutet, in den vulkanischen Inselbögen Südostasiens fort.

Nord- und Zentralasien besitzen ein ausgesprochen kontinentales Klima mit starken Temperaturgegensätzen zwischen Sommer und Winter. Von der *Arabischen Halbinsel* bis zur Wüste *Gobi* durchzieht ein ausgedehnter Trockengürtel den Kontinent. Vorder- und Hinterindien sowie weite Teile Chinas werden durch den Monsun beeinflusst, der im Sommer reichliche Niederschläge bringt. Vom Malaiischen Archipel bis nach Indien ist tropischer Regenwald verbreitet; hier leben noch Elefanten, Nashörner, Tiger und Menschenaffen. In Süd- und Südostasien gedeihen Monsunwälder, die während der Trockenzeit ihr Laub abwerfen. Mit zunehmender Trockenheit geht die Vegetation in Steppe über; im innerasiatischen Trockengürtel überwiegen dann Trockensteppe, Halbwüste und Wüste. Hier leben Kamele, Wildesel, Antilopen und Steppenvögel. In Sibirien dehnt sich das größte Waldgebiet der Erde, die *Taiga*, aus. In ihren Birken- und Nadelwäldern sind Hirsche, Elche und Pelztiere noch weit verbreitet. In dem breiten Küstenstreifen am Nördlichen Eismeer erstreckt sich die karge, mit Moosen und Flechten bedeckte *Tundra*, in der Rentier, Lemming und Eisfuchs leben.

*Asien: Kunstvoll angelegte und künstlich überflutete Reisterrassen bestimmen vor allem in Südostasien, Hinterindien und Ostasien das Landschaftsbild. Reis ist in vielen Staaten Asiens das Hauptnahrungsmittel.*

### Bevölkerung:

Die Bevölkerung Asiens ist sehr ungleich verteilt. Den fast menschenleeren Räumen in Nordsibirien, den zentralasiatischen Hochländern und den Wüsten der Arabischen Halbinsel und des Iran stehen vor allem im Süden und Osten des Kontinents äußerst dicht besiedelte Gebiete gegenüber. Allein auf China und Indien entfallen rund zwei Drittel der asiatischen Bevölkerung.

**Religion:**

Die alten Hochkulturen in Vorderasien, Indien und Ostasien sind die Wiege aller großen Weltreligionen. In Vorderasien entstanden Christentum, Judentum und Islam; Südasien ist die Heimat des Hinduismus und Buddhismus; in China und Japan haben sich Konfuzianismus, Daoismus und Shintoismus entwickelt. Das Aufeinandertreffen unterschiedlicher Religionen und Völker hat aber auch politische Krisenherde geschaffen. Als Beispiel ist hier vor allem der Nahe Osten zu nennen, wo Judentum und Islam aufeinandertreffen, oder das Dreiländereck Iran–Irak–Türkei mit der noch immer ungelösten Kurdenfrage.

**Wirtschaft:**

Asien ist der rohstoffreichste Kontinent der Erde. Besonders reich ist es an Erdöl und Erdgas (vor allem in den sogenannten »Golfstaaten« Vorderasiens und in Westsibirien), an Zinn, Mangan und Wolfram. Zu den wichtigsten Agrarprodukten zählen Reis, der das Grundnahrungsmittel der asiatischen Bevölkerung ist, Kautschuk, Jute, Baumwolle, Seide, Tee und Weizen. Die wirtschaftliche Entwicklung Asiens ist äußerst ungleich: Einem der reichsten Länder der Erde, Japan, steht mit Bangladesch eines der ärmsten gegenüber. Die ostasiatischen Staaten China mit Hongkong, Taiwan, Südkorea, Singapur und Malaysia gehören zu den Ländern mit dem weltweit höchsten Wirtschaftswachstum in den letzten Jahren.

**Entdeckungsgeschichte:**

Phönizische Seefahrer stellten als Erste eine Verbindung zwischen der Mittelmeerkultur und dem westlichen Asien her. Die Feldzüge Alexanders des Großen im 4. Jh. v. Chr. brachten eine starke Erweiterung der Kenntnisse. Im 13. Jh. kam es durch die Mongolen zur direkten Berührung zwischen Europa und Asien. Reisende wie Marco Polo brachten dem Abendland die glanzvollen, bisher unbekannten Kulturen Asiens nahe. Einen entscheidenden Beitrag zur Erforschung des Kontinents leistete Vasco da Gama, der 1497/1498 den Seeweg nach Indien entdeckte. Im 16. Jh. begann der russische Vorstoß nach Sibirien. Erst spät, mit Beginn des 19. Jh., wurde das Innere des asiatischen Kontinents erforscht.

*Asien ist nicht nur der größte Kontinent, sondern auch der Kontinent mit den höchsten Erhebungen. Abgebildet ist der Annapurna, der mit 8078 m der zehnthöchste der 14 Achttausender des Himalaya ist.*

der Biologie die Umwandlung körperfremder in körpereigene Stoffe (z. B. Nahrungsaufnahme), besonders bei Pflanzen die Umwandlung des Kohlendioxids der Luft mit Hilfe der *Photosynthese*.

**Assoziation** [die], die gedankliche Verknüpfung von Vorstellungen und Gefühlen, z. B. kann man einen Geruch mit einem besonderen Erlebnis verbinden.

**Assyrien**, im Altertum ein Reich am Westufer des Tigris, das vom 3. Jahrtausend v. Chr. bis 612 v. Chr. bestand. Zur Zeit seiner größten Ausdehnung beherrschte Assyrien ein Gebiet, das vom Persischen Golf über Syrien und Palästina bis nach Ägypten reichte. Heute gehört das Kerngebiet des früheren Assyrien zum Irak.

**Asterix**, der Held einer Comic-Serie, die seit 1961 erscheint. Die Serie beschreibt den Kampf eines gallischen Dorfes gegen die Römer.

**Ästhetik** [die], die Lehre vom Schönen, besonders in der Kunst.

**Asthma** [das], eine Atemnot, die in Anfällen auftritt und durch Krämpfe der Bronchien hervorgerufen wird. Die Anfälle können durch Allergien oder Lungenerkrankungen verursacht werden.

**Astrologie** [die], Sterndeutung, die Kunst, aus der Stellung der Sterne den Charakter eines Menschen sowie das Schicksal und die Zukunft vorherzusagen. Im Altertum und im Mittelalter wurde die Astrologie von Priestern und Gelehrten ausgeübt. Heute ist die Astrologie, die z. B. in Horoskopen ihren Niederschlag findet, wissenschaftlich nicht anerkannt.

**Astronauten** [Pl.], Weltraumfahrer; in der ehemaligen Sowjetunion *Kosmonauten* genannt.

**Astronomie** → Seite 87.

**Asyl** [das], die Gewährung von Zuflucht für Verfolgte. In Artikel 16a des Grundgesetzes steht der Satz: »Politisch Verfolgte genießen Asylrecht.« Jeder Ausländer, der in Deutschland Asyl beantragt, hat danach Anspruch auf Prüfung seines Antrags durch die zuständige Behörde und die Gerichte sowie auf Unterhalt während dieses Zeitraums. Dieser Rechtsanspruch ist in der Welt einmalig. 1991–2000 kamen ca. 1,8 Mio. Asylbewerber nach Deutschland. Im Jahr 2006 betrug ihre Zahl rund 20 000, doch nur 1% der Bewerber wurden als Asylberechtigte anerkannt. Die meisten sind sogenannte Armutsflüchtlinge, die sich in Deutschland bessere Lebensverhältnisse erhoffen als in ihrer Heimat. 1993 wurde Artikel 16 durch 16a ergänzt: Das individuelle Asylrecht bleibt erhalten, aber die Abweisung von Ausländern, die des Schutzes nicht bedürfen, wird erleichtert. Flüchtlinge aus Kriegs- und Bürgerkriegsgebieten können außerhalb des Asylverfahrens aufgenommen werden.

*Asterix: Der kleine, schlaue Krieger Asterix und sein »dicker Freund« Obelix schöpfen ihre Kraft aus dem Trank, den der Druide Miraculix braut.*

**Atatürk**, Kemal, bis 1934 *Mustafa Kemal Pascha*, * 1881, † 1938; türkischer Offizier und Politiker. Er gilt als Begründer der modernen Türkei, da er grundlegende gesellschaftliche Reformen nach westlichem Vorbild durchführte. Der selbstgewählte Name »Atatürk« bedeutet »Vater der Türken«.

**Atheismus** [der, griech., »ohne Gott«], die Überzeugung, dass es keinen Gott gibt.

**Athen**, die Hauptstadt Griechenlands am Saronischen Golf, 746 000 Einwohner. Auf dem hohen

Burgberg befinden sich die großartigen Tempelruinen der *Akropolis*. Athen ist geistiger, politischer und wirtschaftlicher Mittelpunkt Griechenlands. Die Stadt liegt nur wenige Kilometer vom Meer und von dem Hafen *Piräus*, dem Haupthafen Griechenlands, entfernt. – Im Altertum war Athen ein bedeutender Stadtstaat mit demokratischer Regierungsform.

**Athene**, griechische Göttin der Weisheit, der Kunst und des Ackerbaus.

**Äther** [der], *Ether*, eine farblose, sehr feuergefährliche Flüssigkeit, die leicht verdunstet und mit Luft ein explosionsfähiges Gemisch bildet. Äther war früher das meistgebrauchte Narkosemittel. Heute wird er vor allem als Lösungsmittel für Fette, Öle und Harze verwendet.

**ätherische Öle** [Pl.], flüchtige, meist angenehm riechende Duftstoffe der Pflanzen (z. B. Pfefferminzöl).

*Athen: Blick auf den Hafen in Piräus*

### *Ländersteckbrief*
### Äthiopien

| | |
|---|---|
| **Fläche:** | 1 112 000 km² |
| **Einwohner:** | 79,3 Millionen = 71 je km² |
| **Hauptstadt:** | Addis Abeba |
| **Religion:** | äthiopische koptische Kirche, Islam |
| **Amtssprache:** | Amharisch |
| **Währung:** | 1 Birr = 100 Cents |

**Äthiopien**, Staat in Ostafrika.

**Landesnatur:** Äthiopien besteht aus einem Hochgebirge, dessen einzelne Massive mehr als 4000 m Höhe erreichen (Ras Dashen 4620 m). Das Hochland erhält reichliche Niederschläge, hat verhältnismäßig niedrige Temperaturen und z. T. üppigen Waldwuchs. Die Tiefländer erhalten geringe Niederschläge bei hohen Temperaturen; ihre Vegetation reicht von Laub abwerfenden Trockenwäldern über Trockensavannen bis hin zu Wüsten.

**Bevölkerung:** Dem koptischen Christentum (äthiopische Kirche) hängen etwa 40% der Bevölkerung an, der Rest dem Islam. 40% der Bewohner sind semitische *Amharen*, 40% *Oromo*, der Rest *Danakil* und *Somal*.

**Wirtschaft:** Die Landwirtschaft baut Kaffee, Getreide, Baumwolle und Tabak an. Exportiert werden u. a. Kaffee und Viehzuchtprodukte. Durch Dürreperioden treten in den Nordprovinzen häufig Hungersnöte auf.

**Geschichte:** Äthiopien stand unter dem Einfluss der ägyptischen, dann der griechischen Kultur. Im 1. Jh.



Fortsetzung → Seite 89

*Mehr wissen …*

## Die Erforschung des Universums: Astronomie

Die Wissenschaft von den Sternen reicht etwa 5000 Jahre zurück. Damals wurden in Stonehenge (England) riesige Steinalleen als Abbilder von Sternkonstellationen erbaut. In Ägypten entstanden nach astronomischen Berechnungen die Pyramiden. Im antiken Griechenland (um 300 v. Chr.) wurden erste Theorien über den Aufbau des Universums aufgestellt, die sich jedoch nicht durchsetzen konnten. Trotz ihrer mathematischen Fähigkeiten waren die Menschen damals noch keine Naturwissenschaftler im heutigen Sinne. Ihr Weltbild war von Religion und Mythologie geprägt. Bis in die frühe Neuzeit herrschte die Vorstellung, die Erde sei eine Scheibe, über die sich der Himmel als eine Halbkugel erstrecke. Erst 1514 stellte N. *Kopernikus* die These auf, dass die Sonne im Mittelpunkt des Weltalls ruhe und die Erde sowie die anderen Planeten sich in Kreisen um sie bewegen. Die Erfindung des Fernrohres durch J. *Kepler* (1611), die Entdeckung der Jupitermonde durch G. *Galilei* und I. *Newtons* Abhandlung über die Schwerkraft (1687) festigten das *heliozentrische Weltbild*. Doch erst mit A. *Einsteins* spezieller Relativitätstheorie (1905), die zeigte, dass sich im Universum nichts schneller als das Licht bewegen kann (rund 300 000 km in der Sekunde), wurde der Grundstein zur modernen Kosmologie gelegt.

*Der Gasnebel NGC 604 wurde mit einer Kamera des Hubble-Weltraumteleskops aufgenommen. Sein Durchmesser beträgt 1500 Lichtjahre.*

### Methoden:

Heute beobachtet die Astronomie den Himmel kaum mehr unmittelbar mit dem Fernrohr. Mit großen Teleskopen und Parabolspiegeln von mehreren Hundert Metern Durchmesser wird vielmehr das Universum systematisch durchforscht. Eingefangenes Licht wird fotografisch festgehalten. Große Antennen fangen Radio-, Röntgen- und Gammastrahlen auf. Mit Hilfe von Spektralanalysen wird das von Sternen ausgestrahlte Licht in seine Bestandteile zerlegt. Auf diese Weise können die chemische Zusammensetzung der Sterne, ihre Größe (Masse), ihre relative Geschwindigkeit zu unserer Sonne und ihre Entfernung zu uns bestimmt werden. Darüber hinaus arbeitet die Astronomie eng mit der Teilchenphysik und der Raumfahrt zusammen. Irdische Beobachtungen werden durch Bilder und Messungen von Satelliten ergänzt. Raumflüge haben die Kenntnisse von unserem Sonnensystem revolutioniert (Entdeckung neuer Jupiter- und Saturnmonde, Ringe um Uranus und Neptun, Erforschung der Kometen Halley und West).

### Die Sterne:

Unsere Galaxie (Milchstraße) besteht aus über 100 Mrd. Sternen. Vermutlich haben viele dieser Sterne auch ihre eigenen Planetensysteme. Nach ihrer Farbe und Helligkeit werden die Sterne in verschiedene Größenklassen eingeordnet, die auch Aufschluss über ihre Masse und ihr Alter geben. Ein durchschnittlicher Stern wie unsere Sonne hat eine Lebensdauer von etwa 10 Mrd. Jahren. Sterne entstehen aus riesigen

Mengen von Wasserstoffatomen, die sich durch ihre eigene Schwerkraft allmählich zusammenziehen. Sie fangen an zu leuchten, weil in ihrem Innern die Kernfusion zündet, die aus Wasserstoff Helium und schwerere Elemente entstehen lässt. Die Kernfusion erhält die Sterne »am Leben« und lässt sie gleichzeitig »altern«, weil langsam der »Brennstoff« für die Kernfusion verbraucht wird. Am Ende des Sternlebens steht meistens der Kollaps: Der Rest der vorhandenen Materie fällt in sich zusammen, das Licht erlischt, oft nach einer gewaltigen Explosion (*Nova* und *Supernova*, zuletzt 1987 beobachtet). Übrig bleiben große, dunkle Klumpen Materie von unglaublich großer Dichte, die entweder als *braune Zwerge*, als *Pulsare* oder auch als *schwarze Löcher* enden.

### Galaxien:

Angeordnet sind die Sterne unserer Galaxie in Form einer Spirale. An einem äußeren Spiralarm befindet sich unsere Sonne mit dem Sonnensystem. Alle mit bloßem Auge sichtbaren Sterne gehören zu unserer Galaxie, die meisten zu unserem Spiralarm. Das Zentrum unserer Galaxie, das aufgrund sehr hoher Sterndichte extrem hell sein muss, können wir nicht sehen, weil große dunkle Staubwolken den Blick versperren. Im Universum gibt es mehrere 100 Mrd. Galaxien, von denen die weitesten bisher entdeckten etwa 10 bis 13 Mrd. Lichtjahre von uns entfernt sind. Der *Andromedanebel*, ähnlich unserer eigenen Spiralgalaxie, ist etwa 2,6 Mio. Lichtjahre von uns entfernt (1 Lichtjahr = 9,46 Billionen Kilometer). In klaren Winternächten kann man ihn mit bloßem Auge gerade so erkennen. Die *Große* und die *Kleine Magellan'sche Wolke*, Haufengalaxien, die man nur von der Südhalbkugel der Erde aus sehen kann, sind uns etwas näher.

*Das Hubble-Weltraumteleskop, das bisher größte astronomische Fernrohr, ermittelt von der Erdumlaufbahn aus neue Daten von Sternen und Planeten.*

*Ein Astronaut bewegt sich mit einem speziellen Raumanzug im freien Raum.*

### Das Universum:

All diese Beobachtungen führten zu der Theorie, dass das Universum vor etwa 15 Mrd. Jahren im *Urknall* entstanden ist und sich seither ständig ausdehnt. Den Urknall stellt man sich als eine Explosion unbeschreibbaren Ausmaßes vor, bei der so viel Hitze frei wurde, dass selbst nach vielen Mrd. Jahren noch ein Rest Wärme übrig sein muss. Diese Restwärme wird als *kosmische Hintergrundstrahlung* bezeichnet. Die lange Zeit als gesichert geltende Urknall-Theorie wird heute wieder durch neue Modelle in Frage gestellt.

n. Chr. entstand das Reich von *Aksum*, das im 4. Jh. christlich wurde. Seit dem 13. Jh. war Äthiopien ein Gesamtstaat unter dem *Negus Negesti*. Im Laufe der Zeit verfiel die Macht der Negusse. Erst im 19. Jh. bildete sich wieder eine starke Zentralgewalt. 1930 ließ sich Kaiser *Haile Selassie I.* krönen. Äthiopien wurde 1935/1936 durch Italien erobert. 1941 kehrte Haile Selassie aus dem Exil zurück. Nach einem Militärputsch wurde der Kaiser 1974 abgesetzt und 1975 Äthiopien zur Demokratischen Volksrepublik erklärt. Die Staatsführung hatte seit 1977 *Mengistu Haile Mariam*. 1987 wurde eine Verfassung nach sowjetischem Vorbild verabschiedet. Neben zahlreichen Rebellenbewegungen kämpfte in Eritrea eine Unabhängigkeitsbewegung gegen die Regierung. 1991 gelang den Rebellen der Sieg im Bürgerkrieg. Mengistu floh ins Ausland. Eritrea wurde 1993 selbstständig. 1994 trat eine parlamentarische Verfassung in Kraft. Grenzstreitigkeiten mit Eritrea eskalierten 1998 zum militärischen Konflikt. Im Dezember 2000 wurde ein Friedensvertrag unterzeichnet. 2006 griff Äthiopien militärisch in Somalia ein, um die dortigen islamistischen Kräfte auszuschalten. G. *Wdde Giorgis* ist seit 2001 Staatspräsident in Äthiopien.

*Äthiopien: Im Süden des Landes liegt der 2500 km² große Bale-Mountains-Nationalpark, der Lebensraum seltener Tierarten ist.*

*Atlasgebirge: Ein Dorf in der abgeschiedenen Berglandschaft des Atlasgebirges*

**Athlet** [der], in der Antike ursprünglich jeder Wettkämpfer, seit dem 5. Jh. v. Chr. ein Mann, der berufsmäßig Wettbewerbe bestreitet; heute sind Athleten gut trainierte Sportler.

**Atlantis** [das], nach altägyptischer und griechischer Überlieferung ein sagenhafter Inselkontinent, der nach den Worten Platons »außerhalb der Meerenge« (gemeint ist vielleicht Gibraltar) lag und in frühgeschichtlicher Zeit im Meer versank.

**Atlantischer Ozean**, *Atlantik*, das zweitgrößte Weltmeer zwischen Europa und Afrika auf der einen und Nord- und Südamerika auf der anderen Seite.

**Atlas** [der], **1.** der Halswirbelknochen, der den Schädel trägt. **2.** ein Riese der griechischen Sagenwelt, der das Himmelsgewölbe trägt. **3.** [Pl. Atlanten], Sammlung von Land- oder Himmelskarten in Form eines Buches.

**Atlasgebirge** [das], ein Gebirge im Nordwesten von Afrika, der höchste Gipfel ist der *Jabal Tubqal* (4165 m).

**Atmosphäre** [die], allgemein die Gashülle der Planeten, insbesondere die Lufthülle der Erde. Die Erdatmosphäre reicht bis in eine Höhe von etwa 1000 km.

Sie besteht aus einem Gemisch verschiedener Gase mit folgenden Anteilen: 78% Stickstoff, 21% Sauerstoff, 0,9% Argon, 0,3% Kohlendioxid sowie Spuren weiterer Edelgase und Gasverbindungen. Man unterteilt die Atmosphäre in mehrere Schichten: 1. die *Troposphäre*, in der sich die Wettererscheinungen abspielen, in Mitteleuropa rund 12 km hoch, mit Temperaturen, die nach oben stetig abnehmen bis –55 °C. 2. die *Stratosphäre*, bis 50 km, wo bis in eine Höhe von 20 km –50 °C herrschen; darüber steigen die Temperaturen auf –10 bis +10 °C an. 3. die *Mesosphäre*, bis 85 km, in der die Temperatur wieder abnimmt, bis –80 °C an der Schichtgrenze. 4. die *Thermosphäre*, bis in 400 km Höhe, wo die Temperatur wieder ansteigt bis +1800 °C. Die Thermosphäre umfasst zugleich den Hauptteil der *Ionosphäre*, in der durch die energiereiche Sonnenstrahlung elektrisch geladene Teilchen entstehen. 5. die *Exosphäre*, in der die Atmosphäre in den nur spärlich mit Materie angefüllten Weltraum übergeht.

**Atmung** [die], die lebensnotwendige Aufnahme von Sauerstoff ($O_2$) aus der Luft oder dem Wasser und die Abgabe von Kohlendioxid ($CO_2$). Bei vielen Landtieren und auch beim Menschen findet der Gasaustausch in den Lungen statt, bei Fischen an den Kiemen (*äußere Atmung*). Der aufgenommene Sauerstoff wird mit dem Blut in den Körper transportiert und von den Zellen aufgenommen, Kohlendioxid an das Blut abgegeben und abtransportiert (*innere Atmung*). In den Zellen wird der Sauerstoff gebraucht, um die Bestandteile der Nahrung, vor allem Kohlenhydrate und Fette, in chemische Energie umzuwandeln. Dabei entstehen als Abfallprodukte Wasser und Kohlendioxid (*Zellatmung*).

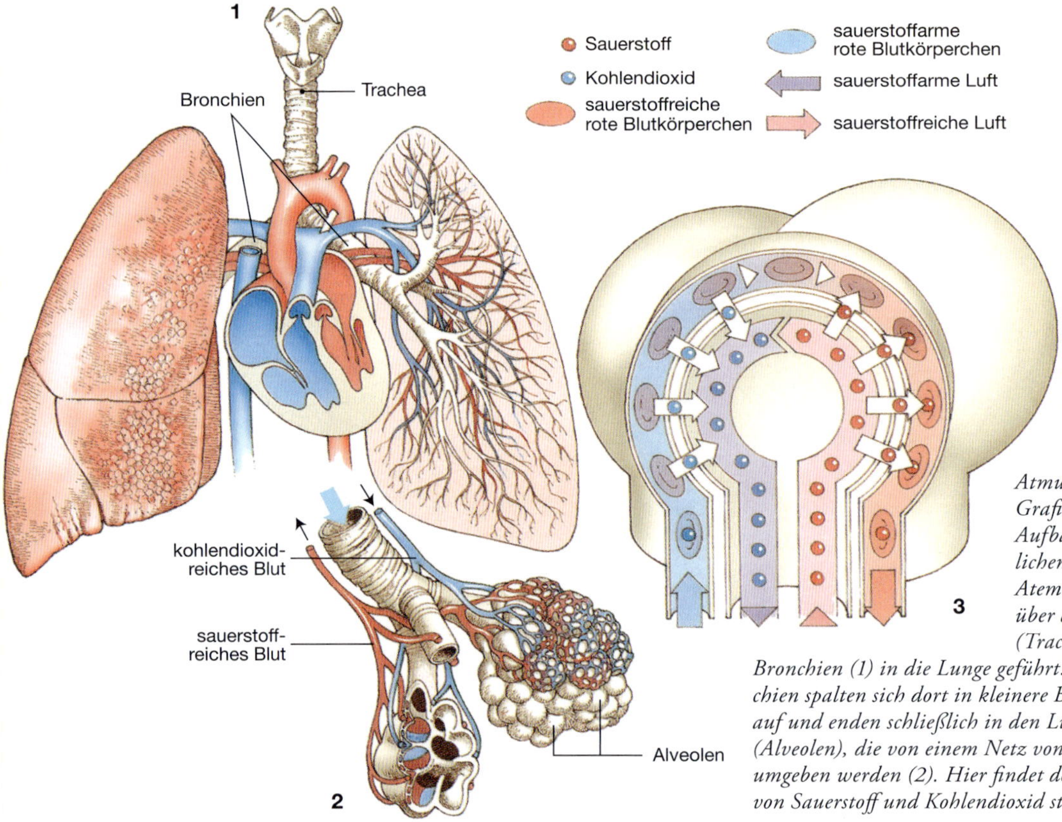


*Atmung: Die Grafik zeigt den Aufbau der menschlichen Lunge. Die Atemluft wird über die Luftröhre (Trachea) und die Bronchien (1) in die Lunge geführt. Die Bronchien spalten sich dort in kleinere Bronchiolen auf und enden schließlich in den Lungenbläschen (Alveolen), die von einem Netz von Blutgefäßen umgeben werden (2). Hier findet der Austausch von Sauerstoff und Kohlendioxid statt (3).*

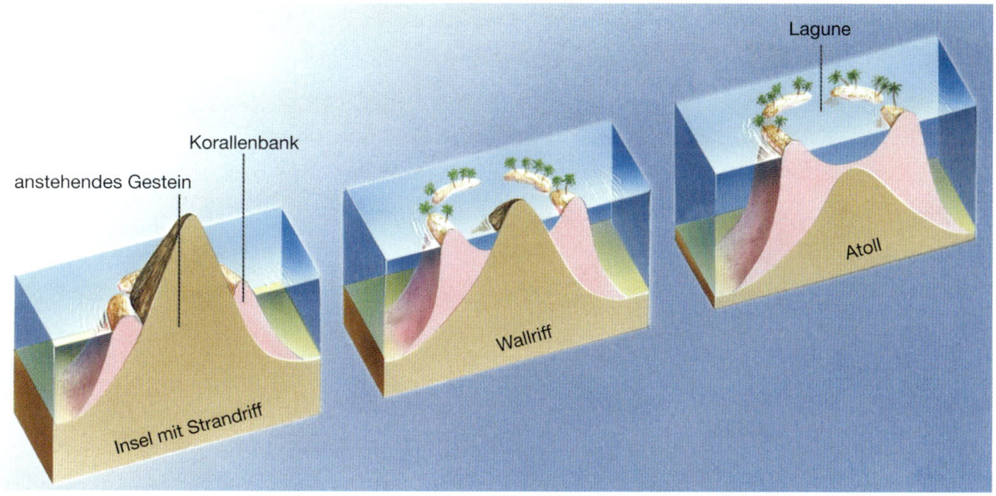


*Atoll: Korallenbauten sind häufig in Küstennähe tropischer Meere. Ihre Bildung ist von Temperatur, Wassertiefe und Wasserqualität abhängig; nach ihrer Form unterscheidet man u.a. Strandriff, Wallriff und Atoll.*

**Ätna** [der, ital. Etna], größter noch tätiger Vulkan Europas, am Ostrand von Sizilien (Italien) mit 3350 m Höhe.

**Atoll** [das], eine ringförmige Koralleninsel, die eine Lagune umschließt.

*Ätna: Der noch aktive Vulkan in einer Luftaufnahme; dank der Frühwarnsysteme der Vulkanologen leben die Menschen am Ätna heute nicht mehr ganz so gefährlich.*

### *Was ist ein …* Atom

Atom ist die Bezeichnung für die kleinste, mit chemischen Mitteln nicht weiter spaltbare Einheit eines chemischen Elements. Mit physikalischen Mitteln können Atome weiter in andere chemische Elemente und Elementarteilchen zerlegt werden.

**Eigenschaften und Aufbau von Atomen:** Atome bestehen aus einem Atomkern und einer Hülle. Die Masse eines Atoms konzentriert sich im Atomkern, der aus den elektrisch positiv geladenen *Protonen* und den elektrisch neutralen *Neutronen* gebildet wird. In der Hülle befinden sich die elektrisch negativen *Elektronen*. Atome, deren Protonen- und Elektronenzahl übereinstimmen, sind nach außen elektrisch neutral; weichen beide Werte voneinander ab, so ist das Atom elektrisch geladen und heißt *Ion*. Der Durchmesser eines Atoms beträgt etwa $10^{-10}$ m, der des Kerns aber nur etwa $10^{-14}$ m. Wenn ein Kern einen Durchmesser von 1 cm besäße, hätte das Atom selbst den vergleichsweise riesigen Durchmesser von 100 m. Im Bereich der Atome gelten andere Gesetze als in der uns bekannten Erfahrungswelt: die Gesetze der Quantenphysik. Sie erklären, weshalb die Elektronen nicht in den Kern stürzen, was aufgrund der unterschiedlichen Ladungen von Elektronen und Protonen und der damit verbundenen Anziehungskraft eigentlich zu erwarten wäre. Atome mit der gleichen Protonenzahl gehören zu demselben chemischen Element (auch wenn sie unterschiedliche Neutronenzahlen haben). Die Anzahl der Protonen eines jeden Elements entspricht im *Periodensystem* der Ordnungszahl (Kernladungszahl) dieses Elements. Heute sind 109 Atomarten (= chemische Elemente) bekannt. Das einfachste und leichteste Atom ist Wasserstoff mit 1 Proton und 1 Elektron. Dem Nachweis von Atomen dienen Massenspektrometer oder die Beugung von Röntgenstrahlen an Kristallen. Mithilfe von Rastertunnelmikroskopen kann man die Anordnung und Ausdehnung auch einzelner Atome direkt abbilden.

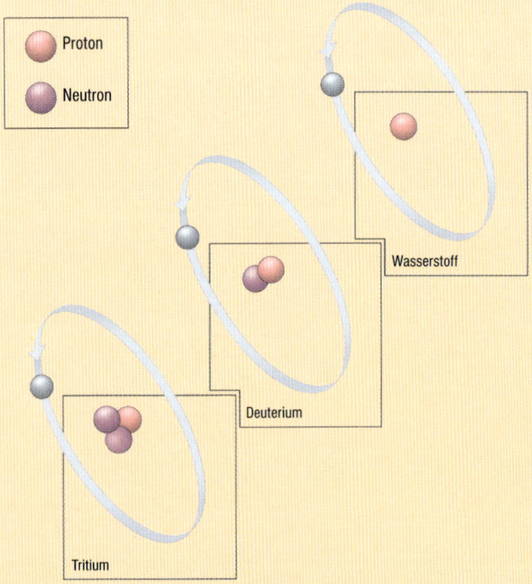


*Atommodell des Wasserstoffs und seiner schweren Isotope: Deuterium (schwerer Wasserstoff) sowie Tritium (überschwerer Wasserstoff). Isotope unterscheiden sich dadurch, dass ihre Atomkerne die gleiche Zahl Protonen, aber eine verschiedene Anzahl Neutronen enthalten.*

**Atommodelle fördern die Erkenntnis:** Ein Atommodell ist ein Hilfskonstrukt, das eine bestimmte Vorstellung über den Aufbau eines Atoms wiedergibt. Atommodelle und deren experimentelle Überprüfung beflügelten die wissenschaftliche Erkenntnis und führten schließlich dazu, dass die in den Atomen vorhandene Energie heute technisch gezielt genutzt werden kann, vor allem in Form der Atomenergie. Ein erstes Atommodell entwickelte bereits der griechische Philosoph *Demokrit*, der auch den Begriff Atom (griechisch, »unteilbar«) als Bezeichnung für ein nicht weiter zerlegbares Materieteilchen geprägt hat. Er setzte sich jedoch nicht durch und geriet in Vergessenheit. Erst R. *Boyle* im 17. Jh. und J. Dalton im 18. Jh. erstellten neuzeitliche Atommodelle, die die Vorläufer des »Rosinenkuchenmodells« von J. J. *Thomson* und des Kern-Hülle-Modells von E. *Rutherford* waren. Mit dem Aufkommen der Quantentheorie entwickelte N. *Bohr* das Bohr'sche Atommodell und schließlich das quantenmechanische Atommodell. In Bohrs anschaulichem Modell kreisen die Elektronen auf Ellipsenbahnen in verschiedenen Schalen planetenähnlich um den Kern. Diese Vorstellung widersprach aber experimentellen Ergebnissen und führte zur Entwicklung eines quantentheoretischen Modells. Diesem zufolge muss man sich die Elektronen als eine dreidimensionale, um den Kern verteilte Materiewelle denken. Die verschiedenen Bahnen Bohrs heißen nun Zustände oder Orbitale. Der energieärmste Zustand lässt sich durch eine kugelsymmetrische Elektronenwolke beschreiben; höhere Orbitale hingegen sind z. B. keulen- oder hantelförmig. Die Gesamtheit der möglichen Energiezustände wird als *Term-* oder *Niveauschema* des Atoms bezeichnet.

**Atomenergie** [die] → Kernenergie.

**Atomkraftwerk** [das] → Kernenergie.

**Atommasse**, *atomare Masseneinheit*, das Verhältnis der Masse eines Atoms oder Atomkerns zur Masse des Kohlenstoff-Isotops 12.

**Atommüll** [der] → Kernenergie.

**Atomwaffen** [Pl.], *Kernwaffen*, → Kernenergie.

**atonale Musik** [die], eine Musik, die keine Bindung an einen bestimmten Grundton, ein bestimmtes Tongeschlecht oder an herkömmliche harmonische Funktionen kennt.

**Atrium** [das], der Innenhof eines Hauses, der nach allen Seiten hin abgeschlossen ist; im alten Rom Innenhof des Hauses mit Herdstelle und Brunnen, später überdachter Empfangs- und Wohnraum.

**Attentat**, Mordanschlag, besonders aus politischen Gründen.

**Attest** [das], eine ärztliche Bescheinigung über den Gesundheitszustand eines Patienten.

**Attika**, eine Halbinsel in Mittelgriechenland mit der Hauptstadt Athen.

**Attila**, ein König der Hunnen, † 453/454. Er beherrschte ein Reich vom Kaukasus bis Westeuropa, das nach seinem Tod schnell zerfiel. Im Nibelungenlied trägt er den Namen Etzel.

**Attribut** [das], *Beifügung*, die nähere Bestimmung eines Substantivs durch ein anderes Wort, eine Wortgruppe oder einen Nebensatz. Das Attribut steht dabei entweder vor oder hinter seinem Bezugswort, z. B. die *blaue* Blume, das Kleid *für Inge*, die Wurzel *des Übels*, ein Glas *kühle Limonade*; mein Onkel, *ein begeisterter Segler*; der Mann, *der seinen Schirm vergaß*.

*Auerhuhn: Huhn bei der Balz. Hierbei stellt er den Schwanz gefächert aufrecht, streckt den Hals senkrecht nach oben und sträubt den Bart.*

**Au**, chemisches Zeichen für das Element → Gold.

**Audienz** [die, lat., »Gehör«], offizieller Empfang, Unterredung mit hohen Persönlichkeiten.

**audiovisuelle Medien** [Pl., lat. audire, »hören«; videre, »sehen«], *AV-Medien*, Verfahren und Geräte, die Töne und Bilder übermitteln. Audiovisuelle Medien sind z. B. Tonfilm, Fernseher, Videorecorder und Bildplattenspieler.

**Auditorium** [das], die Zuhörerschaft, besonders bei einer Vorlesung.

**Auerhuhn** [das], größtes europäisches Huhn, das bis zu 90 cm lang werden kann. Der Hahn ist zur Balzzeit im Frühjahr prächtig gefärbt und wirbt mit eigenartig klappernden Tönen und Flattersprüngen um die Weibchen. Das Auerhuhn kommt nur noch vereinzelt in entlegenen Wäldern vor.

**Auerochse** [der], *Ur*, bereits im 17. Jh. ausgestorbene Stammform aller europäischen Hausrindrassen. Der Auerochse lebte in lichten Wäldern Europas, Nordafrikas und Vorderasiens bis zum Indus.

*Auerochse: Der männliche Ur wog etwa 800 kg und war um 180 cm hoch.*

*Was ist ...*
## Aufklärung

Aufklärung ist die Bezeichnung für die Epoche und die vorherrschenden geistigen Strömungen im Europa des 18. Jahrhunderts. Die Aufklärung forderte, dass die Vernunft die Quelle der Erkenntnis und die Grundlage allen menschlichen Handelns sein sollte. Sie strebte danach, die allgemeinen Lebensbedingungen zu verbessern und förderte die Emanzipation (die Befreiung aus Abhängigkeit) des Einzelnen und der Gesellschaft sowie Toleranz und Menschlichkeit. Dagegen richtete sich die Kritik der Aufklärung vor allem gegen die Kirchen und den Staat im *Absolutismus*, da diese den Menschen unmündig halten würden. Getragen wurde die Aufklärung vom aufstrebenden Bürgertum, das sich mit der Vorrangstellung von Adel und Geistlichkeit nicht mehr abfinden wollte.

**Erste Anstöße:** Die Aufklärung nahm die Ideen des *Humanismus*, der *Reformation* und neuer philosophischer Strömungen des 16. und 17. Jahrhunderts, die die Vernunft als grundlegende Kraft sahen, auf und entwickelte diese weiter. In England entstand die Idee der Menschenrechte. Anknüpfend an den Philosophen John *Locke* entwickelten sich der Liberalismus und die Naturwissenschaften.

**Frankreich:** Ihre größte Wirksamkeit entfaltete die Aufklärung in Frankreich; hier waren ihre bedeutendsten Vertreter *Voltaire*, Charles de *Montesquieu*, Jean-Jacques *Rousseau* sowie Denis *Diderot* und Jean *d'Alembert*. Montesquieu entwickelte ein rechtsstaatliches Prinzip, das die Teilung und gegenseitige Kontrolle der staatlichen Gewalten (Aufteilung in gesetzgebende und ausführende Gewalten) forderte. Bis heute ist dieses die Grundlage der westlichen Demokratien. Rousseau forderte ein Staatswesen, in dem sich der einzelne Mensch in Freiheit und Gleichheit dem allgemeinen Willen unterordnet. Für ihn war der Mensch von Natur aus gut, jedoch sah er ihn durch die moderne Zivilisation verdorben. Die französische Aufklärung verschärfte den Kampf gegen die christliche Religion und die Kirche, die als Quelle von Aberglaube, Fanatismus und Unterdrückung angesehen wurde. Außerdem wurde die Abkehr von

*»Robinson Crusoe« von Daniel Defoe ist mit seinem optimistischen Glauben an das Individuum ein typisches Werk der englischen Aufklärung.*

der staatliche gelenkten Wirtschaft (Merkantilismus) gefordert, die sich stattdessen in einer »natürlichen Ordnung« entfalten sollte. Die französische Aufklärung begründete neue Wissenschaften: Volkswirtschaftslehre, Statistik, Soziologie, Psychologie. Ihre Prinzipien und Ideen wurden zusammengefasst und verbreitet durch die 35-bändige »Enzyklopädie der Wissenschaften, der Künste und Gewerbe«, dem

Standardwerk der Aufklärung, das unter der Leitung Diderots und d'Alemberts und der Mitarbeit von fast 200 Autoren (»Enzyklopädisten«) 1751–1780 entstand.

**Deutschland:** Im politisch zersplitterten Deutschland mit seinem relativ schwachen Bürgertum machte sich die Aufklärung ab Mitte des 18. Jahrhunderts vor allem in der Philosophie und in der Literatur bemerkbar. Ihren Höhepunkt erreichte die deutsche Aufklärung in der Literatur unter Gotthold Ephraim *Lessing* (u.a. mit seinem Drama »Nathan der Weise«, 1779), Friedrich Gottlieb *Klopstock* und Christoph Martin *Wieland*. Bestimmend für die philosophische Entwicklung der Spätaufklärung wurde Immanuel *Kant* mit seiner kritischen Philosophie der 1780er Jahre. Von besonderer Bedeutung wurde dabei seine Schrift »Was ist Aufklärung?«, in der Kant 1784 die Aufklärung als »Ausgang des Menschen aus seiner selbstverschuldeten Unmündigkeit« definierte. Im politischen Bereich war der Einfluss der Aufklärung im *aufgeklärten Absolutismus Friedrichs II.* von Preußen und Kaiser *Josephs II.* spürbar. Ebenfalls in Preußen entstand die jüdische Aufklärung (Haskalah) als Auftakt der jüdischen Emanzipation.

**Aufsichtsrat** [der], die Vertretung der Aktionäre einer *Aktiengesellschaft*, die den Vorstand kontrolliert.

**Auftrieb** [der], eine der Schwerkraft entgegenwirkende Kraft auf einen Körper, der in eine Flüssigkeit oder ein Gas eintaucht. Nach dem *archimedischen Prinzip* (→ Archimedes) verliert der Körper dann scheinbar so viel an Gewicht, wie die von ihm verdrängte Flüssigkeits- oder Gasmenge wiegt. Deshalb schwimmt ein Schiff, wenn es so schwer ist wie die von ihm verdrängte Wassermenge; wäre es schwerer, ginge es unter.

**Aufwertung** [die], die Heraufsetzung des Wertes einer Währung gegenüber anderen Währungen. Gegensatz: *Abwertung*.

**Aufwind** [der], eine aufwärtsgerichtete Luftbewegung, die entweder an Hindernissen (Gebirge, Hochhäuser) oder durch Wärmetransport bewegter Materie an Hängen (Hangaufwind), über freiem Gelände und über erhitzten Städten erzwungen wird.

**Aufzug** [der], eine Kabine für Personen oder Lasten, die meist elektrisch gehoben und gesenkt und von der Kabine aus gesteuert werden kann. Die Kabine hängt an Drahtseilen, die über eine Scheibe oder eine Trommel geführt sind und am Ende ein Gegengewicht haben.

**Auge** [das], **1.** allgemein das Lichtsinnesorgan von Tieren und Menschen. Dazu gehören u.a. das *Grubenauge* der Weichtiere, das aus vielen Einzelaugen zusammengesetzte *Facettenauge* der Insekten und das *Linsenauge* der Tintenfische und der meisten Wirbeltiere. **2.** das menschliche Auge ähnelt in seinem

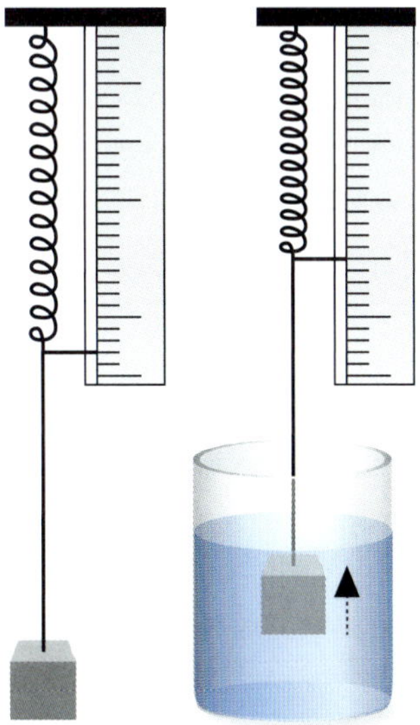

*Auftrieb: Schematische Darstellung des statischen Auftriebs (archimedisches Prinzip)*

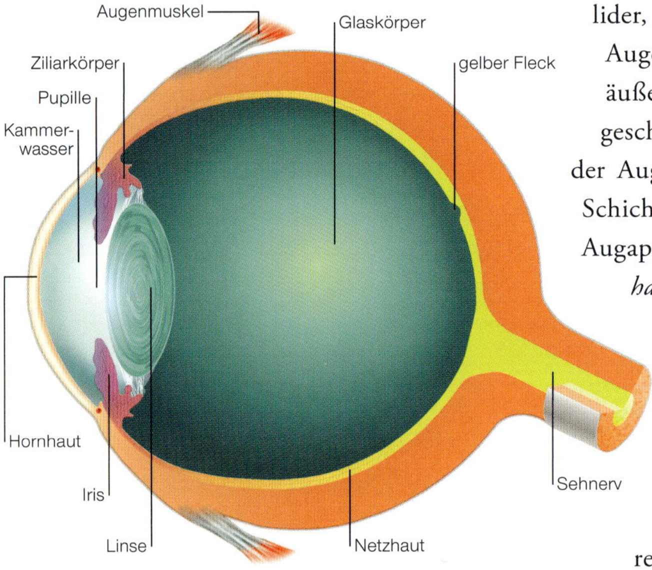


*Auge: Schnitt durch das menschliche Auge*

Aufbau einer fotografischen Kamera. Der Augapfel besteht aus dem durchsichtigen *Glaskörper* (einer gallertartigen Masse) und ist von der weißen, derben *Lederhaut* eingeschlossen, die vorn in die durchsichtige *Hornhaut* übergeht. Innen liegt der Lederhaut die *Aderhaut* an, die das Auge ernährt. Vorn grenzt die Aderhaut an die Hornhaut und bildet die ringförmige *Regenbogenhaut (Iris)*, die in der Mitte zum Einfall des Lichtes eine kreisrunde Öffnung, die *Pupille* oder das Sehloch, aufweist. Durch strahlenförmig angeordnete Muskeln kann die Pupille (je nach Stärke des Lichteinfalls) erweitert oder verengt werden. Hinter ihr liegt die *Augenlinse*, deren Brechkraft durch Wölbung oder Abflachung eines ringförmigen Muskels, des *Ciliarmuskels*, für die Nah- oder Fernsicht verändert werden kann. Das Augeninnere ist von der *Netzhaut* ausgekleidet, die aus den *Sehzellen* (Zapfen für das Sehen bei Licht und Farbensehen, Stäbchen für das Sehen bei schwacher Beleuchtung) besteht und die Lichtempfindungen aufnimmt, verarbeitet und über den *Sehnerv* dem Gehirn zuleitet. Erst dort wird der Lichtreiz zur bewussten Gesichtswahrnehmung. An der Stelle, wo der Sehnerv in die Netzhaut eintritt, liegt der *Blinde Fleck*, da hier die Sehzellen fehlen. Der *Augapfel* ruht auf einem Polster von Fett und Zellgeweben in der knöchernen *Augenhöhle*. Die Augenmuskeln ermöglichen ihm, sich nach allen Seiten zu bewegen. Durch Augenlider, Augenwimpern und die Augenbrauen wird er gegen äußere Fremdkörpereinflüsse geschützt. Die Hinterfläche der Augenlider und die oberste Schicht an der Vorderseite des Augapfels sind von der *Bindehaut* überzogen. Der von ihr gebildete *Bindehautsack* wird durch die Tränenflüssigkeit feucht gehalten. Die von der *Tränendrüse* am äußeren oberen Rand der Augenhöhle abgesonderten, salzig schmeckenden Tränen fließen im inneren Augenwinkel durch den *Tränenkanal* zur Nase ab. Sie schützen das Auge vor Eintrocknung und spülen kleine Fremdkörper fort.

**Augsburg**, Stadt in Bayern, 259 000 Einwohner. Augsburg wurde 15 v. Chr. von den Römern gegründet. Im 15./16. Jh. war es eine reiche Handelsstadt, Heimatstadt der Fugger.

**Augstein**, Rudolf, * 1923, † 2002; deutscher Publizist. Er war Mitgründer (1946) und Herausgeber des Nachrichtenmagazins »Der Spiegel«.

***Wer war …***
**Augustinus**

Aurelius Augustinus (* 354, † 430) war ein Kirchenlehrer und Heiliger aus Tagaste in Nordafrika (im heutigen Algerien). Er wurde als Sohn einer christlichen Mutter und eines heidnischen Vaters geboren. Augustinus gilt als der bedeutendste Philosoph zwischen Spätantike und Mittelalter. Seine Schriften, in denen er antike Ideen mit der christlichen Lehre verband, schufen die

Grundlage für die Philosophie und Theologie des europäischen Mittelalters und beeinflussten das christliche Denken bis in die Neuzeit. Augustinus beschäftigte sich v.a. mit der Frage, wieso es das Böse geben könne, wenn Gott allmächtig sei. Ferner lehnte er die antike Auffassung, dass Geschichte ein ewiger, sich wiederholender Kreislauf sei, ab und vertrat stattdessen eine Geschichtsauffassung, nach der die Weltgeschichte mit der Herstellung des Reichs Gottes und der Wiederkunft Christi ende. Mit seinen »Bekenntnissen«, in denen er seine Bekehrung zum Christentum schildert, gilt Augustinus darüber hinaus als Begründer der literarischen Gattung der Autobiografie.

Augustinus studierte Philosophie und wurde in Karthago in Rhetorik ausgebildet. Er reiste im Alter von 29 Jahren nach Rom und Mailand, wo er dieses Fach lehrte. Unter dem Einfluss von Ambrosius, dem Bischof von Mailand, und seiner christlichen Mutter Monika konvertierte er 387 zum Christentum. 388 kehrte Augustinus nach Nordafrika zurück und wurde 395 Bischof von Hippo Regius, wo er 430 auch starb.

*Der heilige Augustinus; Darstellung auf der Außenseite eines Flügelaltars um 1470. Stuttgart, Staatsgalerie*



## Wer war … Augustus

*Die römische Statue des Augustus zeigt den Kaiser als siegreichen General bei einer Ansprache.*

Augustus, eigentlich *Gaius Octavius, Octavian* (*63 v.Chr., † 14 n.Chr.) war der erste römische Kaiser. In seiner Regierungszeit *(Augusteisches Zeitalter)* führte er das Römische Reich zu kultureller und wirtschaftlicher Blüte und legte die Grundlagen der Verwaltungs- und Herrschaftsorganisation für die nächsten Jahrhunderte. Er erweiterte das Reichsgebiet wie keiner seiner Vorgänger und Nachfolger durch militärische Aktivitäten.

Der Großneffe und Adoptivsohn *Cäsars* schloss 43 v.Chr. mit den Cäsar-Anhängern *Antonius* und *Lepidus* ein Bündnis *(Triumvirat)* zur Neuordnung des Staates. Nach dem gemeinsamen Sieg über die Cäsarmörder bei Philippi (42 v.Chr) erhielt Antonius den Osten des Reiches, Lepidus Afrika, Octavian den Westen des Reiches. In der Folgezeit schaltete Octavian seine Verbündeten schrittweise aus. Zuletzt wurde in der Schlacht bei Aktium 31 v. Chr. Antonius vernichtend geschlagen. 29 v. Chr. kehrte Octavian als Alleinherrscher im Triumph nach Rom zurück. 27 v. Chr. verlieh man ihm den Ehrentitel »Augustus«, nachdem er vorher schon den Titel »Princeps« *(der Erste)* geführt hatte. 2 v. Chr. erkannte ihm der Senat den Titel »pater patriae« *(Vater des Vaterlandes)* zu. Augustus festigte die römische Herrschaft in Gallien, Germanien und an der Donau und ordnete die Verwaltung der Provinzen neu. Durch Unterwerfung großer Gebiete östlich des Rheins, in den Alpen und deren Vorland sowie in Südosteuropa wurde das Römische Reich beträchtlich ausgedehnt. Augustus starb nach einer Regierung, die dem Reich eine lange Blütezeit gebracht hatte. Er wurde zu Lebzeiten in den Provinzen, nach seinem Tod auch in Rom als Gott verehrt.

**au pair** [o'pɛːr, franz.], Leistung gegen Leistung. Ein Au-pair hilft im Haushalt ausländischer Familien und erhält dafür freie Unterkunft und Verpflegung, meist auch ein Taschengeld und die Möglichkeit zu Sprachkursen.

**Ausbildungsförderung** [die], in Deutschland die durch das *Bundesausbildungsförderungsgesetz* (Abkürzung BAföG) geregelte staatliche Förderung der Ausbildung (Zuschuss und Darlehen) an weiterführenden allgemein bildenden Schulen, Fach- und Hochschulen. Seit 1996 wird auch die Fortbildung im beruflichen Bereich staatlich gefördert *(Meister-BAföG).*

**Auschwitz** [polnisch Oświęcim], eine polnische Stadt bei Krakau. In ihrer Nähe befand sich seit 1940 ein von deutschen Nationalsozialisten errichtetes Konzentrationslager, seit 1941 ein Vernichtungslager, in dem über 1 Mio. Menschen, vor allem Juden, ermordet wurden.

**Ausgleichsgetriebe** → Differenzialgetriebe.

**Ausländer** [Pl.], in Deutschland leben zur Zeit rund 6,7 Mio. Ausländer, das sind rund 8,1% der Gesamtbevölkerung. Es handelt sich dabei vor allem um ausländische Arbeitnehmer und selbstständige Gewerbetreibende mit ihren Angehörigen. Die ausländischen Arbeitnehmer stellen knapp 8% der Beschäftigten in der deutschen Wirtschaft. Die größte Gruppe bilden rund 1,7 Mio. türkische Staatsangehörige, zu denen auch mehrere Hunderttausend Kurden gehören; es folgen Menschen aus dem ehemaligen Jugoslawien, Italiener, Polen und Griechen. Mehr als die Hälfte dieser Ausländer lebt schon länger als 10 Jahre in Deutschland; 2005 haben rund 127 000 Ausländer die deutsche Staatsbürgerschaft erhalten. 2006 lebten hier rund 21 000 ausländische Flüchtlinge, die aus unterschiedlichen Gründen ihr

*Auschwitz: Eingang zum ehemaligen Konzentrationslager; unter der Diktatur des Nationalsozialimus starben hier über 1 Mio. Menschen.*

Heimatland verlassen und 2006 einen Antrag auf → Asyl gestellt haben.

**Auslassungszeichen** [das] → Apostroph.

**Ausrufezeichen** [das], ein Satzzeichen, das nach einem Befehl oder Wunsch steht.

**Außenhandel** [der], der Handel mit dem Ausland beziehungsweise mit Firmen, die im Ausland ansässig sind. Dazu gehören Lieferungen ins Ausland *(Export)* sowie der Kauf von Waren aus dem Ausland *(Import)*.

*Austern werden in Europa in Frankreich, England, Holland, Belgien und Kroatien sowie in Asien gezüchtet.*

**Aussiedler** [Pl.], Menschen deutscher Volkszugehörigkeit, die vorwiegend aus osteuropäischen und ehemals sowjetischen Gebieten nach Deutschland übersiedeln. Nicht unter diesen Begriff fallen die 13 Mio. Flüchtlinge und Vertriebenen der ersten Jahre nach 1945. Seit 1950 sind 4,5 Mio. Aussiedler nach Deutschland gekommen, davon allein im Jahr 1990, dem Jahr der Wiedervereinigung, 397 000. Seitdem ist die Zahl der Aussiedler stark rückläufig. Von den rund 8000 Aussiedlern des Jahres 2006 stammt der weitaus gößte Teil aus den Nachfolgestaaten der UdSSR. Die dort z. T. seit Jahrhunderten ansässigen Deutschen wurden 1941 unter den härtesten Bedingungen nach Zentralasien deportiert und waren noch jahrzehntelang benachteiligt. Viele von ihnen sehen auch heute keine Perspektive zum Bleiben und streben deshalb nach Deutschland.

**Aussperrung** [die], eine Kampfmaßnahme der Arbeitgeber im Arbeitskampf als Gegenstück zum Streik. Bei der Aussperrung werden die Arbeitsverträge aufgehoben und Arbeitnehmer, die arbeiten wollen, nicht an ihren Arbeitsplatz gelassen.

**Aussterben** [das], das Verschwinden einer Tier- oder Pflanzenart, weil die Art sich nicht an veränderte Umweltbedingungen anpassen konnte oder weil sie vom Menschen ausgerottet wurde. Im Laufe der Erdgeschichte sind zahlreiche Arten ausgestorben (z. B. Dinosaurier), um besser angepassten Arten Platz zu machen (→ Evolution). Durch den Menschen ist es aber zu einer unnatürlichen Beschleunigung des Aussterbens gekommen.

**Auster** [ɔ:stə], Paul, * 1947; US-amerikanischer Schriftsteller. Er ist einer der bedeutendsten Vertreter der US-amerikanischen Gegenwartsliteratur. Seine Romane über Menschen in der Großstadt (»New-York-Trilogie«) machten ihn berühmt.

**Austern** [Pl.], flache, rundliche Muscheln. Austern kommen in gemäßigt warmen Meeren vor, sie werden als Leckerbissen geschätzt.

**Australien** → Seite 100.

***Ländersteckbrief***
**Australien**

| | |
|---|---|
| **Fläche:** | 7 692 024 km² |
| **Einwohner:** | 20,4 Millionen = 3 je km² |
| **Hauptstadt:** | Canberra |
| **Religion:** | Christentum |
| **Amtssprache:** | Englisch |
| **Währung:** | 1 Australischer Dollar = 100 Cents |

*Mehr wissen …*

## Kontinent der Kängurus und Koalas: Australien

Australien ist der kleinste Kontinent der Erde und der einzige Erdteil, der ein einheitliches Staatswesen (Australischer Bund) bildet. Außer dem Festland gehören noch Tasmanien, die Macquarie Islands und einige weitere kleine Inseln zum Australischen Bund. Er umfasst damit eine Fläche von 7,7 Mio. km² und rund 20 Mio. Einwohner. Die Hauptstadt ist *Canberra*.

*Das 1973 eröffnete Opernhaus in Sydney ist mit seiner eigenwilligen Dachkonstruktion zum Wahrzeichen der Stadt geworden. 2007 bekam es den Status eines Weltkulturerbes.*

### Landesnatur:

Australien hat eine wenig gegliederte Küste. Die Oberflächenformen sind überwiegend flach (Tafelländer) und werden nur von Inselbergen (z. B. *Ayers Rock*) und einzelnen Mittelgebirgen überragt. An der Ostküste verläuft das 3000 km lange Faltengebirge der Great Dividing Range (bis 2230 m hoch), das nur im Süden streckenweise Hochgebirgscharakter hat. Australien ist äußerst gewässerarm; Murray und Darling bilden das einzige größere Flusssystem des Kontinents. Die meisten übrigen Flussläufe führen nur vorübergehend Wasser und versickern zumeist in Salzpfannen und Salzseen. Im Großen Artesischen Becken verfügt Australien über ein umfangreiches Grundwasserreservoir, das aber wegen seines leichten Salzgehalts nur als Schafstränke genutzt werden kann.

Das gesamte Landesinnere und der Westen sind Trockenräume, die von Wüste, Halbwüste und Trockenbusch eingenommen werden. Nur der Südwesten und Osten erhält bei subtropischem bis warm gemäßigtem Klima ausreichende Niederschläge. Auch im äußersten Norden gedeihen bei feuchtheißem Klima tropische Baum- und Grassavannen, an der Küste auch Regen- und Mangrovewälder. Die isolierte Lage des Kontinents hat dazu beigetragen, dass sich in Australien eine einzigartige Pflanzen- (Eukalyptus-, Flaschen- und Grasbäume) und Tierwelt (Känguru, Koalabär, Schnabeltier, Emu u. a.) entwickeln und bis heute erhalten konnte.

### Bevölkerung:

Die Bevölkerung Australiens besteht fast ausschließlich aus Weißen, den Nachkommen der europäischen Einwanderer, häufig britischer Herkunft. Daneben gibt es etwa 400 000 Ureinwohner *(Aborigines)*, die zum Teil in Reservaten, auf Missionsstationen oder Viehfarmen (vor allem im Nordterritorium und in Westaustralien) leben. Australien ist sehr ungleich besiedelt. Die Bevölkerung ballt sich vor allem in den großen Küstenstädten des Südostens (Melbourne, Sydney). Weite Gebiete im Norden, Westen und im Landesinneren sind dagegen fast menschenleer. Hier ist das Flugzeug das einzige Verkehrsmittel und Bindeglied zwischen entlegenen Siedlungen.

## Wirtschaft:

Die Wirtschaft des Landes basiert in erster Linie auf den reichen Bodenschätzen und der Landwirtschaft. Australien ist der größte Wollerzeuger der Erde. Riesige Schafherden (mit bis zu 10000 Tieren) werden im Landesinneren gehalten. Im Norden überwiegt dagegen die Zucht von Fleischrindern, in den Küstengebieten von Neusüdwales und Victoria die Milchwirtschaft. Große Mengen Fleisch, Butter und Käse werden exportiert. Der Ackerbau (vor allem Anbau von Weizen, Gerste, Hafer, Mais, Wein und Obst) konzentriert sich auf den Südwesten und Südosten des Landes.

Australien gehört zu den größten Rohstofflieferanten der Erde. Über ein Viertel seiner Gesamtausfuhr besteht aus Bergbauprodukten (vor allem Stein- und Braunkohle, Gold, Eisenerz und Bauxit). Die Erdöl- und Erdgasvorkommen decken den Eigenbedarf. Die Industrie verarbeitet die Rohstoffe, die Landwirtschaft und Bergbau liefern, und beschäftigt ein Viertel aller Arbeitnehmer. Die wichtigsten Industriegebiete liegen in Neusüdwales (besonders Schwerindustrie) und Victoria (Textil-, Nahrungsmittel- und Maschinenindustrie). Von Bedeutung ist auch die chemische Industrie. Haupthandelspartner für den Außenhandel Australiens sind Japan und die USA.

*Der Sandsteinmonolith Ayers Rock, von den Aborigines Uluru genannt, liegt im Inneren des wüstenhaften Kontinents.*

## Geschichte:

Anfang des 17. Jh. begann die Entdeckung Australiens durch europäische Nationen. 1642–1644 umsegelte der Holländer Abel *Tasman* Australien und entdeckte die nach ihm benannte Insel Tasmanien. 1770 nahm James *Cook* Neusüdwales für Großbritannien in Besitz. 1788 gründeten die Briten die erste Sträflingskolonie. Bis 1868 wurden Sträflinge nach Australien geschickt, aber schon 1793 landeten auch die ersten freien Kolonisten bei Sydney.

Erst im 19. Jh. begann die allmähliche Erschließung des Landesinnern. Nach 1820 wurde der Name Australien für den Erdteil gebräuchlich. Ab 1827 beanspruchte Großbritannien den ganzen Kontinent für sich und bildete sechs Kolonien, die sich am 1. 1. 1901 zu einem Bundesstaat (Commonwealth of Australia) im britischen Empire zusammenschlossen. Seit 1913 ist Canberra Bundeshauptstadt.

Australien nahm in beiden Weltkriegen auf englischer Seite teil. Offizielles Staatsoberhaupt ist noch immer die britische Krone, vertreten durch einen Generalgouverneur. Doch hat Großbritannien seit 1986 keinerlei Befugnis mehr, in das staatliche Leben Australiens einzugreifen.

**Auszubildende** [Pl.], Personen, die sich in einer Berufsausbildung (früher Lehre), einer beruflichen Fortbildung oder beruflichen Umschulung befinden. Frühere Bezeichnung: *Lehrlinge*.

**Autarkie** [die], die wirtschaftliche Unabhängigkeit eines Landes von anderen Ländern. Natürliche Autarkie ist gegeben, wenn ein Land alle Güter selbst besitzt oder erzeugt.

**Auto** [das], Kurzwort für *Automobil*, drei-, vier- oder mehrrädriges Fahrzeug, das von einem Motor angetrieben wird und zur Beförderung von Menschen und Lasten dient. Die Bezeichnung umfasst *Personenkraftwagen (Pkw)* und *Lastkraftwagen (Lkw)*. Bei den Pkws unterscheidet man je nach der Bauart: *offener Pkw*, *Cabriolet* (mit Klappverdeck und versenkbaren Seitenfenstern), *geschlossener Pkw* wie *Limousine* und *Coupé*. *Kombinationswagen (Kombiwagen)* haben einen Aufbau, der sowohl zur Personen- als auch zur Lastenförderung geeignet ist.

Die Hauptbestandteile eines Autos sind das Fahrgestell *(Chassis)*, der Aufbau *(Karosserie)* und der *Motor*. Für Pkws wird häufig ein → *Ottomotor*, für Lkws vermehrt ein → *Dieselmotor* verwendet.

Die ersten Autos bauten fast gleichzeitig, aber unabhängig voneinander, Carl *Benz* 1885 und Gottlieb *Daimler* 1886 in Deutsch-

*Auto: Der »Mini« ist längst ein Kultauto. Das Cabriolet ist ein Beispiel für die Entwicklung moderner Kleinwagen.*

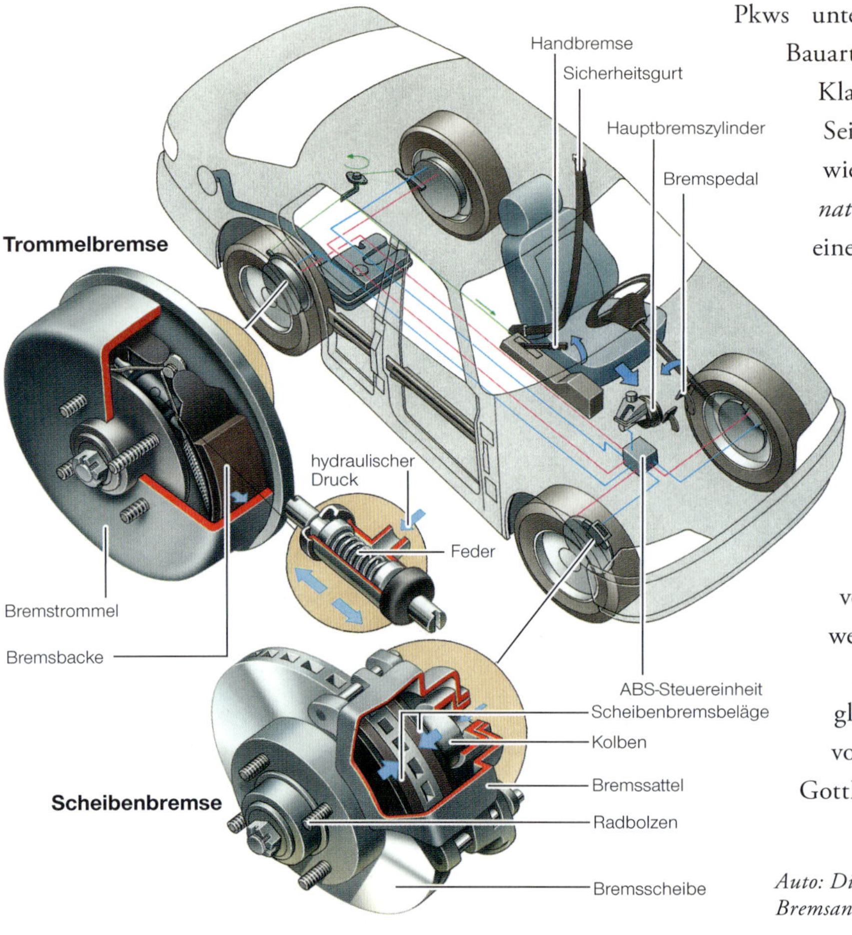


*Auto: Die Grafik zeigt die Funktionsteile der Bremsanlage eines Autos mit ABS.*

land. Im Jahr 1882 baute Henry *Ford* in Amerika das erste amerikanische Automobil, und bald darauf folgten in Frankreich die Automobilmarken Peugeot und Renault.

**Autobiografie** [die], *Autobiographie*, die literarische Darstellung des eigenen Lebens in Form eines Buches.

**Autodidakten** [Pl.], Personen, die sich selbst (ohne die Hilfe von Lehrern und Schulen) Kenntnisse oder Fähigkeiten aneignen.

**Autoimmunkrankheiten**, chronische Krankheiten, die durch ein überaktives Immunsystem hervorgerufen werden, das fälschlich körpereigene Strukturen angreift; z. B. Diabetes mellitus Typ I.

**Automat** [der], eine Vorrichtung, die selbsttätig einen oder mehrere Arbeitsvorgänge in einer festgelegten Reihenfolge ausführt. Zum Beispiel gibt ein Warenautomat nach dem Einwurf einer Münze bestimmte Waren ab.

**Automation** [die], *Automatisierung*, eine Form der Produktion, bei der technische Einrichtungen (Automaten oder Roboter) sich ständig wiederholende Verrichtungen selbständig ausführen. Durch die Automation wird besonders in der industriellen Fertigung die Produktion schneller, genauer und kostengünstiger. Der Mensch entwirft die Programme, nach denen die Maschinen arbeiten, er kontrolliert und er wartet die Geräte. Die Maschinen übernehmen die oftmals monotone Arbeit, wodurch allerdings auch Arbeitsplätze wegfallen.

*Azteken: Montezuma II. war der vorletzte Herrscher der Azteken.*

**Autonomie** [die], das Recht auf Selbstbestimmung beziehungsweise Selbstverwaltung, z. B. eines Staates.

**Autopilot** [der], *Autosteuerung*, die automatische Steuerung eines Flugzeugs während eines längeren Flugs, um den Piloten zu entlasten.

**Autoren** [Pl.], Urheber, Verfasser, Schriftsteller.

**autorisieren**, ermächtigen, jemandem die Vollmacht geben.

**Autorität** [die], die Geltung, der Einfluss, das Ansehen einer Person. Menschen können z. B. aufgrund ihres Wissens oder ihrer charakterlichen Eigenschaften Autorität genießen.

**Avantgarde** [avã'gard, die, franz.], die Vorkämpfer in Wissenschaft, Politik oder Kunst, die für neue Ideen eintreten.

**Avignon** ['aviŋõ], südfranzösische Stadt an der Rhône, bedeutende Kunststätte und Sitz einer alten Universität, 90 000 Einwohner. Von 1309–1376 residierten in Avignon die Päpste.

**Axiom** [das], ein grundlegender Lehrsatz, der nicht bewiesen werden kann, aber ohne weiteres einleuchtet.

**Azteken** [Pl.], im 11. Jh. in das Hochtal von Mexiko eingewandertes Indianervolk mit hoher Kultur. Die Azteken schufen ein mächtiges Reich, bauten Steinpaläste und Tempelpyramiden zur Sonnenverehrung. Sie kannten die Papierherstellung, hatten Schriftzeichen und eine Zeitrechnung (Kalender). 1519–1521 wurde das Reich von spanischen Eroberern, die von Nachbarstämmen der Azteken unterstützt wurden, vernichtet. Die Nachkommen der Azteken bilden heute einen Teil der mexikanischen Bevölkerung.

**Azubi** → Auszubildende.

# B

**B**, **1.** zweiter Buchstabe des Alphabets (Konsonant). **2.** chemisches Zeichen für → Bor.

**Baal** [hebr., »Herr«], eine semitische Wetter-, Fruchtbarkeits- und Himmelsgottheit.

**Babylon**, *Babel*, seit 1700 v. Chr. Hauptstadt des Babylonischen Reichs am Euphrat, einer der ältesten Kulturmittelpunkte der Weltgeschichte. Babylon wurde mehrfach zerstört und wieder aufgebaut, am großartigsten unter *Nebukadnezar II.* (605–562 v. Chr.).

**Babylonien**, eine fruchtbare Landschaft zwischen unterem Euphrat und Tigris, schon im 3. Jahrtausend v. Chr. von den Sumerern bewohnt, die mehrere Stadtstaaten gründeten und eine hoch entwickelte Kultur (Erfindung der Keilschrift) hatten. Anfang des 2. Jahrtausends v. Chr. wanderten semitische Stämme ein, gründeten die Stadt *Babylon* und schufen ein großes Reich unter König Hammurabi (1728 bis 1686 v. Chr.). 1530 v. Chr. wurde Babylonien von den Hethitern erobert und 900 Jahre von verschiedenen asiatischen Völkern beherrscht. Die Chaldäer gründeten 625 v. Chr. das Babylonische Reich neu und führten es unter *Nebukadnezar II.* zur höchsten Blüte und Macht. 539 v. Chr. wurde Babylonien persische Provinz und wechselte noch mehrfach seine Beherrscher. Heute gehört das frühere Babylonien zum Irak.

***Wer war …***
## Johann Sebastian Bach

*Johann Sebastian Bach*

Johann Sebastian Bach (* 1685, † 1750) war ein deutscher Komponist und Orgelvirtuose. Er gilt als bedeutendster deutscher Musiker des Barock. Er schuf ein umfangreiches Werk, das neue Kompositionstechniken aufzeigt, reich an musikalischen Themen und Formen ist und in seiner Ausdruckskraft, vor allem in seiner Harmonie, als unvergleichlich gilt. Seine große Bedeutung besteht darin, die Orchester-, Kammer- und Kirchenmusik des Barock auf kunstvolle Weise vollendet und ihnen zugleich neue Perspektiven eröffnet zu haben. Bach komponierte Orgelwerke, Kantaten, Motetten, Oratorien und kammermusikalische Werke (»Brandenburgische Konzerte«, »Wohltemperiertes Klavier«). Zu seinen wichtigsten Werken gehören das »Magnificat« D-Dur, die »Johannes-« und »Matthäus-Passion« (1729), die Messe in h-Moll, das »Weihnachtsoratorium« (1734/1735) und die »Kunst der Fuge« (1749/1750, unvollendet). Berühmt waren sein Cembalo- und Orgelspiel sowie seine Improvisationskunst.

Bach stammte aus einer thüringischen Musikerfamilie; seinen ersten Musikunterricht erteilte ihm der Vater. Mit 10 Jahren wurde Bach Vollwaise und von seinem ältesten Bruder aufgenommen, der ihn in Klavier-, Orgelspiel sowie Kompositionslehre unterrichtete. Nach mehreren Anstellungen als Organist bzw. Hofkapellmeister (u. a. in Weimar, Arnstadt, Mühlhausen, Köthen) war Bach von 1723–1750 Thomaskantor in Leipzig.

### *Genauer betrachtet ...* Badminton

Der Federball wurde um 1000 v. Chr. in China erfunden. Ein paar Hühnerfedern wurden in einen Kork gesteckt, fertig war das Spielzeug. Die Chinesen spielten den Federball zunächst ausschließlich mit den Füßen. Später schlugen ihn zwei oder mehr Spieler mit der Hand oder mit verzierten Holzschlägern. Die Japaner ließen ihre Soldaten Federball spielen, um ihre Gewandtheit und Reaktionsfähigkeit zu trainieren. Offiziere erfanden die Regeln.

**Bacchus**, in der römischen Sagenwelt der Gott der Fruchtbarkeit und des Weines.

**Bachelor** ['bætʃələ], niedrigster akademischer Grad. Früher v. a. in den angelsächsischen Ländern, seit 1998 auch in Deutschland ein Abschluss für Kurzstudiengänge. Die Abkürzungen zeigen das Wissensgebiet an, in dem der Bachelor erworben wurde, z. B. *Bachelor of Arts* (B.A.) in den geisteswissenschaftlichen, *Bachelor of Science* (B.S., B.Sc.) in den naturwissenschaftlichen Fächern.

**Bachmann**, Ingeborg, *1926, †1973; österreichische Schriftstellerin. Sie wurde besonders bekannt durch ihre Lyrik, durch Hörspiele, Erzählungen und Romane (»Malina«).

**Backslash** ['bækslæʃ], Schrägstrich von links oben nach rechts unten, der in der Informatik als Steuerbefehl verwendet wird.

**Bacon** ['bεikən], Francis, *1909, †1992; irischer Maler. Er schuf alptraumhafte Porträts, die den modernen Menschen in seiner Einsamkeit und Zerrissenheit darstellen. Seine Werke gehen häufig auf aktuelle Fotografien oder Reproduktionen älterer Kunstwerke zurück.

**Baden-Württemberg**, ein Bundesland im Südwesten von Deutschland, das u. a. einen großen Teil der Oberrheinischen Tiefebene und den Schwarzwald umfasst. Hauptstadt ist *Stuttgart*. Baden-Württemberg ist 35 751,65 km² groß und hat 10,7 Mio. Einwohner.

**Badminton** ['bædmintən, das, engl.], *Federball*, ein Rückschlagspiel für 2 oder 4 Spieler. Die Spieler müssen einen leichten Federball so über ein Netz spielen, dass er den Boden und die Spieler selbst nicht berührt. Seit 2006 gilt die Rally-point-Zählweise. Auch → »Genauer betrachtet«.

**BAföG** [das] → Ausbildungsförderung.

**Bagatelle** [die], Kleinigkeit, Belanglosigkeit.

**Bagdad**, Hauptstadt des Irak seit 1920, am Tigris, 5,8 Mio. Einwohner. Das Wirtschafts- und Kulturzentrum des Irak wurde in den Kriegen 1991 und 2003 stark zerstört.

### *Ländersteckbrief* Bahamas

| | |
|---|---|
| **Fläche:** | 13 878 km² |
| **Einwohner:** | 327 000 = 24 je km² |
| **Hauptstadt:** | Nassau |
| **Religion:** | baptistische, anglikanische und katholische Kirche |
| **Amtssprache:** | Englisch |
| **Währung:** | 1 Bahama-Dollar = 100 Cents |

**Bahamas**, Staat in der Karibik.

**Landesnatur:** Die Bahamas bestehen aus 29 größeren bewohnten und 690 kleineren und kleinsten Inseln sowie zahlreichen Riffen und Klippen, die sich über 1200 km von der Ostküste Floridas bis zur Insel Hispaniola erstrecken. Subtropisches, mäßig feuchtes Klima.

**Bevölkerung:** 72% der Bewohner sind Schwarze, 14% Mulatten und 12% Weiße. Die Bevölkerung ist christlich (v. a. protestantisch).

**Wirtschaft:** Die Bahamas sind ein internationales Finanz- und Versicherungszentrum sowie Sitz zahlreicher ausländischer Firmen. Ausgeführt werden Erdöl und chemische Produkte. Wichtigster Wirtschaftszweig ist der Tourismus. – Die Handelsflotte (sogenannte Billigflagge) gehört zu den größten der Welt.

**Geschichte:** Seit 1717 waren die Inseln eine britische Kronkolonie. 1964 erhielten die Bahamas innere Selbstverwaltung, am 10. 7. 1973 wurden sie unabhängig.

*Bahamas: Der Fremdenverkehr hat sich zum wichtigsten Wirtschaftszweig entwickelt, zahlreiche Hotelanlagen wie hier auf Nassau wurden für die Touristen errichtet.*

***Ländersteckbrief***
**Bahrain**

| | |
|---|---|
| **Fläche:** | 694 km² |
| **Einwohner:** | 739 000 = 1065 je km² |
| **Hauptstadt:** | Manama |
| **Religion:** | Islam |
| **Amtssprache:** | Arabisch |
| **Währung:** | 1 Bahrain-Dinar = 1000 Fils |

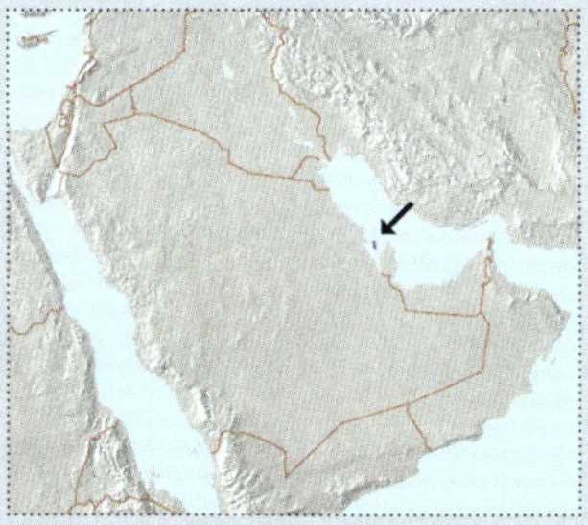

**Bahrain**, Staat in Vorderasien.

Der Staat im Persischen Golf, vor der Ostküste Saudi-Arabiens, besteht aus 33 Inseln. – Die Inselgruppe hat Wüstenklima mit geringen Niederschlägen. Die Bewohner (38% Ausländer) sind vorwiegend Araber, ferner Pakistani und Inder; der Islam ist Staatsreligion. Hauptwirtschaftszweig ist die Erdölförderung und -verarbeitung; daneben Aluminium-, Bau- und chemische

*Bahrain: Die moderne Al-Fateh-Moschee in Manama wurde 1988 fertiggestellt.*

Industrie sowie die Verarbeitung der landwirtschaftlichen Produkte (Datteln, Zitrusfrüchte, Gemüse).

**Geschichte:** Um 1520 wurde das Gebiet von Portugiesen besetzt, 1602 von den Persern. Später wurde es selbstständiges Fürstentum, das sich seit dem 19. Jh. an Großbritannien anlehnte. Bis 1971 war Bahrain britisches Protektorat, danach wurde es unabhängiges Emirat. Nach einer Verfassungsänderung ist der Inselstaat seit 2002 eine konstitutionelle Monarchie.

**Baikalsee** [der], ein Binnensee in Ostsibirien, 650 km lang, bis 74 km breit, der tiefste See der Erde (1637 m).

**Baisse** [bɛːs, die] → Börse.

**Baker** ['bɛikə], Josephine, * 1906, † 1975; US-amerikanische Tänzerin und Sängerin. Sie war der erste farbige weibliche Showstar der Welt und machte in Paris mit ihren exotischen Revuen den Jazz in Europa bekannt. Sie unterstützte die amerikanische Bürgerrechtsbewegung und zeigte großes soziales Engagement durch Adoption von zwölf Waisenkindern.

**Bakterien** [Pl., Sg. das Bakterium oder die Bakterie], mikroskopisch kleine, einzellige Lebewesen von kugeliger, stäbchenförmiger oder schraubiger Gestalt. Einige können sich mit der Hilfe von Geißeln im Wasser bewegen. Bakterien besitzen keinen echten Zellkern und vermehren sich sehr schnell durch Querteilung des Zellleibs. Sie kommen in der Luft, im Boden und im Wasser ebenso vor wie in Lebewesen. Manche Bakterien sind Erreger ansteckender Krankheiten (z. B. Diphtherie, Cholera, Keuchhusten), andere lösen Gärungsvorgänge aus (Essig-, Sauermilch-, Käse- und Sauerkrautherstellung), wieder andere haben die Aufgabe, an der Humusbildung mitzuwirken oder tote organische Substanz durch Fäulnis zu beseitigen. Bestimmte Bakterienarten bilden bei ungünstigen Lebensbedingungen Dauerformen (Sporen), die lange Zeit überleben können. Die Sporen bildenden Bakterien werden *Bazillen* genannt.

*Ballett: Roberta Marquez in Tschaikowskijs »Der Nussknacker«*

**Balalaika** [die], russisches Zupfinstrument mit dreieckigem Resonanzkörper, langem Hals und drei Darmsaiten unterschiedlicher Stimmung, die mit einem Plektron (Plättchen) angerissen werden.

**Balance** [ba'lãs, die, franz.], Gleichgewicht.

**Baldrian** [der], eine einheimische Heilpflanze. Die Baldrianstaude enthält in ihrem Wurzelstock ein Öl, das als leichtes Beruhigungsmittel dient.

**Balearen** [Pl.], eine zu Spanien gehörende Inselgruppe im westlichen Mittelmeer mit den Inseln *Mallorca*, *Menorca*, *Ibiza* und *Formentera*. Die Balearen haben ein warmes Klima und sind ein viel besuchtes Feriengebiet.

**Balkan** [der], ein westöstlich verlaufendes, etwa 600 km langes Gebirge in Bulgarien. Höchster Gipfel ist der 2376 m hohe Botew. Das Gebirge gab der *Balkanhalbinsel* ihren Namen, zu der Slowenien, Kroatien, Albanien, Bosnien und Herzegowina, Makedonien, Montenegro, Serbien, Rumänien, Nordgriechenland, Bulgarien und der europäische Teil der Türkei gehören.

**Ballade** [die], ein Gedicht, das in meist gereimter Form ein dramatisches Ereignis schildert. Berühmte Balladenschreiber waren Goethe und Schiller.

**Ballaststoffe**, Bestandteile der Nahrung, die vom Körper nicht verwertet werden können, aber für die Darmtätigkeit unentbehrlich sind.

**Ballett** [das, ital., »Tanz«], die klassische Form des Bühnentanzes, auch das Bühnenensemble, das diesen Tanz aufführt. Das Ballett entstand aus einer Tanzeinlage bei Festen, die sich im 16. Jh. zu einer eigenen Kunstform entwickelte. Ein Ballett wird von einer einzelnen Person oder von Gruppen getanzt. Sie stellen eine Szene dar oder umschreiben mit ihren Bewegungen die Musik. Auch → »Genauer betrachtet«.

**Ballistik** [die], die Lehre von den Bewegungsabläufen geworfener oder geschossener Körper.

**Ballon** [bal'lõ, der], ein Luftfahrzeug aus einer gasdichten Stoffhülle, die mit Wasserstoff, Helium

*Ballon: Freiballons werden heute nur noch im Flugsport verwendet, wie hier bei einem Heißluftballon-Wettbewerb in Albuquerque, USA.*

*(Gasballon)* oder mit heißer Luft *(Heißluftballon)* gefüllt ist. Da die Füllung leichter als Luft ist, steigt der Ballon auf. Die Flughöhe kann durch Ablassen von Gas (der Ballon sinkt) oder Abwerfen von Ballast (der Ballon steigt) reguliert werden. Es gibt *Frei-* und *Fesselballons*. Fesselballons sind mit Seilen am Boden verankert und werden für meteorologische Messungen verwendet. Freiballons können frei fahren und in einer Gondel Passagiere mitnehmen. Den Warmluftballon erfanden 1783 die Brüder *Montgolfier*, den Gasballon konstruierte im gleichen Jahr J. *Charles*. Aus dem windabhängigen Ballon entwickelte sich das motorgetriebene *Luftschiff*.

**Baltikum** [das], Bezeichnung für das Gebiet der Länder Estland, Lettland und Litauen, die nach dem Ersten Weltkrieg unabhängig wurden und von 1940 bis 1991 zur UdSSR gehörten. Seit 1991 sind sie wieder selbstständig.

**Baltrum**, eine der → Friesischen Inseln.

**Balz** [die], die Werbezeremonien bestimmter Tierarten, besonders Vögel, vor der Paarung. Zur Balz gehören beispielsweise Gesang, Zurschaustellung be-

### *Genauer betrachtet …*
### Ballett

| | |
|---|---|
| **Ballerina:** | eine Balletttänzerin |
| **Choreografie:** | der Entwurf der Tanzfiguren und Schrittfolgen und ihre Aufzeichnung |
| **Pas de deux:** | ein Tanz zu zweit |
| **Pirouette:** | die schnelle Drehung eines Tänzers am Ort auf einem Fuß |
| **Position:** | die fünf Grundstellungen beim Ballett |
| **Primaballerina:** | die erste Solotänzerin im Ballett |
| **Tutu:** | das kurze Tullröckchen der Tänzerin |

stimmter Körperteile (z. B. Rad beim Pfau), Prachtkleid, Kampf- und Flugspiele *(Balztanz)*. Die Balz hat die Aufgabe, den Geschlechtspartner anzulocken und auf die Paarung einzustimmen.

**Balzac** [bal'zak], Honoré de, * 1799, † 1850; französischer Romanschriftsteller. Als scharfer Beobachter schilderte er meisterhaft die Gesellschaft seiner Zeit und war einer der ersten großen realistischen Dichter. Sein Hauptwerk ist die unvollendete, 40 Bände umfassende Romanreihe »Die menschliche Komödie«.

**Bamberg**, Stadt an der Regnitz im oberfränkischen Bayern, 69 900 Einwohner. Bamberg hat einen berühmten, 1237 geweihten Dom.

**Bambus** [der], Sammelname für tropische Baumgräser. Die meisten Bambusarten stammen aus Südostasien, wo sie sogar Wälder bilden und bis zu 40 m hoch werden können. Die jungen Sprosse wachsen bis zu 50 cm pro Tag. Die hohlen Stängel werden u. a. zur Herstellung leichter Möbel verwendet. Aus den jungen Bambussprossen kann man ein wohlschmeckendes Gemüse kochen.

**Banane** [die], eine tropische Staude, die trotz des baumartigen Wuchses nicht verholzt. Ihre samenlosen, nahrhaften und wohlschmeckenden Früchte entstehen an einem langen Blütenschaft, der in Quirlen die Blüten und Früchte trägt.

*Balz: der Prachtfregattvogel im Balzkleid*

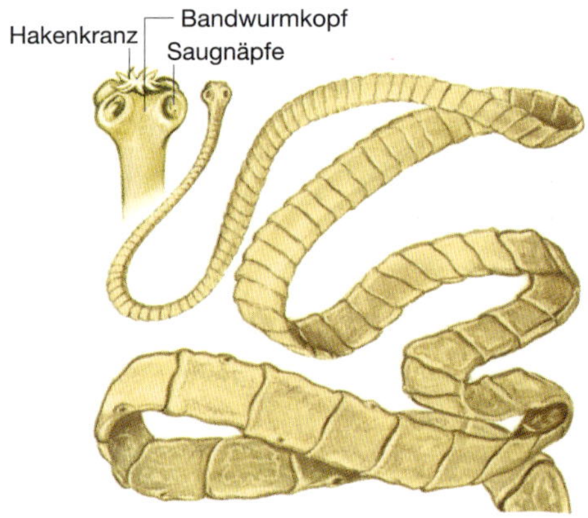


**Schweinebandwurm (Taenia solium)**

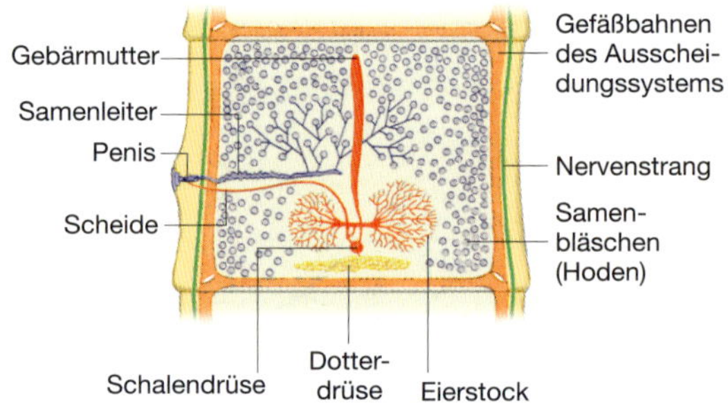


**Bandwurmglied**

*Bandwürmer: Mit dem Kopf verankert sich der Bandwurm in der Darmwand. Der Körper ist in viele Abschnitte gegliedert, die jeder einen zwittrigen Geschlechtsapparat enthalten. Die ältesten Glieder am Ende werden abgestoßen und gelangen mit dem Kot des Wirts nach außen, wo sie die Eier oder Embryonen freigeben. Schematische Darstellung eines einzelnen Gliedes mit männlichen und weiblichen Geschlechtsorganen*

**Banderole** [die], eine Steuerquittung in Form eines bedruckten Papierstreifens.

**Bandscheibe** [die], eine elastische Scheibe zwischen zwei Wirbeln. Sie besteht aus einem äußeren knorpeligen Faserring und einem inneren Gallertkern, der den Druck abfangen soll. Der Bandscheibenkern kann vorquellen *(Bandscheibenvorfall)* und auf Rückenmark oder Nervenwurzeln drücken (heftige Schmerzen).

**Bandwürmer** [Pl.], *Plattwürmer*, die als Parasiten im Darm von Wirbeltieren leben. Der bis zu 30 m lange Wurm besteht aus einem Kopf mit Saugnäpfen, mit deren Hilfe er sich an der Dünndarmwand des Wirtes festsaugt, und aus zahlreichen Gliedern, die mit Eiern gefüllt sind, sich ablösen und mit dem Kot ins Freie gelangen. Die mit dem Dünger auf Weiden ausgebrachten Eier werden von Rindern oder Schweinen mit dem Futter aufgenommen. Im Darm dieser Tiere entwickeln sich aus den Eiern Larven, die sich durch die Darmwand fressen, in die Muskeln wandern und sich dort als *Finnen* festsetzen. Durch den Verzehr des befallenen Fleisches können auch Menschen vom Bandwurm befallen werden. Da die Larven durch Kochen und Braten abgetötet werden, sollte man vorbeugend auf den Verzehr von rohem Fleisch verzichten.

**Bangkok**, Hauptstadt von Thailand mit riesigen Tempelanlagen, 6,3 Mio. Einwohner (mit Vororten).

***Ländersteckbrief***
**Bangladesch**

| | |
|---|---|
| **Fläche:** | 147 570 km² |
| **Einwohner:** | 144,4 Millionen = 979 je km² |
| **Hauptstadt:** | Dhaka |
| **Religion:** | 87 % Islam, Hinduismus |
| **Amtssprache:** | Bengali |
| **Währung:** | 1 Taka = 100 Poisha |

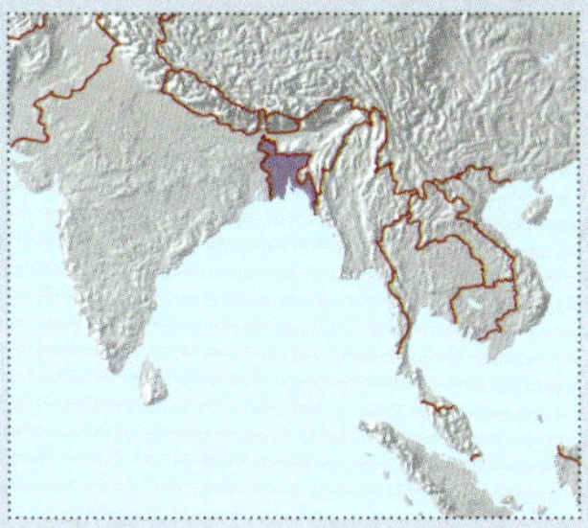

**Bangladesch**, Staat in Südasien.

**Landesnatur:** Das Land umfasst im Wesentlichen das Ganges-Brahmaputra-Delta, ein fruchtbares Tiefland mit hohen Niederschlägen (Monsun) und häufigen Überschwemmungen mit katastrophalen Folgen; Mangrovensumpfwälder im Küstengebiet (Sundarbans).

*Bangladesch: Traditionelle Bewirtschaftungsmethoden beim Anbau von Reis, dem Hauptnahrungsmittel der Bevölkerung*

**Bevölkerung:** Mit 979 Einwohnern/km² ist Bangladesch äußerst dicht besiedelt. Die Bevölkerung besteht zu 95% aus Bengalen. Der Islam ist Staatsreligion; 12% sind Hindus.

**Wirtschaft:** Die Landwirtschaft erzeugt Reis für den Eigenverbrauch und Jute, Tee und Tabak für den Export. Im Nordosten gibt es Erdgasvorkommen. Hauptverkehrswege sind die Binnenwasserstraßen; wichtigste Seehäfen sind in Chittagong und Chalna; Flughäfen in Dhaka, Chittagong und Sylhet.

**Geschichte:** Nach einer einseitigen Unabhängigkeitserklärung Ostpakistans 1971 konstituierte sich 1972 mit indischer Hilfe unter Führung von *Mudschib ur-Rahman* (1975 ermordet) der Staat Bangladesch, der dann auch international anerkannt wurde. 1982–1990 regierte der diktatorisch herrschende H. M. *Ershad.* Eine Verfassungsänderung ersetzte 1991 das geltende Präsidialsystem durch das System der parlamentarischen Demokratie. In der Regierungsverantwortung wechselten sich die führenden Parteien Awami-Liga und Nationale Partei ab. Nach innenpolitischen Unruhen wurde 2007 der Ausnahmezustand verhängt.

**Banjo** [das], ein gitarrenähnliches Zupfinstrument, das im Jazz, besonders im Dixieland, verwendet wird.

**Bank** [die], ein Unternehmen, das Geldgeschäfte macht. Eine Bank verleiht Geld *(Kredite)* und nimmt Geld zum Ansparen an. Für das verliehene Geld erhält die Bank *Zinsen,* für das Spargeld bezahlt die Bank Zinsen. Außerdem übernimmt eine Bank Geldgeschäfte wie Überweisungen, Börsengeschäfte für ihre Kunden. Zu den Banken gehören Sparkassen, Girozentralen und Kreditanstalten. Eine Bank, bei der die Kunden ihre Bankgeschäfte ausschließlich per Telefon, Fax oder Computer tätigen, nennt man *Direktbank.*

**bankrott** [ital. banca rotta, »zerbrochene Bank«], jemand ist bankrott, wenn er seine Schulden nicht mehr bezahlen kann. Ein bankrottes Unternehmen meldet *Insolvenz* an.

**Bann** [der], im Mittelalter das Recht des Landesherrn, zu gebieten oder zu verbieten. Jemand, der zur Strafe »in Acht und Bann getan« war, galt als vogelfrei und durfte von jedermann getötet werden. Der *Kirchenbann* schloss einen Menschen vom Empfang der Sakramente aus. Gläubige durften nicht mit ihm verkehren.

*Barbados: Das tropisch-ozeanische Klima weist nur geringe jahreszeitliche Wechsel auf.*

**Baptisten** [griech., »Täufer«], Angehörige einer protestantischen Freikirche, die nur Erwachsene tauft.

**Bar** [das], Zeichen bar, Maßeinheit für → Druck. Bei der Messung des Luftdrucks wird meist das *Millibar* ($^1/_{1000}$ bar) verwendet.

### *Ländersteckbrief* Barbados

| | |
|---|---|
| **Fläche:** | 430 km² |
| **Einwohner:** | 270 000 = 628 je km² |
| **Hauptstadt:** | Bridgetown |
| **Religion:** | Christentum |
| **Amtssprache:** | Englisch |
| **Währung:** | 1 Barbados-Dollar = 100 Cents |

**Barbados**, Staat in der Karibik.

Der Inselstaat liegt im Bereich der Kleinen Antillen. Die Koralleninsel besteht überwiegend aus einem flachwelligen Plateau; tropisch-ozeanisches Klima. Die meisten Bewohner (zu 92% Schwarze) sind Christen. Anbau von Zuckerrohr; Textil-, elektronische und pharmazeutische Industrie; Tourismus.

**Geschichte:** Im 16. Jh. von Spanien entdeckt und seit 1652 britische Kronkolonie wurde der Inselstaat 1966 unabhängig. Premierminister ist seit 1994 O. *Arthur.*

**Barbar** [der], im antiken Griechenland jeder, der nicht Griechisch sprach. Heute ein roher, grober Mensch.

*Bären: Braunbär beim Fischfang*

**Barbarossa** [ital., »Rotbart«], Beiname des deutschen Kaisers *Friedrich I.*

**Barben** [Pl.], eine Unterfamilie der Karpfenfische, besonders in tropischen und subtropischen Gewässern. In Deutschland ist nur die *Flussbarbe* vertreten.

**Barcelona**, die zweitgrößte Stadt Spaniens, in Katalonien, 1,6 Mio. Einwohner. Barcelona hat bedeutende alte Bauwerke und einen wichtigen Hafen. 1992 fanden hier die Olympischen Sommerspiele statt.

**Bären** [Pl.], eine vor allem in zusammenhängenden Wäldern Nordamerikas und Asiens verbreitete Raubtierfamilie, die heute in Europa sehr selten geworden ist. Alle Großbären haben einen schweren, plumpen Körper, einen Stummelschwanz und kleine, runde Ohren. Das dichte Fell ist rau und – mit Ausnahme des weißen *Eisbären* – meist dunkel gefärbt. Bären sind grundsätzlich Allesfresser; je nach Verbreitungsgebiet leben sie als Vegetarier oder reißen auch große Tiere, an Strömen mit Lachswanderung fangen sie auch Fische. Zu den Bären gehören u. a. die *Braunbären,* in Nordamerika *Grizzly* genannt. Der *Kodiakbär* ist mit einem Gewicht bis zu 800 kg und einer Körperlänge von 3 m das größte Landraubtier überhaupt.

**Bariton** [der], mittlere Stimmlage der Männer zwischen *Tenor* und *Bass.*

**Barium** [das], ein chemisches Element, Zeichen Ba. Barium ist ein silberweißes, weiches Erdalkalimetall, das an der Luft leicht oxidiert und Wasser unter Wasserstoffentwicklung zersetzt. Barium wird nur in seinen Verbindungen, z. B. als Malerfarbe oder als Kontrastmittel für Röntgenaufnahmen, verwendet.

**Barkasse** [die], ein Motorboot, das als Beiboot für Kriegsschiffe oder für den Verkehr im Hafen genutzt wird.

**Barlach**, Ernst, * 1870, † 1938; Bildhauer, Grafiker und Dichter. Seine im Stil des *Expressionismus* geschaffenen Plastiken (meist aus Holz oder Metall) zeigen großzügige, schlichte Formen und starke Ausdruckskraft menschlicher Not sowie verinnerlichte Religiösität und Mitgefühl. In der Zeit des Nationalsozialismus galten seine Werke als »entartete« Kunst.

*Was ist …*
**Barock**

Barock ist die europäische Kulturepoche zwischen den Jahren 1600 und 1750. Die vorherrschende Staatsform in dieser Zeit war der *Absolutismus.* Die Menschen im Zeitalter des Barock hatten unter langjährigen Kriegen und Nöten zu leiden, daher ist die Kunst dieser Epoche von starken Gegensätzen geprägt: Die Werke zeigen einerseits eine große Lebensbejahung und Prachtentfaltung, andererseits spiegeln sich in ihnen Todessehnsucht und das Bewusstsein der Vergänglichkeit des Menschen und der Welt. Vielschichtige, überbordend ausgeschmückte und pathetische Darstellungen prägen die verschiedenen Kunstgattungen – nicht selten in einem Ausmaß, das als übertrieben und kitschig empfunden wurde. Zeitlich gliedert sich das Barock in Früh-, Hoch- und Spätbarock.

**Kunst:** Die Kunst des Barock zeigt sich besonders ausdrucksvoll in der Architektur, vor allem in den Fürstenschlössern, wie das von Versailles, die die Macht und den Reichtum des Adels zeigen sollten. Die Bauten erreichten oft gewaltige Ausmaße, waren mit prächtigen Fassaden versehen, die Räume reichlich und fantasievoll mit Malereien, plastischem Wandschmuck und Möbeln ausgestattet. Viele Schlösser

*Barock: Die Karlskirche in Wien wurde von Johann Bernhard Fischer von Erlach 1716–1722 begonnen und von seinem Sohn Joseph Emanuel bis 1739 fertiggestellt.*

waren von kunstvoll gestalteten Gärten umgeben. In der Bildhauerkunst entstanden monumentale Skulpturengruppen und Denkmäler, die die Figuren in ausdrucksstarken, manchmal theatralischen Gebärden zeigten. In großer Anzahl entstanden auch Porträtbüsten und Figuren für Grabmäler, die die dargestellte Person in sehr realistischer und kraftvoller Weise abbildeten. Ein bedeutender Vertreter der Barockplastik war der Italiener Giovanni Lorenzo *Bernini*. Die Malerei des Barock umfasste großflächige Wand- und Deckengemälde sowie Bilder, die Szenen aus der Mythologie oder der Bibel zeigten. Besonderes Kennzeichen dieser Malerei sind die lebhaften Farben und eine Komposition, die die Figuren in einer heftigen Bewegung darstellen. Auch Licht- und Schatteneffekte spielen eine große Rolle. Einer der herausragendsten Maler des Barock war Peter Paul *Rubens*.

**Literatur und Musik:** Die barocke Literatur spiegelte das Lebensgefühl der Menschen wider, das zwischen weltlicher Sinnenfreunde und Angst vor der Vergänglichkeit schwankte. Die Dichtung war geprägt von einem großen Formen- und Bilderreichtum, der bis zu einem übersteigert-schwülstigen Ausdruck reichen konnte. Ihren Ursprung hatte die Barockliteratur in Italien und Spanien; in Deutschland begann sie mit Martin *Opitz*, der als Erster eine Anweisung für das Dichten in deutscher Sprache verfasste. In der Lyrik war das Sonnett eine verbreitete Gedichtform. Das Theater erlebte einen gewaltigen Aufschwung, der Roman wurde besonders durch die Gattung des spanischen Schelmenromans beeinflusst (Hans Jakob Christoph von *Grimmelshausen*). Weitere bedeutende Dichter waren Andreas *Gryphius*, Paul *Gerhardt*, Christian *Hofmann von Hofmannswaldau* und *Angelus Silesius*. In der Musik entwickelte sich als neue Gattung die Oper. In der Instrumentalmusik entstanden das Concerto grosso (»Brandenburgische Konzerte« von Johann Sebastian *Bach*) und die Solosonate bzw. das Solokonzert (Antonio *Vivaldi*). Neben der Violine wurde die Orgel zum wichtigsten Instrument, für die kunstvolle Präludien und Toccaten komponiert wurden. In der Kirchenmusik entstand ab 1640 die Gattung des Oratoriums (Georg Friedrich *Händel*, Johann Sebastian *Bach*). Außerdem begann eine eigenständige Entwicklung der evangelischen Kirchenmusik.

**Barometer** [das], Luftdruckmesser. Im Wetterdienst wird das *Quecksilberbarometer* verwendet, in dem eine Quecksilbersäule dem Luftdruck die Waage hält und durch ihre jeweilige Höhe den wechselnden Luftdruck in mm angibt. Im täglichen Leben (und als Höhenmesser) ist das *Dosen-* oder *Aneroidbarometer* verbreitet, eine nahezu luftleere Blechdose, die durch Luftdruckänderungen zusammengedrückt wird oder sich ausdehnt. Ein Zeiger überträgt den Ausschlag auf eine Skala oder eine Scheibenvorrichtung.

**Barrel** ['bærəl, das, engl.], eine amerikanische Maßeinheit für Öl u. Ä.: 1 b = 158,987 Liter.

**Barren** [der], **1.** Turngerät aus zwei parallelen, in der Höhe verstellbaren Stangen (Holmen). **2.** stangen- oder kastenartige Form, in die Metalle gegossen werden.

**Barsche** [Pl.], eine Familie der Knochenfische. Die bis zu 50 cm langen Raubfische kommen vor allem in klaren Süßgewässern der nördlichen Halbkugel vor. Bei uns sind der *Flussbarsch* und der *Zander* heimisch.

**Bartók** ['bɔrtoːk], Béla, *1881, †1945; ungarischer Komponist. Das Sammeln und Erforschen von Volksmusik und Folklore beeinflusste sein musikalisches Werk und führte zu einer starken Betonung des rhythmischen Elements. Bartók komponierte Bühnenstücke, Orchesterwerke, Klavier- und Violinenkonzerte, Lieder und Chormusik.

**Basalt** [der], ein hartes, schwarzes, vulkanisches Gestein, überwiegend aus *Feldspat*. Basalt wird als Schotter verwendet.

**Basar** [der], im Orient eine Marktstraße mit Läden und Werkstätten. Bei uns wird ein Warenverkauf auf Wohltätigkeitsfesten oft als Basar bezeichnet.

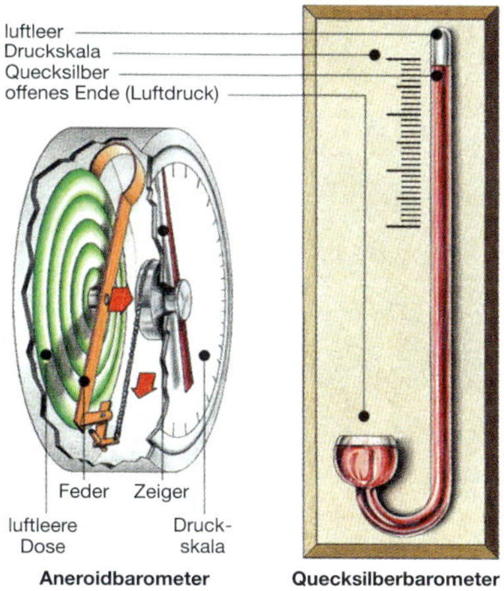


*Barometer: Das Quecksilberbarometer besteht aus einem Glasrohr mit einer Skala, auf der man die Höhe des Luftdrucks ablesen kann. Das heute meistverwendete Aneroidbarometer ist eine luftleere Metalldose, die sich bei Änderung des Luftdrucks verformt.*

*Baseball: eine typische Spielszene mit Schlagmann und Fänger*

**Basen** [Pl.], Bezeichnung für → Laugen.

**Baseball** ['bɛisbɔːl, der, engl.], ein besonders in den USA, Kanada, Australien und Japan verbreitetes Schlagballspiel zwischen 2 Mannschaften zu je 9 Spielern. Jede Mannschaft ist abwechselnd Schlag- und Fangpartei. Der Werfer der Fangpartei wirft dem Schlagmann der Schlagpartei den Ball zu. Dieser versucht, den Ball mit der Schlagkeule weit ins Feld zu schlagen. Gelingt ihm das, läuft er vom *Schlagmal (home base)* zu den an den Ecken des inneren Spielfeldes angebrachten *Laufmalen (base)* und möglichst bis zum Schlagmal zurück; damit hat er einen *Lauf (run)* erzielt, der einen Punkt zählt. Die Fangpartei versucht das zu verhindern, indem sie den Ball fängt, damit den Läufer berührt und ihn dadurch »aus« macht. Jede Mannschaft hat 9 Durchgänge. Bei jedem Durchgang können bis zu 4 Schlagmänner eingesetzt werden. Gewonnen hat die Mannschaft, die die meisten Läufe erzielt.

*Basilika: Die Klosterkirche St. Alexander und Theodor in Ottobeuren ist ein Hauptwerk des süddeutschen Spätbarocks.*

**Basel**, die drittgrößte Stadt der Schweiz, beiderseits des Rheins, 165 000 Einwohner. Basel besitzt die älteste Universität der Schweiz und ein romanisches Münster. Die Stadt wurde von den Römern gegründet und ist heute ein Kultur- und Handelszentrum. 1833 Trennung in die Halbkantone *Basel-Stadt* und *Basel-Land*.

**Baselitz**, Georg, eigentlich *G. Kern*, *1938; deutscher Maler und Bildhauer. Er ist einer der bedeutendsten deutschen Künstler der Gegenwart. Seine Werke sind vom *Expressionismus* beeinflusst. Häufig stellt er die Bilder auf den Kopf, was das Bildmotiv zusätzlich verfremdet.

**BASIC** ['bɛisik, engl.], Abkürzung für **B**eginners **A**ll-purpose **S**ymbolic **I**nformation **C**ode. BASIC ist eine leicht erlernbare Programmiersprache, die sich besonders für mathematisch-wissenschaftliche Programmierungen eignet.

**Basilika** [die, griech., »Königshalle«], in der römischen Antike Markt- und Gerichtshalle. In frühchristlicher Zeit wurde die Basilika zu einem Kirchenbau mit hohem, breitem Mittelschiff und längsseits anschließenden niedrigeren Seitenschiffen.

**Basis** [die], allgemein der Ausgangspunkt, die Grundlage; in der Architektur der Fuß einer Säule oder eines Pfeilers; in der Mathematik die Grundlinie eines Dreiecks oder die Grundfläche eines Körpers.

**Basken** [Pl.], ein Volk, das teils auf der spanischen, teils auf der französischen Seite der Pyrenäen lebt und eine eigene Sprache und Kultur besitzt. Die Untergrundorganisation ETA kämpft, z. T. mit Terrorakten, für völlige Eigenständigkeit. – Von der baskischen Tracht stammt die *Baskenmütze.*

**Basketball** [der, engl. basket, »Korb«], ein Ballspiel für 2 Mannschaften von je 5 Spielern (und bis zu 5 Auswechselspielern), die versuchen, den Ball in den

*Basketball: Dirk Nowitzki, im weißen Trikot seines Vereins, der Dallas Mavericks, im Kampf um einen Rebound. Die US-amerikanische NBA gilt als stärkste Profiliga der Welt.*

gegnerischen Korb, der 3,05 m hoch hängt, einzuwerfen. Das Spielfeld ist 28 x 15 m groß, ein Spiel dauert 4 x 10 Minuten. Jeder »Korb« (erfolgreicher Korbwurf) zählt 2 (bei Würfen von jenseits der 3-Punkte-Linie: 3) Punkte, nach einem Freiwurf 1 Punkt. Ein Spieler darf mit dem Ball in der Hand nicht mehr als 2 Schritte laufen; der Ball darf nur gegen den Boden getippt werden. Die ballführende Partei muss binnen 24 Sekunden einen Korbwurf versuchen. Fehler führen zu Freiwürfen.

**Bass** [der], tiefste Stimmlage der Männer.

**Bast** [der], **1.** alles Gewebe, das bei Holzpflanzen und in Pflanzenstängeln beim Dickenwachstum nach außen hin neu gebildet wird. Der Bast von Hanf, Flachs und Jute kann als Spinnfaser verwendet werden. **2.** eine durchblutete Haut, die die heranwachsenden Geweihe der Hirsche umgibt.

**Bastard** [der], Mischling; bei Pflanzen und Tieren Nachkomme von Eltern, die verschiedenen Rassen, selten auch verschiedenen Arten oder Gattungen angehören. So ist z. B. das Maultier das Junge einer Pferdestute und eines Esels.

**Bastille** [bas'tiːjə, die, franz.], die achttürmige Burg von Paris, die im Hundertjährigen Krieg zum Schutz gegen die Eng länder erbaut wurde. Sie war seit Mitte des 17. Jh. französisches Staatsgefängnis, besonders für politisch unlieb same oder beim König in Ungnade gefallene Personen. Am 14. Juli 1789 wurde die Bastille als Sinnbild fürstlicher Willkürherrschaft gestürmt und später zerstört. Damit begann die Französische Revolution.

**Batik** [die], ein aus Südostasien stammendes Verfahren zum teilweisen Einfärben von Stoffen. Die Stellen, die ungefärbt bleiben sollen, werden mit Wachs abgedeckt.

**Batterie** [die], **1.** beim Militär die unterste Einheit der Artillerie. **2.** in der Elektrotechnik die Zusammenschaltung zweier oder mehrerer elektrischer Elemente, z. B. Akkumulatoren, in Reihe zur Erhöhung der Spannung, parallel zur Erhöhung der Stromstärke.

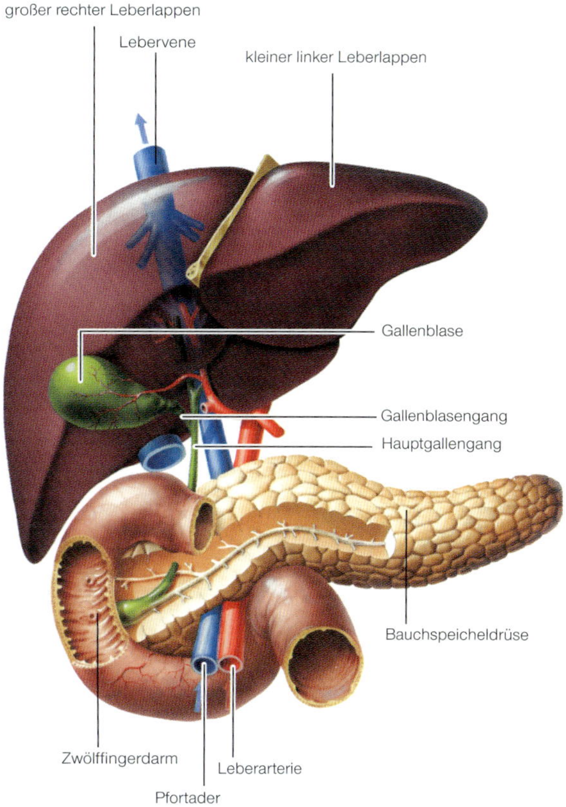


*Bauchspeicheldrüse beim Menschen: Dieses Organ liefert u.a. Verdauungssäfte für Fette, Eiweiße und Kohlenhydrate. Ihr Ausführgang mündet in den Zwölffingerdarm. Auch die Galle, die in der Leber gebildet wird und der Fettverdauung dient, wird über die Gallengänge dem Zwölffingerdarm zugeführt.*

**Bauchspeicheldrüse** [die], eine Drüse des Mitteldarms, die hinter dem Magen liegt. Sie liefert Verdauungssäfte und bildet das *Insulin,* ein Hormon für den Zuckerstoffwechsel.

**Baudelaire** [bod'lɛːr], Charles, * 1821, † 1867; französischer Dichter. Er schuf mit der Gedichtsammlung »Die Blumen des Bösen«, in der er bilderreich die Faszination des Hässlichen und des Verfalls schilderte, eines der bedeutendsten lyrischen Werke des 19. Jahrhundert.

**Bauernbefreiung** [die], die Befreiung der Bauern aus ihrer persönlichen Unfreiheit (Leibeigenschaft, Erbuntertänigkeit) und die Befreiung der Grundstücke von Abgaben und anderen Verpflichtungen. Seit dem 14. Jh. versuchten die Bauern, sich in Aufständen und *Bauernkriegen* gegen diese Bindungen aufzulehnen. Die Bauernbefreiung wurde durch die Französische Revolution und die preußischen Reformen der Minister K. A. von *Hardenberg* und K. vom *Stein* 1807–1816 gefördert. In Deutschland wurde 1848 die rechtliche Gleichstellung der Bauern erreicht.

**Bauernkrieg** [der], 1524/25 ein gewaltsamer Versuch der *Bauernbefreiung*, der von dem Gedankengut der Reformation beeinflusst war. Die aufständischen Bauern in Süd- und Mitteldeutschland, Österreich und Tirol kämpften mit eigenen Führern gegen den Adel und die Geistlichkeit für ihre Rechte und eine wirtschaftliche Besserstellung. Zu ihren Führern gehörten Götz von *Berlichingen* und Thomas *Münzer*. Dem Adel und den Fürsten gelang es überall, die Bauern niederzuwerfen und grausame Rache zu üben.

**Bauhaus** [das], eine Kunstschule, die 1919 von W. *Gropius* in Weimar gegründet wurde. Sie wurde 1925 nach Dessau verlegt, 1933 von den Nationalsozialisten aufgelöst und 1937 in Chicago wiedergegründet. Das Bauhaus hatte einen großen Einfluss auf die Architektur und das Design der Gegenwart. Sein Ziel war ein sachlicher Stil, der durch die Funktion bestimmt wurde. Es wurde eine Versöhnung von Technik und Kunst angestrebt. Die wichtigsten Vertreter waren W. *Gropius*, L. *Mies van der Rohe*, L. *Feininger*, P. *Klee* und W. *Kandinsky*.

**Baukunst** [die], *Architektur*, die älteste aller bildenden Künste. Sie ist das Zusammenspiel von der Errichtung (Statik) und der künstlerischen Gestaltung eines Bauwerks. Man unterscheidet zwischen der Funktion des Gebäudes, der Art des verwendeten Materials und den unterschiedlichen Stilrichtungen. Die Funktion der Bauten richtet sich nach dem Verwendungszweck (Schule, Wohnhaus, Kirche usw.). Als *Sakralbauten* bezeichnet man Kirchen, Klöster, Moscheen und Pagoden. Unter *Profanbauten* erfasst man Schlösser, Theater, Rat- und Bürgerhäuser. Nach der Art des verwendeten Materials werden Bauwerke in Holz-, Backstein- und Steinbau unterteilt. Da Holzbauten zumeist keinen längeren Zeitraum überdauern, sind nur wenige Bauten erhalten, etwa die mittelalterlichen Stabkirchen in Skandinavien. Das wichtigste Material der Baukunst war der Hau- oder Bruchstein. Aus ihm sind die bedeutendsten Bauwerke aller großen Baustile ausgeführt worden. Eisen, Beton und Stahl sind Werkstoffe, die seit dem 19. Jh. Einzug in die Baukunst hielten. Stilrichtungen in der Baukunst sind z. B. → Romanik, → Gotik, → Renaissance.

**Baum** [der], ein Holzgewächs mit einem mehr oder weniger hohen Stamm und einer Krone, die aus Zweigen mit Blättern oder aus großen Blättern (Wedeln) besteht.

*Bauhaus: Das Bauhaus-Gebäude in Dessau wurde 1926/1927 nach Entwürfen von Walter Gropius errichtet.*

*Baumwolle: Die Baumwollpflanze ist sehr kälteempfindlich.*

**Baumwolle** [die], die bis 5 cm langen Samenhaare des Baumwollstrauches, der in allen tropischen und subtropischen Regionen beheimatet ist. Heute wird die Baumwolle meist mit Pflückmaschinen von den etwa 1–2 m hohen Sträuchern geerntet. Sie wird sortiert und dann in Spinnereien weiterverarbeitet.

**Bauxit** [der], durch Verwitterung entstandenes Gestein. Bauxit ist der wichtigste Rohstoff für die Aluminiumgewinnung.

**Bayerischer Wald**, ein stark bewaldetes Mittelgebirge in Ostbayern.

**Bayern**, ein Bundesland im Südosten Deutschlands. Mit dem Allgäu, den Bayerischen Alpen und dem Berchtesgadener Land befinden sich in Bayern Hochgebirgslandschaften. Oberbayern ist ein bedeutendes Fremdenverkehrsgebiet. Hauptstadt ist *München*. Bayern ist 70 549,19 km$^2$ groß und hat 12,4 Mio. Einwohner. Es war seit dem 11. Jh. Herzogtum, wurde im Jahr 1623 Kurfürstentum, 1806 Königreich und 1918 Freistaat.

**Bazillen** [Pl., Sg. Bazillus], die Sporen bildende Form der → Bakterien.

**Beachvolleyball** ['biːtʃvoli-, der, engl., »Strandvolleyball«], eine aus Kalifornien stammende Variante des → Volleyballs, bei der eine Mannschaft nur aus zwei Spielern besteht und bei der auf Sandboden gespielt wird. Die Spielfeldmaße und Regeln entsprechen in etwa denen des traditionellen Volleyballspiels. Seit 1996 ist Beachvolleyball olympische Disziplin.

**Beamer** [der, engl. beam, »Lichtstrahl«], *Videoprojektor*, ein Gerät zur Projektion von Filmen oder Daten auf eine Leinwand, insbesondere für das Heimkino, Präsentationen und Großveranstaltungen. Es lassen sich Bilddiagonalen bis zu etwa 8 m realisieren.

**Beat** [biːt, der, engl., »Schlag«], **1.** ein gleichmäßiges rhythmisches Schlagen im Jazz und in der Unterhaltungsmusik. **2.** *Beatmusik,* eine um 1960 entstandene Richtung der Popmusik, die vor allem durch die *Beatles* bekannt wurde.

**Beatles** [biːtlz], eine international bekannte Beatgruppe aus Liverpool in den 1960er Jahren mit den

*Beatles: Die Mitglieder der Popgruppe 1964 bei ihrer Ankunft auf dem Kennedy-Flughafen, New York*

Musikern Paul *McCartney* (* 1942), Ringo *Starr* (eigentlich Richard *Starkey*, * 1940), John *Lennon* (* 1940, † 1980) und George *Harrison* (* 1943, † 2001). Die Gruppe löste sich 1970 nach großen Erfolgen auf.

**Beauvoir** [bo'vwa:r], Simone de, * 1908, † 1986; französische Schriftstellerin und Philosophin. Sie war Hauptvertreterin des französischen Existenzialismus und Lebensgefährtin von J.-P. *Sartre*. In ihren Werken beschäftigte sie sich kritisch mit der traditionellen Frauenrolle. Ihr Hauptwerk »Das andere Geschlecht« wurde zu einer Art Bibel der Frauenbewegung.

**Bebel**, August, * 1840, † 1913; deutscher sozialdemokratischer Politiker. Bebel gründete 1869 mit Wilhelm *Liebknecht* die Sozialdemokratische Arbeiterpartei, aus der 1890 die Sozialdemokratische Partei Deutschlands (SPD) hervorging. Er war viele Jahre Abgeordneter im Reichstag.

**Beckenbauer**, Franz, * 1945; deutscher Fußballspieler. Beckenbauer spielte bis 1977 beim FC Bayern München. 1972 wurde er mit der deutschen Nationalmannschaft Europameister, 1974 Weltmeister. 1977 bis 1980 war er Spieler bei Cosmos New York, 1980–1982 beim Hamburger SV. Als Team-Chef (1984–1990) der deutschen Nationalmannschaft wurde er mit dieser 1990 Weltmeister. Seit 1994 ist er Präsident von Bayern München sowie seit 1998 auch Vizepräsident des Deutschen Fußball-Bundes.

*Franz Beckenbauer: Der erfolgreichste deutsche Fußballprofi machte sich zuletzt als Chef des Organisationskomitees für die WM 2006 verdient.*

*Beduinen beim Teeritual in der Sahara.*

**Becker**, Boris, * 1967; deutscher Tennisspieler. Er gewann 1985, 1986 und 1989 das Herreneinzel in Wimbledon; 1988 und 1989 gewann er mit dem deutschen Team den Davis-Pokal. Becker wurde 1992 Olympiasieger im Doppel (mit Michael *Stich*) und 1988, 1992 und 1995 ATP-Weltmeister. 1999 beendete Becker seine sportliche Karriere.

**Beckett** ['bɛkit], Samuel, * 1906, † 1989; irischer Dramatiker und Erzähler. Beckett war einer der bedeutendsten Vertreter des absurden Theaters. Er schrieb Dramen und Romane, in denen er die Sinn- und Ausweglosigkeit des menschlichen Daseins darstellt. Zu seinen Hauptwerken gehören die Dramen »Warten auf Godot« und »Endspiel«. 1969 erhielt er den Nobelpreis für Literatur.

**Beckmann**, Max, * 1884, † 1950; deutscher Maler und Grafiker des Expressionismus. Mit Zirkus-, Karnevals- und Großstadtbildern übte er Kritik an den Verhältnissen seiner Zeit.

**Becquerel** [bɛkə'rɛl], Antoine Henri, *1852, †1908; französischer Physiker. Er entdeckte 1896 die vom Uran aus gesandten radioaktiven Strahlen. Nach ihm wurde die Maßeinheit für die Aktivität eines radioaktiven Stoffes benannt. 1903 erhielt er zusammen mit Pierre und Marie *Curie* den Nobelpreis.

**Beduinen** [Pl., arab., »Wüstenbewohner«], arabische Nomadenvölker in Nordafrika, Arabien und Syrien, die von der Tierzucht (Kamele, Schafe und Ziegen) leben.

## *Wer war …* Ludwig van Beethoven

*Ludwig van Beethoven; Gemälde von Joseph Karl Stieler; Bonn, Beethoven-Haus*

Der deutsche Komponist Ludwig van Beethoven (*1770, †1827) gehört zusammen mit Joseph *Haydn* und Wolfgang Amadeus *Mozart* zu den großen Komponisten der Wiener Klassik. Beethovens große Leistung liegt darin, die Ausdrucksmöglichkeiten der Musik in vor ihm ungeahnter Weise gesteigert zu haben: Er revolutionierte die Klaviertechnik, erweiterte die Größe des Orchesters, dehnte die Länge der Sinfonien aus und gab den Kompositionen thematische Schwerpunkte. Sein Stil war geprägt von einem starkem Gestaltungswillen, bei dem die persönliche Empfindung im Mittelpunkt des musikalischen Ausdrucks stand. Vom breiten bürgerlichen Publikum wurde Beethovens Werk mit Begeisterung aufgenommen. Es steht an der Schwelle von der Klassik zur Romantik und umfasst neun Sinfonien – darunter Nr. 3 »Eroica« (1805), Nr. 5 »Schicksalssymphonie« (1808), Nr. 6 »Pastorale« (1808) und Nr. 9 mit dem berühmten Schlusschor »An die Freude«. Weiterhin schrieb er ein Violinkonzert, fünf Klavierkonzerte, Streichquartette, Kammermusik, Sonaten, verschiedene Ouvertüren sowie Lieder, die »Missa solemnis« D-Dur (1823) und die Oper »Fidelio« (1805/1814).

Beethoven wuchs in bescheidenen Verhältnissen auf. Ersten Unterricht erhielt er vom Vater, Tenor am Kölner Kurfürstenhof in Bonn. Ab 1779 wurde er in Musiktheorie und Klavier ausgebildet. 1787 reiste Beethoven erstmals nach Wien, wo er Mozart traf, der ebenso wie Haydn sein Frühwerk stark beeinflusste. 1792 ließ sich Beethoven als freischaffender Künstler in der Musikmetropole nieder. Ein 1795 auftretendes Gehörleiden führte bis 1819 zur völligen Ertaubung.

**Befreiungskriege** [Pl.], *Freiheitskriege,* die Kriege von 1813–1815, die die deutschen Länder (einschließlich Österreich), Spanien und Italien von der Herrschaft *Napoleons I.* befreiten.

**Befruchtung** [die], Vereinigung einer männlichen (Samenzelle) und einer weiblichen Geschlechtszelle (Eizelle). Dieser Vorgang dient der geschlechtlichen Fortpflanzung und hat den Sinn, die elterlichen Erbanlagen zu vermischen und neu zu verteilen. Aus der befruchteten Eizelle entwickelt sich der Embryo. Bei Säugetieren, Vögeln, Reptilien und Insekten muss der männliche Samen vor der Befruchtung durch die Begattungsorgane in den weiblichen Körper eingeführt werden. Bei Fischen und Amphibien werden Ei- und Samenzellen ins Wasser abgegeben und vereinigen sich dort. Bei Blütenpflanzen geht der Befruchtung eine Bestäubung voraus.

**Begin**, Menachem, *1913, †1992; israelischer Politiker. Er war 1948 Mitgründer und bis 1983 Vorsitzender der rechtsgerichteten Cherut-Partei. 1978 schloss er mit dem ägyptischen Präsidenten A. *Sadat* das Abkommen von Camp David, in dem der Frieden im Nahen Osten vereinbart wurde. 1979 schloss er in Washington den israelisch-ägyptischen Friedensvertrag. Zusammen mit Sadat erhielt er 1978 den Friedensnobelpreis.

**Beglaubigung** [die], die amtliche Bestätigung der Richtigkeit z. B. von Unterschriften, Kopien.

**Beichte** [die], öffentliches oder geheimes Bekennen von Sünden zum Zweck ihrer Tilgung. In der katholischen Kirche ist die Beichte vor einem Priester *(Beichtvater)* üblich, der allein die *Absolution* (Vergebung der Sünden) erteilen kann. Der Priester ist verpflichtet, über das, was ihm in der Beichte anvertraut wird, Schweigen zu bewahren *(Beichtgeheimnis).* Die evangelische Kirche kennt die allgemeine Beichte im Gottesdienst, häufig im Zusammenhang mit dem Abendmahl.

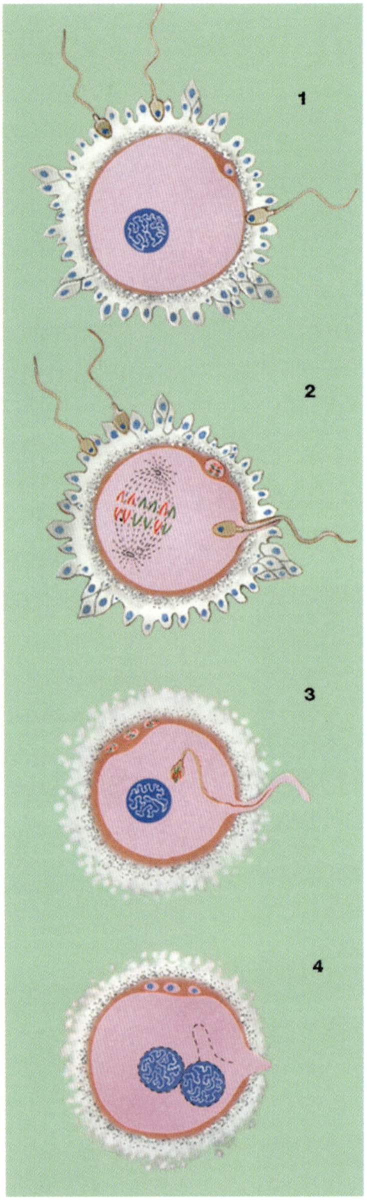

*Befruchtung: Die Spermien (Samenzellen) dringen bis zur Eizelle vor (1). Eines der Spermien kann in das Ei eindringen (2). Das Ei bildet eine Befruchtungshaut, die das Eindringen weiterer Spermien verhindert (3). Nach Verschmelzen von Ei- und Samenzellkern setzt die Furchung des Eies ein, die Entwicklung des Embryos beginnt (4).*

**Beifügung** [die] → Apposition, → Attribut.

**Beirut**, Hauptstadt und größter Hafen des Libanon, 1,2 Mio. Einwohner. Vor dem Ausbruch des Bürgerkrieges 1975 war die Stadt ein Wirtschafts- und Kulturzentrum.

**Beischlaf** [der], eine andere Bezeichnung für den Geschlechtsverkehr.

**beizen**, die Oberflächen verschiedener Materialien mit chemischen Mitteln (Säuren, Laugen, Salzen) behandeln.

**Bekennende Kirche** [die], Bewegung der evangelischen Kirche, die sich seit 1934 gegen den Nationalsozialismus wandte.

**Belfast** ['bɛlfaːst], Hauptstadt von Nordirland, 277 000 Einwohner. Seit 1969 war die Stadt Zentrum der schweren Unruhen im Land, die zeitweise Bürgerkriegscharakter annahmen.

***Ländersteckbrief***
**Belgien**

| | |
|---|---|
| **Fläche:** | 30 518 km² |
| **Einwohner:** | 10,4 Millionen = 342 je km² |
| **Hauptstadt:** | Brüssel |
| **Religion:** | Christentum |
| **Amtssprache:** | Niederländisch, Französisch, Deutsch |
| **Währung:** | 1 Euro = 100 Cent |

**Belgien**, Staat in Westeuropa.

**Landesnatur:** Im Westen und Norden breitet sich Tiefland, in der Mitte fruchtbares Hügelland aus, östlich der Maas erstreckt sich das überwiegend bewaldete Mittelgebirge der Ardennen (694 m). Feuchtgemäßigtes ozeanisches Klima, vorherrschende Westwinde.

**Bevölkerung:** Die Bevölkerung ist überwiegend katholisch; 57% sprechen Flämisch, 42% Wallonisch, 1% Deutsch (im Südosten). Die Sprachgrenze durchzieht das Land in Ostwest-Richtung. Brüssel ist zweisprachig.

**Wirtschaft:** Die hoch entwickelte Landwirtschaft bringt reiche Erträge an Weizen, Kartoffeln, Flachs, Zuckerrüben, Gemüse und Obst. In den Ardennen herrschen Forstwirtschaft, Schafzucht und der Anbau von Hafer und Gerste vor. Die Industrie (Maschinen-, Metall-, elektronische, chemische Industrie) ist stark exportorientiert. Flandern ist durch die Leinen- und Baumwollindustrie berühmt, Brabant durch Spitzen und Wollstoffe. 58% der Stromerzeugung stammen aus Atomkraftwerken. – Brüssel International und Ostende sind die Hauptflughäfen. Der wichtigste Seehafen ist Antwerpen.

**Geschichte:** Die keltischen *Belgae,* 51 v. Chr. von Cäsar unterworfen, gaben Belgien den Namen. Im 5. Jh. wurde das Gebiet Kernstück des Reichs der salischen Franken. Im 15. Jh. kam es zu Habsburg, 1797 an Frankreich; auf dem Wiener Kongress ging es im *Königreich der Vereinigten Niederlande* auf. Der Brüsseler Aufstand vom 25. 8. 1830 leitete die Unabhängigkeit Belgiens ein. Ein Nationalkongress erließ 1831 eine Verfassung und wählte *Leopold I.* zum König. In beiden Weltkriegen war Belgien von deutschen Truppen besetzt. 1957 war Belgien an der Gründung der Europäischen Wirtschaftsgemeinschaft beteiligt. Der fortwährende Sprachenstreit zwischen Flamen und Wallonen führte zur Regionalisierung und Föde-

*Belgien: Das Wahrzeichen der Stadt Brügge ist der 85 m hohe Belfried (Glockenturm).*

ralisierung des Landes. Seit 1993 ist *Albert II.* König. Ministerpräsident wurde 1999 G. *Verhofstadt.*

Seine Regierungskoalition musste bei den Parlamentswahlen 2007 Verluste hinnehmen. Gewinne verzeichneten die von Y. *Leterme* geführten Christdemokraten. Belgien ist eine parlamentarische Monarchie mit föderaler Struktur: 3 Regionen (Flämische, Wallonische und die Brüsseler Region), 3 Gemeinschaften (flämisch-, französisch- und deutschsprachige) und 10 Provinzen.

**Belgrad**, Hauptstadt von Serbien, am Zusammenfluss von Save und Donau, 1,3 Mio. Einwohner.

**Belichtungsmesser** [der], Gerät, das die den Lichtverhältnissen angepasste Einstellung von Blende und Belichtungszeit am Fotoapparat ermittelt. Der Belichtungsmesser misst die vom Aufnahmemotiv auf die Kamera treffende Lichtstrahlung mit Hilfe eines Fotowiderstands oder einer Fotozelle. Letztere wandelt das vom Motiv reflektierte Licht in schwachen elektrischen Strom um, welcher dann den Zeiger eines Anzeigegerätes ausschlagen lässt. Die meisten Kameras haben einen eingebauten Belichtungsmesser, der Belichtungszeit und Blende richtig einstellt.

*Belize: Zuckerrohr ist eines der wichtigsten landwirtschaftlichen Produkte des Landes.*

## *Ländersteckbrief* Belize

| | |
|---|---|
| **Fläche:** | 22 966 km² |
| **Einwohner:** | 275 000 = 12 je km² |
| **Hauptstadt:** | Belmopan |
| **Religion:** | römisch-katholische und protestantische Kirchen |
| **Amtssprache:** | Englisch |
| **Währung:** | 1 Belize-Dollar = 100 Cents |

**Belize**, Staat in Mittelamerika.

Der Staat im Südosten der Halbinsel Yukatán ist ein überwiegend ebenes bis flachwelliges Land, im Innern gebirgig. Es herrscht feuchttropisches Klima mit Regen- und Sumpfwäldern, Kiefernsavannen; Mangrovenküste. Die vorwiegend christliche Bevölkerung setzt sich zusammen aus Mestizen, Kreolen, Indianern, Kariben, Asiaten und Europäern. Hauptausfuhrgüter sind Zucker, Zitrusfrüchte, Textilien und Fischereiprodukte.

**Geschichte:** Seit dem 17. Jh. britisch besiedelt wurde das Gebiet als Britisch-Honduras 1862 Kolonie, 1871 Kronkolonie. 1973 erfolgte die Umbenennung in Belize, das 1981 unabhängig wurde. Premierminister ist seit 1998 S. W. *Musa.*

**Bell**, Alexander Graham, * 1847, † 1922; US-amerikanischer Physiologe und Erfinder schottischer

Herkunft. Er führte 1876 auf der Weltausstellung in Philadelphia das von ihm konstruierte, erste elektromagnetische *Telefon* vor.

**Belletristik** [die, franz. belles lettres, »schöne Wissenschaften«], seit dem 18. Jh. Bezeichnung für Unterhaltungsliteratur wie Romane, Erzählungen und Novellen. Gegensatz: *Sachliteratur.*

**Ben Gurion**, David, eigentlich *D. Grün,* * 1886, † 1973; israelischer Politiker polnischer Herkunft. Er gilt als Vater des modernen Israel; 1948 war er maßgebend an der Entscheidung beteiligt, den Staat Israel auszurufen. 1948–1953 und 1955–1963 war er Ministerpräsident und Verteidigungsminister des Landes. Er befürwortete energisch eine Aussöhnung mit Deutschland.

**Benchmark** ['bɛntʃ-, der, amerikanisch], ein Verfahren, um verschiedene Rechnersysteme miteinander zu vergleichen. Ein *Benchmark-Test* prüft mit Hilfe normierter Programme, wie lange die verschiedenen Systeme für dieselbe Aufgabe benötigen, und kann so Aussagen über ihre jeweilige Rechengeschwindigkeit machen.

**Benedikt XVI.**, eigentlich Joseph *Ratzinger*, * 1927; Papst seit 2005; enger Berater des vormaligen Papstes *Johannes Paul II.* und der erste deutsche Papst nach 482 Jahren.

*Alexander Bell demonstriert zum ersten Mal das Telefon.*

*Benedikt XVI.: Joseph Kardinal Ratzinger wurde am 19. April 2005 zum Papst und Bischof von Rom gewählt*

**Benedikt von Nursia**, *um 480, †um 547; Gründer und erster Abt des Klosters Monte Cassino. Er gilt als Urheber des abendländischen Mönchtums *(Benediktinerorden);* in der katholischen Kirche wird er als Heiliger verehrt.

**Benehmen**, siehe ZEIT-Beitrag →»Benehmen: Keule oder Lächeln«, Seite 126–129.

**Beneluxstaaten**, die zusammenfassende Bezeichnung für die Staaten Belgien, Niederlande und Luxemburg. Diese Staaten schlossen sich 1948 zu einer Zollunion und 1960 zu einer Wirtschaftsunion zusammen.

Die britische Königin Elisabeth II. gilt als absolute Expertin auf dem Gebiet des vornehmen Betragens

**Benehmen**

# Keule oder Lächeln

**Von Sybil Gräfin Schönfeldt**

Benimm dich! Das hast sicher auch du schon zu hören bekommen. Und wie sollst du dich benehmen? Anständig natürlich. Ordentlich. Und was bedeutet das? So könnte man noch lange weiterfragen. Am Ende steht die Antwort: So, wie ich es für richtig halte. Wie ich es will. Wie ich es dir sage. Und warum will jemand, dass du dich so oder so benimmst? Woher weiß er vor allem, dass dieses betreffende Benehmen richtig ist? Und was gibt ihm das Recht, so über dich zu bestimmen?

Dazu muss man erst einmal sagen, dass sich jeder Mensch benimmt, also: so oder so mit den Mitmenschen umgeht. In grauen Vorzeiten hat vielleicht die Keule zum allgemeinen Umgang gehört, ganz bestimmt aber auch die Geste, die wir noch heute kennen: das abwartende Lächeln; die offen dem Fremden entgegengestreckten Hände; der leicht schräg gelegte Kopf, der die Haltung locker und entgegenkommend macht.

## Spielregeln für alle

Die Keule und das Lächeln bezeichnen von Anfang an das negative und das positive Ende der vielen Möglichkeiten, sich zu benehmen. Solche grundlegenden Gesten und Gegensätze bleiben bestehen, modische Variationen kommen und gehen, und sie gehören wiederum zum Grundbestand der Manieren einer oder mehrerer

Generationen. Deren Summe könnte man als die zeitgenössischen Umgangsformen bezeichnen. Und wer bezeichnet sie so? Wer entwirft sie? Wer verwirft sie?

Das sind wir alle, immer und in jedem Moment. Es gibt keine unumstößlichen Gesetze dieser Art. Wir kommen überein, was für uns gültig ist und was nicht. Mit jeder Handlung, jeder Geste tragen wir dazu bei. Mit jeder Rücksichtslosigkeit entscheiden wir uns für die Keule, mit jeder hilfsbereiten Geste für das Lächeln. Mit jeder Überlegung, wie wir mit unseren Freunden oder auch Feinden umgehen sollen, bestätigen wir unsere Umgangsformen oder verändern sie. Deshalb verdreht eine Großmutter manchmal die Augen und sagt: »Also – ich hätte mir das nicht leisten dürfen.« Und wenn du fünfzig oder sechzig Jahre älter bist und auch Enkel hast, wirst du vielleicht an deine Großmutter denken und lachen, wenn du merkst, dass du genau denselben Satz so sagst, als ob du ihn in diesem Augenblick erfunden hättest.

Wenn aber nun das Benehmen etwas so Veränderliches ist, auch von Ort zu Ort, von Land zu Land verschieden sein kann – warum muss man sich dann die Mühe machen, sich anzueignen, was gerade gilt? Wahrscheinlich gibt es ein gutes Dutzend Gründe, praktische, eigensüchtige und edle und so weiter, aber ein ganz einfacher lautet: weil wir Menschen ziemlich zahlreich sind. Und weil es sich einfach nicht lohnt, sich über jedes Umgangsproblem selber den Kopf zu zerbrechen. Das haben schon andere getan, seit Hunderten von Jahren, und die meisten Lösungen waren gar nicht so schlecht. Man hat sie weiter benutzt und kann sie weiter benutzen und hat den Kopf frei für wichtigere Dinge. Und vor allem: Weil wir uns darauf verlassen können und wollen, dass die anderen die Spielregeln eben auch kennen und befolgen. Das sorgt für angenehmen Umgang eben auch mit Menschen, die ich nicht kenne, die ich nicht ausstehen kann, die mir vollkommen gleichgültig sind.

Und obgleich sich die Manieren mit uns Menschen verändern und wandeln, geschieht das meist so allmählich, dass wir den Wandel erst bemerken, wenn uns irgendein Ereignis oder irgendein Mensch darauf aufmerksam macht, und dann ist es eben an der Zeit, über diesen Wandel nachzudenken. Es hat sich sogar die Reaktion auf

*Die Gemeindepräsidentin von Madrid knickst vor der spanischen Prinzessin Letizia. An Königshöfen bestimmt das »Protokoll«, wie man sich benimmt*

diese Veränderungen gewandelt. Denk an unsere Großmütter. Deine lachen vielleicht über das Neue, das sie bei dir sehen, und wenn sie sich aufregen, so lachst vielleicht du liebevoll und erklärst deiner Oma, warum man sich heute ruhig einen Ring in die Nase klemmen kann, ohne gleich für das normale Leben verloren zu sein.

Meine Großmutter hätte manches Neue noch vollkommen unmöglich gefunden und hätte (und hat) es überhaupt nicht akzeptiert: dass sich ihre Enkelin zum Beispiel die Nägel lackiert oder die Lippen geschminkt hätte. Dass sie einen Studienfreund in seinem Zimmer besucht hätte, und wenn es wirklich nur zum Lernen gewesen wäre.

Also habe ich mich, wenn ich sie besuchte, entlackt und gar nicht erst den Lippenstift benutzt. Anderes habe ich ihr nicht erzählt, weil ich wusste, dass sie es mit ihren Anstandsvorstellungen aus dem 19. Jahrhundert gar nicht verstehen konnte. Sie fand es ohnehin überflüssig und schon ein wenig anstößig, dass ein Mädchen studierte und dass es sich das Geld dafür selber verdiente. Nach ihrer Vorstellung hatte ein Mädchen auf den guten, reichen Mann zu warten, der es sein Leben lang auf Händen trug, und weil solche Traummänner natürlich nur untadelige Mädchen wählten, hatten diese nichts in Studentenbuden zu suchen, wo der allgemeinen Ansicht nach nicht gebüffelt, sondern der gute Ruf ruiniert wurde.

## Was wollen wir bewahren?

Das klingt krass, aber meistens wächst ein Kind nicht bei der vorvorigen Generation auf, und nicht alle Altvorderen hängen auch noch an den überholtesten Ideen. Mein Großvater dachte schon anders, mischte sich aber nicht ein. Er sah, dass ich mich nicht beirren ließ, und ich spürte seine Zustimmung. So endete in meiner wie in vielen anderen Familien die eine Vorstellung von Anstand und Sitte, und eine andere, die der zweiten Hälfte des 20. Jahrhunderts, begann.

Wenn du dich umschaust und über die Handlungen und Unterlassungen der Menschen um dich herum nachdenkst, so wirst du Ähnliches feststellen. Die Fragen, die sich daraus ergeben: Was will ich bewahren? Wovon sollte ich mich warum trennen? Was füge ich meinem Verhalten stattdessen hinzu?

Noch einmal zurück zu den Großmüttern. Meine wollte mich nicht drillen oder quälen. Sie wollte mein Bestes. Sie wollte, dass ich keinen Anstoß errege, dass ich mir und freilich auch ihr

Viele Menschen sind unsicher, wie sie sich benehmen sollen. Deshalb sind Benimmkurse gefragt und bringen den Anbietern viel Geld ein

*Ein Maskenball am französischen Hof 1745. Könige und Adlige prägten viele Konventionen, die noch heute gültig sind*

keinen Kummer bereite, dass ich von der Gesellschaft akzeptiert und mit Wohlwollen behandelt werde und dass es mir deshalb gut ginge. Ihre Erfahrung hatte ihr in ihrem Leben immer wieder bestätigt: Wer sich anpasst, hat es oft leicht, hat seine Ruhe, hat Erfolg – je nachdem.

## Igitt, wie oberflächlich!

Jeder Mensch passt sich in einem gewissen Maße an, meist ohne nachzudenken, ganz automatisch. Du passt dich vielleicht manchmal an, indem du versuchst, deine Eltern die Kleider kaufen zu lassen, die die anderen tragen. Nutzt es den Eltern, wenn sie mit Vernunftgründen dagegen argumentieren? Oder von Geld sprechen? Du passt dich vielleicht auch an, indem du die Musik hörst und die Filme anschaust, die gerade in deiner Gruppe von denen konsumiert werden, die den Ton angeben.

Egal, was du tust, du wirst dabei immer wieder von anderen begutachtet und beurteilt werden, und ob du es weißt oder nicht: Du sendest Signale aus, du zeigst Eigenschaften und hast ein Äußeres, aus dem die anderen Rückschlüsse ziehen – wie falsch oder richtig diese Rückschlüsse auch immer sein mögen.

Igitt, wie oberflächlich!, denkst du vielleicht. Da hast du recht! Aber wir werden nun einmal in Sekundenbruchteilen von anderen Menschen wahrgenommen, und in deren Hirncomputer rast das Programm durch, das dich checkt und einordnet. Das ist gut zu wissen. Es liegt dann in deiner Entscheidung, wo du dich anpassen möchtest und wo nicht – was manchmal sehr wichtig sein kann und Mut erfordert.

Auch auf manche Manieren und Konventionen willst du vielleicht gern verzichten (was voraussetzt, dass du sie kennst!) – auf Rücksichtnahme und Höflichkeit freilich niemals.

### *Ländersteckbrief* Benin

| | |
|---|---|
| **Fläche:** | 112 622 km² |
| **Einwohner:** | 8,7 Millionen = 77 je km² |
| **Hauptstadt:** | Porto Novo; Cotonou (Regierungssitz) |
| **Religion:** | 60 % Naturreligionen, römisch-katholische Kirche, Islam |
| **Amtssprache:** | Französisch |
| **Währung:** | CFA-Franc |

**Benin**, Staat in Westafrika.

**Landesnatur:** Im Süden erstreckt sich eine sumpfige feuchttropische Küstenebene, im Norden ein niedriger Teil der Oberguineaschwelle, der mit Baumsavanne bestanden ist und nach Norden zum Niger absinkt.

**Bevölkerung:** Rund 40% der Bevölkerung stellen die *Fon*, gefolgt von den *Yoruba*. 60% sind Anhänger traditioneller Religionen, der Rest Christen oder Muslime. Die Bevölkerung konzentriert sich im Süden; weniger als die Hälfte der Einwohner wohnt in Städten.

**Wirtschaft:** Benin hat wenig Industrie. Die meisten Betriebe verarbeiten landwirtschaftliche Produkte. Hauptausfuhrprodukte sind Erdöl (seit 1984 gefördert), Baumwolle und Ölpalmprodukte. Einziger Ausfuhrhafen ist Cotonou.

**Geschichte:** Im 17. Jh. entstand das Königreich *Dahomey*, das 1899 Teilkolonie Französisch-Westafrikas wurde. 1960 wurde das Land als Republik Dahomey unabhängig. 1975 wurde die Republik Dahomey zur Volksrepublik Benin erklärt. Nach politischen Reformen erhielt Benin 1990 eine neue Verfassung. 1972 bis 1991 und 1996–2006 regierte M. *Kérékou*. Seit 2006 ist T. B. *Yayi* Präsident.

**Benn**, Gottfried, * 1886, † 1956; deutscher Schriftsteller und Arzt. Er war einer der bedeutendsten deutschen Lyriker nach dem Ersten Weltkrieg. In seinen expressionistischen Gedichten stellte er völlige Sinnentleertheit und Verfall dar.

**Benz**, Carl Friedrich, * 1844, † 1929; deutscher Ingenieur. Benz war zusammen mit G. *Daimler* bahnbrechend an der Entwicklung des neuzeitlichen Kraftwagens beteiligt. Er konstruierte 1885 das erste Auto. Es hatte 3 Räder, einen Viertakt-Verbrennungsmotor und elektrische Zündung.

**Benzin** [das], eine farblose, leicht brennbare Flüssigkeit, die durch Destillation aus Erdöl oder auch aus Kohle gewonnen wird. Nach dem Zusatz von Antiklopfmitteln wird es als Treibstoff für Motoren verwendet. Beim bleifreien Benzin werden die umweltschädlichen, bleihaltigen Antiklopfmittel, die unkontrollierte Detonationen im Zylinder verhindern sollen,

*Benin: Im Pfahldorf von Ganvié ist das Boot das wichtigste Verkehrsmittel.*

durch andere Substanzen ersetzt. Außerdem gibt es ein klopffesteres Superbenzin.

**Benzol** [das], eine klare, leicht entzündliche Flüssigkeit, die aus Steinkohlenteer gewonnen wird.

**Berber** [Pl.], eine Bevölkerungsgruppe in Nordwestafrika, zu der u. a. die Kabylen und Teile der Tuareg gehören. Sie leben als Bauern oder nomadische Viehzüchter.

**Berg** [der], eine größere Geländeerhebung, oft als Teil eines Gebirges. Man unterscheidet verschiedene Formen: Kuppe, Pyramide, Spitze, Rücken, Tafelberg, Glockenberg und Zuckerhut. Vulkane besitzen häufig die Form eines Kegels. Auch → »Genauer betrachtet«.

**Bergbau** [der], Abbau und Förderung sowie Aufbereitung mineralischer Rohstoffe wie Kohle, Erze, Salze, Steine u. a. Im *Tagebau* werden nach dem Abtragen der wertlosen Deckschicht weiche Stoffe (z. B. Braunkohle) unmittelbar mit dem Großbagger gewonnen, harte dagegen erst abgesprengt (z. B. Eisenerz). Tiefer liegende Lagerstätten werden im *Tiefbau* (Untertagebau) abgebaut. Die Anlage dafür nennt man *Bergwerk, Zeche* oder *Grube.* Beim Tiefbau werden *Schächte* in den Boden getrieben, von denen waagerechte Strecken *(Querschläge)* abzweigen. Sie sind Ausgangsstellen der Grundstrecken *(Sohlen),* die zu den Lagerstätten *(Flözen)* führen. Das mit Pressluftgeräten und Kohlenhobel oder mit Sprengstoff gelöste Material wird über Rutschen, Bänder und Förderwagen zu einer Sammelstelle gebracht und mit dem Förderkorb zutage transportiert. Durch Wetterschächte wird die Grube be- und entlüftet, damit sich keine gefährlichen Grubengase ansammeln.

**Bergkristall** [der], ein farbloser, klarer Halbedelstein, eine Form des Quarzes.

**Bergsteigen** [das], ein Bergsport, zu dem das Wandern und Klettern im Gebirge, besonders das Ersteigen von Bergen oder schwierigen Hochgebirgsstellen, gehören. Zum Bergsteigen ist eine besondere Ausrüstung

### *Genauer betrachtet …*
## Berg

**Die höchsten Berge der Erde**

| Name | Höhe (in m) |
|---|---|
| **Afrika** | |
| *Kibo (Gipfel des Kilimandscharo)* | 5895 |
| *Mount Kenya* | 5199 |
| *Mawensi (Gipfel des Kilimandscharo)* | 5149 |
| *Ruwenzori* | 5109 |
| *Meru* | 4565 |
| **Amerika:** | |
| *Aconcagua* | 6960 |
| *Ojos del Salado* | 6880 |
| *Mount McKinley* | 6198 |
| *Mount Logan* | 5951 |
| *Citlaltépetl* | 5700 |
| *Popocatépetl* | 5465 |
| **Antarktis:** | |
| *Mount Vinson* | 5140 |
| **Asien:** | |
| *Mount Everest* | 8846 |
| *K2, Godwin Austen* | 8611 |
| *Kanchenjunga* | 8586 |
| *Makalu* | 8475 |
| **Australien:** | |
| *Mount Kosciusko* | 2228 |
| *Mount Ossa* | 1617 |
| **Europa:** | |
| *Mont Blanc* | 4807 |
| *Dufourspitze* | 4634 |
| *Dom* | 4545 |
| *Weißhorn* | 4505 |
| *Matterhorn* | 4478 |

erforderlich (u.a. Bergschuhe, Seil, Haken, Eispickel, Steinschlaghelm).

**Bering**, Vitus, *1681, †1741; dänischer Asienforscher. Er umfuhr als russischer Seeoffizier im Auftrag *Peters des Großen* die Ostspitze Asiens und fand dabei die Beringstraße, eine flache Meerenge zwischen Sibirien und Alaska. Das Beringmeer ist ein Randmeer des Pazifik, zwischen Sibirien, Alaska und den Alëuten.

**Beringstraße**, eine Meerenge zwischen Ostsibirien und Alaska. Die Beringstraße verbindet das *Beringmeer,* den nördlichsten Teil des Pazifischen Ozeans, mit dem Nordpolarmeer.

**Berlichingen**, Götz von, *1480, †1562, Reichsritter, kämpfte als Söldnerführer in zahlreichen Fehden. In seiner Jugend verlor er die rechte Hand, die er durch eine kunstvolle Eisenhand ersetzen ließ. Der »Ritter mit der eisernen Hand« führte im *Bauernkrieg* unfreiwillig Aufständische aus dem Odenwald.

**Berlin**, **1.** deutsches Bundesland. **2.** Hauptstadt Deutschlands und größte deutsche Stadt, 3,4 Mio. Einwohner. Die um 1230 gegründete Stadt wuchs als Hauptstadt des Deutschen Reiches (1871–1945) zur Weltstadt heran. Im Zweiten Weltkrieg wurde die Stadt schwer zerstört. 1945 wurde Berlin den vier Siegermächten unterstellt und in vier Sektoren aufgeteilt. Die Sowjetunion führte 1948 die Spaltung der Stadt in Ostberlin (sowjetischer Sektor) und Westberlin (englischer, französischer und amerikanischer Sektor) ein. Ostberlin wurde 1949 zur Hauptstadt der DDR erklärt, Westberlin wurde 1950 zu einem Land der Bundesrepublik Deutschland. Um die Flucht von Bürgern in den Westen zu verhindern, errichtete die DDR 1961 eine Mauer, die die beiden Teile der Stadt völlig voneinander trennte. Die friedliche Revolution in der DDR 1989 beendete die Spaltung. Mit der deutschen Wiedervereinigung am 3. 10. 1990 wurde ganz Berlin ein Land der Bundesrepublik Deutschland. 1991 wurde es vom Bundestag zur deutschen Hauptstadt erklärt. Der Umzug des Parlaments und der Regierung von Bonn nach Berlin erfolgte 1999/2000. Das historische Zentrum Berlins im ehemaligen Ostsektor besitzt bedeutende barocke und klassizistische Bauten (z.B. Brandenburger Tor, Neue Wache, Zeughaus). Eine westliche City hat sich seit den 1920er Jahren im Zooviertel mit dem Kurfürstendamm und der Tauentzienstraße entwickelt. Zum Stadtgebiet von Berlin gehören ausgedehnte Wälder (z.B. Grunewald) und Seen (z.B. Wannsee, Müggelsee).

*Berlin: Das Brandenburger Tor ist das Wahrzeichen der deutschen Hauptstadt.*

**Bermuda**, Inselgruppe im Nordatlantik (rund 320 Inseln, davon 20 bewohnt). Die Bermudas sind seit 1684 britische Kronkolonie, sie erhielten 1968 die Selbstverwaltung.

**Bermuda-Dreieck** [das], ein Gebiet des Atlantischen Ozeans zwischen Florida, Bermuda und Puerto Rico. Im Bermuda-Dreieck sind wiederholt Flugzeuge und Schiffe mit ihrer Besatzung unter scheinbar mysteriösen Umständen verunglückt oder spurlos verschwunden.

**Bern**, Hauptstadt der Schweiz und des Kantons Bern, an der Aare, 122000 Einwohner. Bern hat eine malerische mittelalterliche Altstadt mit einem spätgotischen Münster (15./ 16. Jh.) und einem historischen Rathaus (15. Jh.). Die Stadt ist Sitz vieler internationaler Organisationen.

**Bernini**, Giovanni Lorenzo, * 1598, † 1680; italienischer Bildhauer und Architekt. Er war einer der einflussreichsten Barockkünstler Italiens, schuf u. a. Plastiken, Grabmäler und Paläste. Sein Hauptwerk sind die Kolonnaden auf dem Petersplatz in Rom.

**Bernstein** [der], ein fossiles Harz von ausgestorbenen Nadelbäumen aus der Tertiärzeit (→ Erdzeitalter). Bernstein ist gelb bis rotbraun gefärbt und enthält oft Einschlüsse von Pflanzenteilen oder Insekten. Man findet ihn vor allem an der Ostseeküste. Er wird als Schmuckstein verwendet.

*Bernstein: Der Name stammt vom mittelniederdeutschen »bernen«, das so viel wie »brennen« heißt.*

**Bernstein** ['bəːnstain], Leonard, * 1918, † 1990; amerikanischer Dirigent, Komponist und Pianist. Er leitete von 1958–1969 die New Yorker Philharmoniker. Bernstein komponierte neben einer Oper, drei Sinfonien, zwei Balletten vor allem Filmmusiken und mehrere Musicals (u. a. »Westside Story«) und das Multimediawerk »Messe«.

**Berufsberatung** [die], Beratung Jugendlicher und Erwachsener über Berufswahl, Aus- und Fortbildungsmöglichkeiten, Berufswechsel u. Ä. durch die Beratungsstellen der Agenturen für Arbeit. Der Berufsberater klärt insbesondere Jugendliche über die Anforderungen und Chancen einzelner Berufe auf. Die Beratung, die z. T. auch an Schulen stattfindet, soll den Jugendlichen helfen, ihre Neigungen und Fähigkeiten richtig einzuschätzen. Außerdem vermittelt der Berufsberater auch Ausbildungsplätze.

**Berufsschule** [die], eine Pflichtschule, die von Jugendlichen während ihrer betrieblichen Ausbildung besucht wird. Die Berufsschulpflicht endet in der Regel mit dem 18. Lebensjahr beziehungsweise nach Vollendung der beruflichen Erstausbildung. Auch → Bildungswesen.

**Beryllium** [das], ein chemisches Element mit dem Zeichen Be. Beryllium ist ein stahlgraues, sehr hartes Erdalkalimetall, das vor allem als Bestandteil für Legierungen benutzt wird. Wegen ihrer guten Leitfähigkeit werden die Berylliumlegierungen besonders in der Elektroindustrie verwendet. Die Edelsteine Smaragd und Aquamarin sind gefärbte Abarten des Berylls.

**Beschleunigung** [die], Zunahme der Geschwindigkeit eines bewegten Körpers innerhalb einer bestimmten Zeiteinheit. Die Abnahme der Geschwindigkeit nennt man *Verzögerung*. Die Beschleunigung wird in $m/s^2$ gemessen.

**Beschneidung** [die], ein ritueller Brauch im Judentum, Islam und bei zahlreichen afrikanischen Naturvölkern, den vorderen Teil der Vorhaut am männlichen Glied zu entfernen. Bei manchen Völkern wird bei den Mädchen auch die Klitoris entfernt.

**Besitz** [der], die tatsächliche Herrschaft einer Person über eine Sache. Im Unterschied zum *Eigentum* kann man eine Sache vorübergehend besitzen, ist aber nicht der Eigentümer, z. B. bei einer gefundenen Geldbörse.

**Bestäubung** [die], Übertragung des Blütenstaubs *(Pollen)* auf die Narbe der Blüte. Die Bestäubung erfolgt durch Wind, Wasser oder Insekten (besonders

**Genauer betrachtet ...**
**Joseph Beuys**

Zu den Werken des Düsseldorfer Künstlers Joseph Beuys gehört eine Wanne, die er mit Heftpflaster, Mull und Vaseline zum Objekt ausgestattet hat. Nachdem ein Münchner Kunsthändler sie gekauft hatte, wurde sie 1973 an ein Wuppertaler Museum ausgeliehen. Mit einer Wanderausstellung wiederum kam sie nach Leverkusen, wo die Museumsdirektion sie in einem Abstellraum unterbrachte. Als nun ein SPD-Ortsverein im Museum eine Feier abhielt, wurde die Wanne als Bierkühler benutzt. Der Wannenbesitzer klagte. Das Wuppertaler Landgericht verurteilte die Stadtverwaltung zur Zahlung von 165 000 DM Schadensersatz.

Bienen), die durch Duft und Farben der Blüten angelockt werden.

**Bestseller** [der, engl., »Bestverkaufte«], ein Buch, das in kurzer Zeit einen großen Verkaufserfolg erzielt.

**Betäubung** [die] → Anästhesie.

**Betäubungsmittel** [das], Arzneimittel, das die Schmerzempfindung herabsetzt oder ganz aufhebt. Viele Betäubungsmittel können eine Sucht hervorrufen und auch als Rauschmittel missbraucht werden.

**Bethlehem**, Stadt in dem von Israel besetzten Westjordanien, 28 000 Einwohner; nach der Überlieferung Heimat Davids und Geburtsort *Jesu Christi.* Die 326 gegründete Geburtskirche ist wahrscheinlich der älteste erhaltene christliche Kirchenbau.

**Beton** [der], Baustoff aus einem Gemenge von Bindemitteln (Zement, Kalk, Asphalt), Zuschlagstoffen (Sand, Kies, Splitt) und Wasser. Beim Erhärten werden die Zuschlagstoffe vom Bindemittel umschlossen, es entsteht eine steinartige Masse mit hoher Druckfestigkeit, deren Zugfestigkeit durch Stahleinlagen *(Stahlbeton)* erhöht werden kann. Beim *Spannbeton* werden die Stahleinlagen vor dem Erhärten der Betonmasse gedehnt (gespannt).

**Betriebsrat** [der], die gewählte Vertretung der Arbeitnehmer in privaten Betrieben mit mehr als 5 Beschäftigten. Der Betriebsrat hat das Recht zur innerbetrieblichen Mitbestimmung in personellen, sozialen und z. T. auch wirtschaftlichen Fragen.

**Betriebssystem** [das], Gruppe von Programmen, die alle organisatorischen Abläufe innerhalb eines Computers steuern und verwalten.

**Beugung** [die], **1.** in der Physik die Abweichung von Wellen von ihrer normalerweise geradlinigen Ausbreitung. **2.** in der Sprachlehre → Flexion.

**Beuteltiere** [Pl.], urtümliche *Säugetiere,* die in der Kreide- und Tertiärzeit (→ Erdzeitalter) weit über die Erde verbreitet waren und heute nur noch in Australien, Tasmanien, Neuguinea und auf dem amerikanischen Kontinent zu finden sind. Die Jungen der Beuteltiere werden im Embryostadium geboren und entwickeln sich im Brutbeutel der Mutter 7–8 Monate weiter. Dabei verwächst der Mundrand der Jungen mit der Zitze, an der die Jungen so lange saugen, bis sie groß genug sind, den Beutel zu verlassen. Zu den Beuteltieren gehören

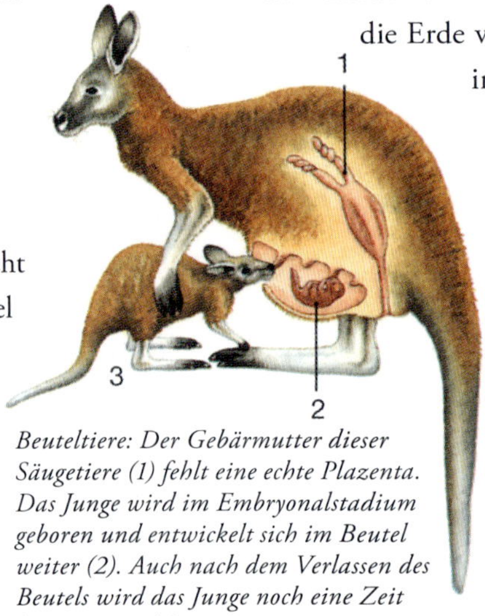

*Beuteltiere: Der Gebärmutter dieser Säugetiere (1) fehlt eine echte Plazenta. Das Junge wird im Embryonalstadium geboren und entwickelt sich im Beutel weiter (2). Auch nach dem Verlassen des Beutels wird das Junge noch eine Zeit lang gesäugt (3).*

u. a. das *Känguru,* der *Koala* (Beutelbär) und das *Opossum* (Beutelratte).

**Beuys** [bɔis], Joseph, * 1921, † 1986; deutscher Objektkünstler, der einen erweiterten Kunstbegriff vertrat und Engagement für Politik und Umweltfragen in seine Arbeit einschloss. Er inszenierte viele spektakuläre Aktionen und verwendete für seine Objekte Materialien wie Fett, Filz, Honig und Wachs. Auch → »Genauer betrachtet«.

**Bevölkerung** [die], alle Menschen, die in einem bestimmten Gebiet leben. Die Bevölkerung der Erde hat sich von 1920 1,8 Mrd. Menschen auf 2005 rund 6,5 Mrd. Menschen vermehrt. Davon leben 60,5% in Asien, 13,7% in Amerika, 11,0% in Europa (einschließlich Russland), 14,0% in Afrika und 0,5% in Australien und Ozeanien. Wie sich die Bevölkerung der Erde weiterentwickeln wird, ist schwer vorauszusagen. Die Schätzungen differieren stark (für das Jahr 2050 zwischen 8 und 12 Mrd.).

**Bewegung** [die], Lageänderung eines Körpers in Bezug auf ein als ruhend angenommenes Koordinatensystem (Bezugssystem).

**Bewusstsein** [das], der gegenwärtige Vorgang der äußeren und inneren Wahrnehmung von Gegenständen, Zuständen, Erlebnissen usw. Im weiteren Sinne versteht man unter Bewusstsein auch das Wissen von dieser Wahrnehmung, d. h. die Gesamtheit des seelischen und geistigen Erlebens. Es gibt verschiedene Bewusstseinszustände, je nach Klarheit und Deutlichkeit dieses Erlebens. Eine völlige Ausschaltung des Bewusstseins, z. B. bei einer Ohnmacht, bezeichnet man als *Bewusstlosigkeit.* Das *Selbstbewusstsein* ist die Überzeugung vom Wert der eigenen Person, das *Klassenbewusstsein* Ausdruck des Bewusstseins einer sozialen Klasse (z. B. Arbeiter) über ihre gesellschaftliche Lage. In der Psychologie wird das Bewusstsein, das Bewusste, dem → Unbewussten gegenübergestellt.

**BGB**, Abkürzung für **B**ürgerliches **G**esetz**b**uch.

***Ländersteckbrief***
**Bhutan**

| | |
|---|---|
| **Fläche:** | 46 500 km² |
| **Einwohner:** | 2,2 Millionen = 48 je km² |
| **Hauptstadt:** | Thimbu |
| **Religion:** | Buddhismus, Hinduismus |
| **Amtssprache:** | Dsongha |
| **Währung:** | 1 Ngultrum = 100 Chhetrum |

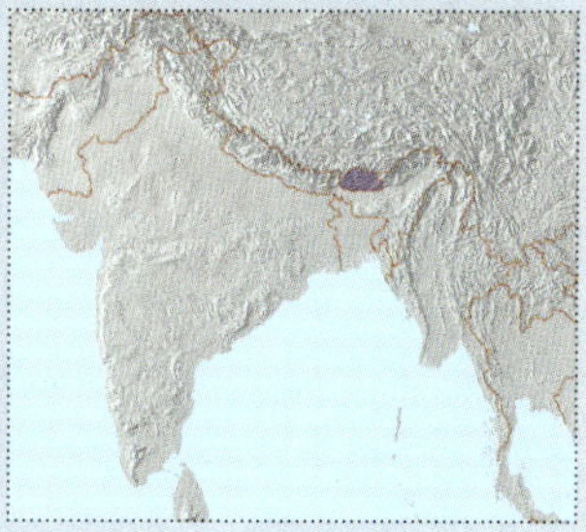

**Bhutan**, Staat in Südasien.

Bhutan ist ein stark gebirgiges, schwer zugängliches Land. Buddhistische *Bhotiyas* bilden die Mehrheit der Bevölkerung, daneben hinduistische Nepalesen. In der Landwirtschaft überwiegen Selbstversorgungsbetriebe; geringer Außenhandel mit Indien.

**Geschichte:** Die ursprünglichen indischen Fürsten wurden im 9. Jh. von Tibetern vertrieben. Seit 1907 wird Bhutan von einem (Erb-)Maharaja regiert. 1949 übertrug es Indien die Führung seiner auswärtigen Angelegenheiten. Seit 1971 ist Bhutan UN-Mitglied.

**Bhutto**, Benazir, Tochter von Zulfikar Ali Khan Bhutto, * 1953; pakistanische Politikerin. Sie war in den Jahren 1988–1990 und 1993–1996 Premierministerin und damit erster weiblicher Regierungschef in einem islamischen Land.

**Biathlon** [das, griech., »Doppelwettkampf«], eine Verbindung von Skilanglauf und Schießübungen.

*Was ist die …*
## Bibel

Die Bibel wird auch Buch der Bücher oder Heilige Schrift genannt. Sie beinhaltet die von den Christen als göttliche Offenbarung anerkannten Schriften; den *Juden* gilt nur das Alte Testament als Gottes Wort. Die Bibel, das am häufigsten in Handschriften und Drucken verbreitete Buch der Welt, ist eine Sammlung sehr unterschiedlicher und zu verschiedenen Zeiten entstandener Schriften, die sich inhaltlich aber häufig aufeinander beziehen. Als älteste erhaltene Bibelhandschriften gelten die 1947 in den Höhlen von Qumran am Toten Meer entdeckten Reste von rund 800 Schriftrollen in hebräischer und aramäischer Sprache (ca. 3. Jh. v. Chr. – 1. Jh. n. Chr.).

**Überlieferung:** Die beiden Hauptteile der Bibel, das Alte Testament und das Neue Testament (von lateinisch *testamentum* = »Bund«), haben eine lange, mit den fünf Büchern Mose vor 1300 v. Chr. beginnende und bis ca. 400 n. Chr. reichende Entstehungsgeschichte. Nur ein Teil der Schriften ähnlichen Inhalts wird als theologisch verbindlich anerkannt. Die katholische Kirche richtete sich ab 1547 nach der 405 vollendeten lateinischen Übersetzung des Kirchenvaters Hieronymus, die »Vulgata« genannt wird. Der Reformator Martin *Luther* legte 1522 eine deutsche Übersetzung des Neuen Testaments und 1534 der gesamten Bibel vor, die heute als »Lutherbibel« bezeichnet wird. Alle Bücher des Alten und des Neuen Testaments sind in Kapitel und/oder Verse eingeteilt (z.B. Weihnachtsgeschichte im Lukas-Evangelium: Luk. 2, 1–20).

**Altes Testament:** Das aus 39 Büchern bestehende Alte Testament ist zum größten Teil auf Hebräisch verfasst. Beginnend mit der Schöpfungsgeschichte, der Sintflut, dem Bund Gottes mit Abraham und seinen Nachkommen, werden Geschichte und Schicksal des Volkes Israel nach dem Auszug aus Ägypten erzählt. Bei der Einteilung, Zählung und Benennung der Schriften gibt es z. T. erhebliche Unterschiede sowohl gegenüber dem hebräischen Text des Alten Testaments als auch gegenüber den alten griechischen und lateinischen Übersetzungen. Die Lutherbibel teilt die Bibel folgendermaßen ein: I. Geschichtsbücher, die bis zur Landnahme der zwölf Stämme Israels in Palästina (Kanaan) reichen; II. Bücher der Geschichte im verheißenen Land selbst, beginnend mit der Einnahme Jerichos durch Josua (u. a. die Zeit der Könige Saul, David und Salomon); III. die Lehrbücher oder poetische Bücher (u. a. Psalmen, Hohelied, Sprüche); IV. prophetische Bücher (z.B. Jesaja, Jeremia) – die Bücher Hosea bis Maleachi werden häufig unter der Bezeichnung »Zwölf kleine Propheten« zusammengefasst. Die sogenannten Spätschriften (Apo-

*Bibel: Seite aus dem Evangeliar Heinrichs des Löwen; 2. Hälfte des 12. Jh.; Wolfenbüttel, Herzog August Bibliothek*

kryphen), d.h. Ergänzungen und Zusätze zum Alten Testament, sind nur in der griechischen Übersetzung überliefert und gehören nicht zum Bibelkanon, sind aber in manchen katholischen Bibeln abgedruckt.

**Neues Testament:** Im Mittelpunkt der in Griechisch verfassten 27 Bücher des Neuen Testaments steht die Botschaft Jesu Christi, sein Erlösungstod am Kreuz und seine Auferstehung. I. Die vier Evangelien (Matthäus, Markus, Lukas, Johannes) erzählen vor allem vom Wirken des Gottessohnes. II. Die Apostelgeschichte berichtet von der Entstehung der ersten christlichen Gemeinden und den Missionsreisen des Apostels Paulus. Der III. Teil enthält die 13 Briefe des Paulus an verschiedene Gemeinden und an Einzelpersonen sowie die allgemein gehaltenen Rundbriefe anderer Apostel (z.B. 1. und 2. Petrus-Brief). Einen eigenständigen Teil (IV.) bildet die Offenbarung des Johannes *(Apokalypse)* mit Visionen vom Ende der Welt und dem Beginn eines neuen himmlischen Zeitalters.

**Biber** [der], ein *Nagetier* mit plattem Schuppenschwanz *(Biberkelle)* und Schwimmfüßen. Der Biber ist ein ausgesprochenes Wassertier mit Schwimmhäuten zwischen den fünf Zehen der Hinterbeine. Sein breiter Schwanz dient als Ruder. Die Nahrung des Bibers besteht – neben frischen Trieben und Blättern – aus der Rinde von Weichhölzern, die der Biber, auf den Hinterbeinen und der Kelle sitzend, mit den Zähnen abschält. Biber können mit ihren starken Nagezähnen bis zu 1 m dicke Baumstämme fällen. Mit den gefällten Baumstämmen legen die Tiere kunstvolle Dammbauten an. Mit den bis zu 200 m langen, aus Knüppeln, Steinen und Schlamm bestehenden Dämmen staut der Biber den Wasserlauf und reguliert somit die Tiefe seines Wohngewässers. In das Wohngewässer baut er dann eine *Biberburg* aus Knüppeln, Zweigen und Stämmen, die er mit Schlamm abdichtet. In diesen Haufen nagt er Gänge und Höhlen. Biberburgen werden ständig erweitert und dienen mehreren Generationen. Auf diese Weise sind die Biber in der Lage, die Landschaft zu verändern und ihren Bedürfnissen anzupassen. Biber leben in Nordamerika, Nordasien und Nordeuropa. In Mitteleuropa wurden sie fast ausgerottet und stehen heute unter Schutz.

**Bibliografie** [die], *Bibliographie,* ein Verzeichnis oder Katalog von Buchtiteln, Zeitschriften, Artikeln u.a. Veröffentlichungen.

**Bibliothek** [die], *Bücherei,* eine Büchersammlung, die nach bestimmten Ordnungsprinzipien angelegt ist. Öffentliche Bibliotheken verleihen einen Teil ihrer Bücher für einen bestimmten Zeitraum, andere Bücher

*Biber: Als Behausung dient dem Biber die sogenannte Biberburg.*

gehören zum Präsenzbestand, das heißt, sie dürfen nur in der Bibliothek eingesehen werden. Man bezeichnet auch das Gebäude, in dem eine Büchersammlung untergebracht ist, als Bibliothek. Auch → »Genauer betrachtet«.

**Biedermeier** [das], Bezeichnung für eine deutsche Stilepoche (1815–1848) in der Wohnkultur, der Malerei und der Literatur. Der Stil erhielt seinen Namen nach einer von dem Schriftsteller L. *Eichrodt* geschaffenen Figur namens Gottlieb Biedermeier, einem unpolitischen, geruhsamen Bürger. Der Wohnstil zeichnete sich durch zweckmäßig gebaute, zierliche, schlichte Möbel und helle, geblümte Stoffe aus, die einen behaglichen Eindruck vermitteln. Die Malerei

*Bibliothek: Innenansicht der Universitätsbibliothek von Dublin*

zeigte besonders bürgerliche Kleinstadtmilieus und idyllische Landschaften. Die Hauptmeister des Biedermeier waren C. *Spitzweg* in der Malerei sowie F. *Grillparzer* und E. *Mörike* in der Literatur.

**Bienen** [Pl.] weltweit verbreitete *Hautflügler* (Insekten), bei denen die Weibchen die Brut mit Honig und Pollen versorgen. Die meisten Bienen leben einzeln, einige Arten leben in kleineren Gesellschaften, andere bilden hoch organisierte *Staaten.* Zu den Staaten bildenden (sozialen) Bienen gehört auch die bei uns am weitesten verbreitete *Honigbiene.* Ihre Staaten, in denen eine strenge Arbeitsteilung herrscht, bestehen aus etwa 30 000–70 000 Bienen. Die meisten davon sind Arbeiterinnen. Außerdem leben im Staat etwa 100 männliche Bienen (Drohnen) und eine Königin, die allein in der Lage ist, Eier zu legen und so für Nachkommen zu sorgen. Die *Arbeiterinnen* sind etwa 15 mm lang und haben verkümmerte Geschlechtsorgane. Dafür sind sie mit »Sammelgeräten« ausgestattet, mit »Bürstchen« an den ersten, stark vergrößerten Fußgliedern der Hinterbeine, mit denen sie den Blütenstaub *(Pollen)* vom Pelz in die »Körbchen« (Vertiefungen an den Hinterbeinen) fegen. Mit ihren langen behaarten Zungen, die im Rüssel verborgen liegen und am Ende löffelartig verbreitert sind, lecken

### *Genauer betrachtet …*
### Bibliothek

Die gewaltigste tönerne Bibliothek ließ der assyrische König Assurbanipal (669–627 v. Chr.) anlegen. In den Ruinen seines Palastes in Ninive wurden rund 25 000 Tontafeln mit Keilschrift gefunden. Sie enthalten z. B. astronomische Beobachtungen, religiöse Bräuche, Verträge, Urkunden und Briefwechsel mit fremden Mächten. Die bedeutendste Bibliothek der Antike und damals größte Bibliothek der Welt lag in der ägyptischen Stadt Alexandria. Sie wurde im 3. Jh. v. Chr. gegründet und umfasste zu Cäsars Zeiten rund 700 000 Papyrusrollen. Sie hatte sogar eine eigene Übersetzungsabteilung, in der die wichtigsten Werke der bekannten Welt ins Griechische übertragen wurden. Leider ging die Bibliothek im Alexandrischen Krieg (47 v. Chr.) unter. Heute liegt die größte Bibliothek der Welt in Washington (USA). Sie umfasst rund 99 Mio. Schriftstücke aller Art.

sie den Nektar der Blüten auf. Sie sammeln ihn in einer Blase in ihrem Körper *(Honigmagen)*. Wenn diese Blase voll ist, kehren sie zu ihrem Stock zurück und würgen den Nektar wieder aus. Ein *Bienenstock* besteht aus mehreren *Waben*, die wiederum aus sechseckigen Wachszellen zusammengesetzt sind und von den Arbeiterinnen angelegt werden. In diesen Zellen wird der Nektar in Honig umgewandelt. In den *Honigwaben* werden die Wintervorräte gespeichert, die *Brutwaben* dienen zur Aufzucht der Larven *(Maden)*. Vom 1.–9. Tag ihres Lebens ist die Arbeiterin »Amme«; sie reinigt die Zellen und füttert die Brut. Mit dem Waben-

## *Genauer betrachtet …*
## Bienen

Wenn die Pflanzenwelt in Blüte steht, beginnt für ein Bienenvolk die wichtigste Zeit im Jahr, denn jetzt legt es den Nahrungsvorrat für den nächsten Winter an. Am Ende ihres ersten Lebensabschnittes haben die Arbeiterinnen mit einem Orientierungsflug bereits die nähere Umgebung des Bienenstocks erkundet. Sie lernten dabei den Verlauf der Sonnenbahn kennen und sind dadurch als Sammelbienen später in der Lage, sich mit diesem Himmelskompass im Gelände zurechtzufinden.

Damit die gemeinsame Suche nach Pollen und Nektar erfolgreich ist, haben diese Insekten eine besondere Sprache entwickelt: Eine Sammlerin, die in unmittelbarer Nähe des Stockes eine reiche Blütentracht gefunden hat, gibt ihr Wissen durch einen einfachen *Rundtanz* an ihre Kolleginnen weiter. Liegt die Futterquelle aber 20 bis 100 m weit entfernt, zeigt die Tänzerin nun mit einem *Schwänzeltanz* recht genau an, wo die Nahrung zu finden ist. Die Biene durchläuft dabei eine gerade Strecke, wobei sie mit ihrem Hinterleib eine schwänzelnde Bewegung ausführt und kehrt dann in einem Halbkreis zum Ausgangspunkt zurück, läuft wieder geradlinig und vollführt einen weiteren Halbkreis zur anderen Seite. Über die gerade Strecke gibt die Tänzerin den Winkel zwischen der Futterquelle und der Sonne an. Im dunklen Stock, wo die Bienen auf der senkrechten Fläche einer Honigwabe tanzen, setzen sie diese Richtung in Beziehung zur Schwerkraft. Zeigt der Schwänzeltanz nun beispielsweise senkrecht nach oben, so liegt die Futterquelle genau in Richtung zur Sonne (A), zeigt der Lauf senkrecht nach unten, müssen die anderen Sammlerinnen bei ihrer Suche die Sonne im Rücken behalten (B). Weicht aber der Tanz in einem bestimmten Winkel von der Senkrechten ab, so entspricht dieser dem Winkel, in dem die Futterquelle versetzt zur Sonnenrichtung liegt (C, D). Dabei werden Veränderungen des Sonnenstandes im Tagesverlauf sowohl von der tanzenden Biene als auch von ihren Stockgenossinnen berücksichtigt. Nur bei völlig bedecktem Himmel und wenn die Sonne genau über dem Stock steht, müssen die Bienen in ihrem Stock bleiben.

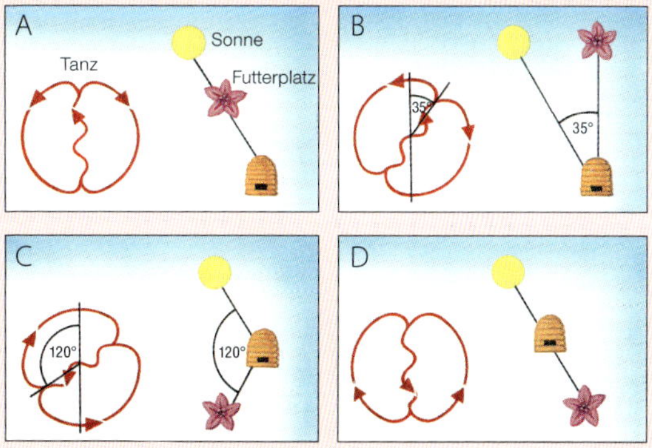

bau ist sie vom 10.–18. Tag beschäftigt. Vom 19.–20. Tag hat sie die Aufgabe, als »Wehrbiene« den Stock zu verteidigen. Danach ist sie für den Rest ihres Lebens (im Sommer etwa sechs Wochen) mit dem Einsammeln von Blütenstaub und Nektar beschäftigt. Die *Drohnen* leisten keine Arbeit im Stock. Ihre Aufgabe besteht allein darin, die Königin zu befruchten. Am Ende des Sommers werden sie von den Arbeiterinnen getötet. Die Königin beginnt nach der Winterruhe mit der Eiablage. Aus den befruchteten Eiern werden weibliche Bienen, meist Arbeiterinnen. Die Larven in den Königinnenzellen erhalten während ihrer Entwicklung ein besonderes Futter *(Gelée royale)* aus den Speicheldrüsen der Arbeiterinnen und werden zu Königinnen herangezogen. Aus den unbefruchteten Eiern entwickeln sich die Drohnen. Da die Königin vom Frühjahr bis zum Sommer mehrere 10 000 Eier legt, wird der Bienenstock bald zu eng; die Zeit des Schwärmens beginnt. Noch vor dem Ausschlüpfen der ersten jungen Königin verlässt die alte mit einem Teil ihres Volkes den Stock, um ein neues Volk zu gründen. Ist das ursprüngliche Volk stark genug, verlässt auch die erste neue Königin mit einem Teil des Volkes den heimatlichen Stock als »Nachschwarm«, dem weitere folgen können. Überzählige Königinnen werden von den Arbeiterinnen durch Stiche getötet. Nach dem Schwärmen gehen die jungen Königinnen mit den Drohnen auf den »Hochzeitsflug«. Sie kehren nach der Befruchtung zurück und sind nun in der Lage, für Nachkommenschaft zu sorgen. Die Drohnen aber werden aus dem Stock gejagt oder von den Arbeiterinnen getötet. Auch → »Genauer betrachtet«, Seite 139.

**Bier** [das], ein alkoholisches Getränk, das in Brauereien aus Malz, Hopfen, Hefe und Wasser gebraut wird. Der Alkoholgehalt beträgt 3–7%, je nach Biersorte. Das zerkleinerte Malz wird in Wasser gelöst, mit Hopfen gekocht und durch die Hefe zur Gärung gebracht. Durch den Hopfen erhält das Bier den leicht bitteren Geschmack und das typische Aroma. Man unterscheidet *untergärige Biere* (z. B. Export, Pils, Bockbier), bei denen sich die Hefe nach dem Gärprozess am Boden absetzt, und *obergärige Biere* (z. B. Altbier, Weizenbier, Kölsch), bei denen die Hefe nach der Gärung an der Oberfläche schwimmt.

**Bilanz** [die], die Gegenüberstellung des Vermögens (Aktiva) und der Schulden (Passiva) zu einem bestimmten Zeitpunkt in einem Unternehmen. Die Differenz zwischen Vermögen und Verbindlichkeiten ist das *Eigenkapital.*

**bilateral**, zwei-, beiderseitig, z. B. ein bilaterales Abkommen zwischen zwei Staaten. Gegensatz: *multilateral.*

**bildende Künste** [Pl.], Sammelbezeichnung für Malerei, Grafik, Plastik, Baukunst und Kunstgewerbe; heute nur noch für die vier letztgenannten Gattungen verwendet.

**Bildhauerkunst** [die] → Plastik (1.).

**Bildplatte** [die], Speichermedium zur Wiedergabe von bewegten Bildern und Begleitton. Sie wird mit einem Bildplattenspieler über ein Fernsehgerät abgespielt. Die Informationen für Ton und Bild sind digital so gespeichert, dass sie mit einem Laserstrahl abgetastet werden können.

**Bildröhre** [die], Elektronenstrahlröhre, die elektrische Signale in Bilder umwandelt und auf einem Bildschirm sichtbar macht, z. B. beim Fernsehen.

**Bildschirmschoner**, Computerprogramm zum Schutz des Bildschirms (Monitor). Es verhindert, dass sich das Monitorbild in die Leuchtschicht des Bildschirms einbrennt.

**Bildungswesen** [das], allgemein alle Einrichtungen und Institutionen, die Bildung vermitteln und Ausbildung übernehmen. Das Bildungswesen in Deutschland wird von den Bundesländern getragen. So ist das Schulwesen zwar in den Grundregelungen gleich, weist jedoch in den einzelnen Bundesländern in einigen Punkten Unterschiede auf. Allgemein gilt eine Schulpflicht vom 6. bis zum 18. Lebensjahr. Auf die *Grundschule,* die 4 bis 6 Klassen dauern kann, folgt ein gegliedertes Schulangebot mit *Haupt-, Real-* oder *Mittelschule* und dem *Gymnasium.* In der *Gesamtschule* sind diese Schularten zusammengefasst. Daneben bestehen *Sonderschulen* für Kinder mit körperlichen, geistigen oder seelischen Entwicklungsstörungen. Nach der 10. Klasse können die Schüler den Sekundarabschluss I *(mittlere Reife),* nach der 12. Klasse das *Fachabitur* und nach der 13., bald auch nach der 12. Klasse den

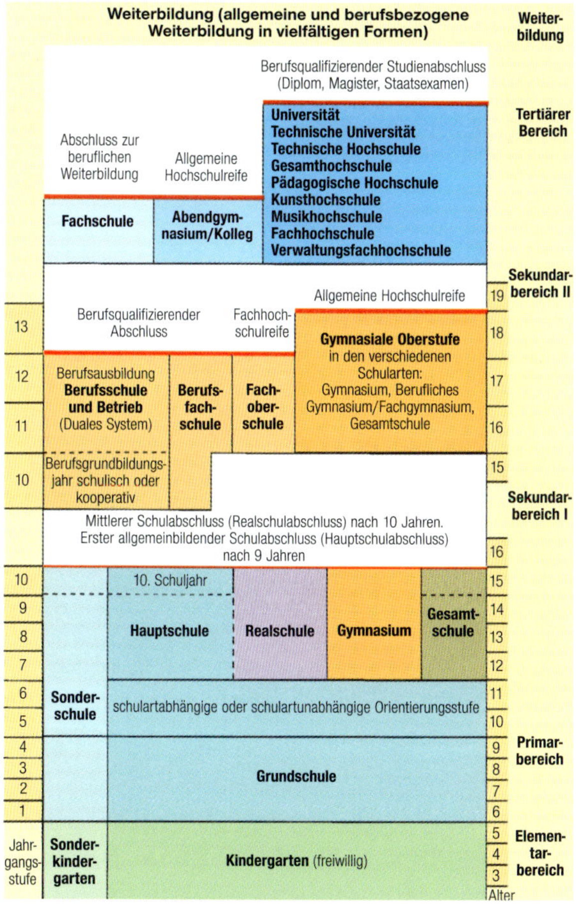

*Bildungswesen: Schematische Gliederung des Bildungswesens in Deutschland. Eine Schulpflicht gilt für alle Kinder und Jugendlichen zwischen dem 6. und vollendeten 18. Lebensjahr.*

Sekundarabschluss II *(Abitur)* machen. Das Fachabitur, das an *Fachoberschulen* erreicht werden kann, ist Voraussetzung für ein Fachhochschulstudium. Das Abitur ist Voraussetzung für das Studium an einer *Universität* oder *technischen Hochschule.* Neben diesen Schulangeboten gibt es noch die Kollegs und weitere Einrichtungen des *zweiten Bildungswegs,* z. B. Abendschulen. Die *Berufsschule,* die die Berufsausbildung begleitet, ist eine Teilzeitschule, die wöchentlich oder in Blockform stattfindet. Darüber hinaus gibt es z. B. an den *Volkshochschulen* ein breites Angebot an Weiterbildungsmöglichkeiten. Die Schulen der Bundesrepublik Deutschland stehen unter staatlicher Aufsicht.

**Billard** [biljard, das, franz.], ein Kugelspiel auf einem Tisch, der aus einer Schiefer- oder Marmorplatte mit Tuchüberzug und der umlaufenden federnden *Bande* aus Gummi besteht. Die Billardkugeln (zwei weiße und eine rote) werden mit dem Billardstock *(Queue)* gestoßen. Beim normalen Billardspiel kommt es darauf an, mit der weißen (markierten) Kugel die andere weiße und dann die rote anzustoßen *(Karambolage).* Auch → Poolbillard.

**Billiarde** [die], eine Zahl, 1000 Billionen, eine 1 mit 15 Nullen.

**Billion** [die], eine Zahl, 1000 Milliarden, eine 1 mit 12 Nullen.

**Bindehaut** [die], die oberste Haut auf der Vorderseite des menschlichen → Auges (2.) und die innere Haut des Augenlides.

**Bindewort** [das] → Konjunktion.

**Binnengewässer** [Pl.], im Gegensatz zu den Weltmeeren alle Wasserflächen, die von Land umgeben sind.

**Binsen** [Pl.], grasähnliche Pflanzen, die an feuchten Standorten wachsen. Die Blätter vieler Arten werden für die Korb- und Mattenflechterei verwendet.

**Biochemie** [die], Teilgebiet der Chemie, das sich mit der chemischen Zusammensetzung der Lebewesen befasst. Insbesondere untersucht die Biochemie die chemischen Vorgänge beim Stoffwechsel und die Zusammenhänge bei der Vererbung.

**Biografie** [die, griech., »Lebensbeschreibung«], *Biographie,* Darstellung des Lebens einer bedeutenden Persönlichkeit.

**Biologie** [die], die Wissenschaft vom Leben in allen seinen Erscheinungsformen. Die Biologie ist in zahlreiche Einzelwissenschaften gegliedert, z.B. Botanik, Zoologie, Anthropologie, Mikrobiologie, Genetik.

**biologischer Landbau**, eine Form der Landwirtschaft, die auf die Anwendung chemischer Dünger und Schädlingsbekämpfungsmittel verzichtet.

**biologische Schädlingsbekämpfung** [die], die Bekämpfung von Tier- und Pflanzenschädlingen mit Hilfe natürlicher Feinde, z.B. mit Ameisen oder Vögeln, die Schädlinge fressen.

**biologische Waffen** [Pl.], Kampfmittel, die durch Krankheitserreger (Bakterien, Viren) oder Schädlinge für Pflanzen oder Tiere Seuchen oder Hungersnöte beim Feind bewirken. Die biologischen Waffen gehören zu den → ABC-Waffen. Ihr Einsatz ist durch das Völkerrecht verboten.

**Bionik**, Wissenschaftszweig der → Kybernetik, der sich mit dem Studium biologischer Systeme und ihrer technischen Nachahmung befasst.

*Bionik: Die Talmadge Memorial Bridge in den USA ist die technische Simulation eines Spinnennetzes.*

*Biotop: Viele in einem Moor lebende Tiere und Pflanzen sind speziell an diesen Lebensraum angepasst. Zu sehen ist das Naturschutzgebiet Venner Moor im Münsterland.*

**Biosphäre** [die], der gesamte von Lebewesen bewohnte Raum der Erde.

**Biotechnologie** [die], die Nutzung biologischer Prozesse für technische Vorgänge, wie z.B. der Einsatz von Mikroorganismen zur Abwasserreinigung oder zur Herstellung von Antibiotika.

**Biotop** [der oder das], Lebensraum einer bestimmten, auf diesen Standort abgestimmten tierischen und pflanzlichen Lebensgemeinschaft (z.B. Wald, Ufer, Wiese).

**Birke** [die], ein an seiner weißen Rinde leicht erkennbarer Baum mit hängenden Zweigen und kleinen eiförmigen Blättern. Birken sind in den gemäßigten Zonen der Nordhalbkugel verbreitet, in Nordskandinavien bilden sie die arktische Baumgrenze. Bei uns sind die *Weißbirke* und die *Moorbirke* verbreitet.

**Bischof** [der], in der katholischen Kirche ein Träger der höchsten Weihe. Der Bischof steht einem *Bistum* vor und sieht sich in der Nachfolge der Apostel. Die evangelischen Kirchen nennen vielfach den höchsten Geistlichen einer Landeskirche Bischof.

## *Wer war …* Otto Fürst von Bismarck

Otto Fürst von Bismarck (* 1815, † 1898) war Gründer und erster Kanzler des Deutschen Reichs von 1871. Bismarck entwickelte sich v. a. durch seine Außenpolitik zu einem Staatsmann von Weltgeltung und prägte die neuere deutsche Geschichte wie kaum ein anderer Politiker.

Bismarck begann seine politische Laufbahn 1851 als preußischer Gesandter beim Bundestag in Frankfurt am Main. 1859 ging er nach St. Petersburg, 1862 nach Paris. Von König *Wilhelm I.* 1862 zum preußischen Ministerpräsidenten berufen, verteidigte er die Heeresreform des Königs gegen das Abgeordnetenhaus. 1864 gelang es Bismarck, Österreich zur Beteiligung am *Deutsch-Dänischen Krieg* zu bewegen, der zur Übernahme Schleswig-Holsteins führte. Er strebte danach die preußische Vorherrschaft in Deutschland an, die durch den Sieg im *Deutschen Krieg* gegen Österreich (1866) und die Gründung des Norddeutschen Bundes (1867), dessen Bundeskanzler Bismarck wurde, auch erreicht wurde.

Der Sieg Preußens im *Deutsch-Französischen Krieg* führte 1871 zur Gründung des *Deutschen Reichs*. Bismarck versuchte nun, mit einer geschickten Bündnispolitik das neue europäische Kräfteverhältnis diplomatisch zu sichern. Diese Politik führte 1879 zum deutsch-österreichischen *Zweibund*, der 1882 durch den Beitritt Italiens zum *Dreibund* wurde. 1887 schloss Bismarck den *Rückversicherungsvertrag* mit Russland. Innenpolitisch führte er scharfe Auseinandersetzungen mit der katholischen Kirche (*Kulturkampf 1872–1878*) sowie mit den Sozialdemokraten *(Sozialistengesetz 1878)*. Die große Leistung der *Sozialgesetzgebung* (1883–1889) verbesserte zwar die Lage der Arbeiterschaft durch die Einführung von Kranken-, Unfall-, Alters- und Invalidenversicherung, erreichte aber nicht ihr Hauptziel, einen Keil zwischen Arbeiterschaft und Sozialdemokratie zu treiben.

Die unwürdige Form seiner Absetzung 1890 durch Kaiser *Wilhelm II.* brachte Bismarck in offenen Gegensatz zur Regierung des jungen Kaisers, die sich in der Außenpolitik von Bismarcks Bündnispolitik absetzte. Noch zu seinen Lebzeiten setzte in der Bevölkerung eine lang anhaltende, nahezu mythische Verehrung des »Eisernen Kanzlers« ein, der von seinen Gegnern allerdings als Verfechter des preußischen Obrigkeitsstaates und als militaristischer »Blut-und-Eisen-Politiker« kritisiert wurde.

*Otto von Bismarck*

*Blasrohr: Bei Indianervölkern im Amazonasgebiet werden die Pfeile mit dem Gift Curare versetzt.*

**Bismut** [das], *Wismut,* ein chemisches Element mit dem Zeichen Bi. Das rötlich weiße, glänzende spröde Metall wird in Bolivien und Australien in reiner Form und als Sulfid oder Oxid gefunden. Es wird zur Herstellung leicht schmelzender Legierungen verwendet. Bismutverbindungen dienen in der Medizin zur Wundbehandlung und Hautdesinfektion.

**Bison** [der], in Prärien und Wäldern Nordamerikas lebendes Wildrind. Die in riesigen Herden lebenden Bisons waren früher die Ernährungsgrundlage der Indianer. Wegen ihres Fells wurden sie von weißen Jägern fast ausgerottet und leben heute überwiegend in Schutzgebieten.

**Bit** [das], *bit,* Abkürzung für **B**inary dig**it** (Binärziffer), kleinste Speichereinheit des Computers, der nur mit den Werten 0 und 1 arbeitet. Das Bit ist die Grundlage des binären Zahlensystems: Werden die Buchstaben des Nachrichtenalphabets durch Binärzeichen (z. B. 0 und 1 oder »Strom aus« und »Strom ein«) dargestellt, so ist der durch ein solches Binärzeichen gegebene Informationsgehalt gleich 1 bit.

**Bitumen** [das, lat., »Erdpech«], halbfestes bis hartes Kohlenwasserstoffgemisch, das bei der Aufbereitung von Erdöl gewonnen wird und in Asphalten enthalten ist. Bitumen gilt als krebserregend.

**Biwak** [das], ein Lager unter freiem Himmel oder in Zelten.

**Bizeps** [der], aus zwei großen Bündeln bestehender Beugemuskel des Unterarms.

**Blankvers**, fünffüßiger *Jambus* ohne Zäsur und Reim; Vers kann betont und unbetont enden.

**Blasinstrumente** [Pl.], Musikinstrumente verschiedener Bauweise, die durch Anblasen zum Klingen gebracht werden. Man unterscheidet Holzblasinstru-

***Genauer betrachtet ...***
**Blauwal**

Der Blauwal ist das größte Tier der Erde. Besonders große Exemplare erreichen eine Länge von bis zu 31 m und sind wohl bis zu 150 t schwer. Allein die Schwanzflosse kann bis 4,50 m breit sein. Die Blauwalweibchen bringen lebende Junge zur Welt, die bei der Geburt etwa 7–8 m lang sind und bereits 3 t wiegen. Die Walmutter säugt ihr Junges mit rund 300 Litern Milch pro Tag, so dass es nach sieben Monaten schon rund 16 m lang ist und ein Gewicht von etwa 23 t hat.

*Blende: Schematische Darstellung der Funktionsweise einer Blende: Je kleiner die Blende, desto größer ist die Schärfe des Bildes; je größer die Blende, desto größer ist auch der Lichteinfall und damit die Belichtungszeit umso kürzer.*

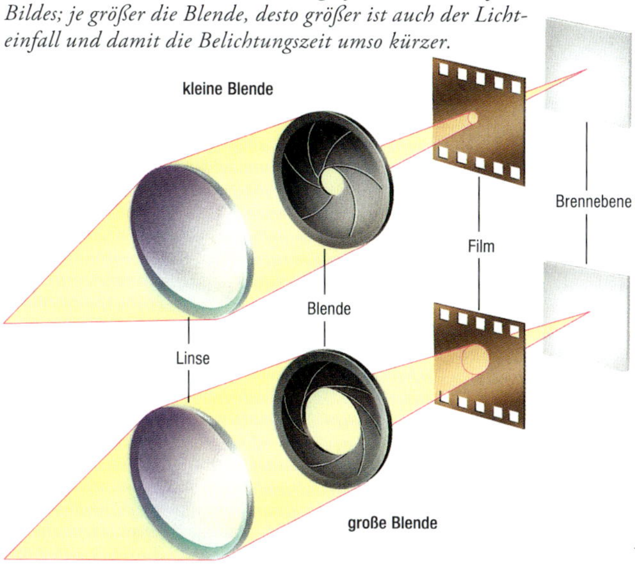

mente, Zungeninstrumente, Trompeten- und Horninstrumente.

**Blasphemie** [die], Gotteslästerung.

**Blasrohr** [das], ein bis zu 2 m langes Holz- oder Bambusrohr, aus dem Giftpfeile oder Tonkugeln geblasen werden. Das Blasrohr wird bei einigen Völkern Mittel- und Südamerikas sowie Südostasiens als Jagd- und Kriegswaffe benutzt.

**Blatt** [das], ein meist flächiges (Laubbäume) oder nadelförmiges (Nadelbäume) Organ der Pflanzen. Auf der Blattfläche sind Blattrippen zur Erhöhung der Festigkeit und Blattadern, die Nerven der Blätter, zu erkennen. Laubblätter sind meist grün. Sie enthalten das für die Photosynthese (→ Pflanzen) wichtige *Chlorophyll* (Blattgrün). Blätter dienen der Atmung wie der Verdunstung des durch die Wurzeln aufgenommenen Wassers.

**Blattgrün** [das] → Chlorophyll.

**Blattläuse** [Pl.], in vielerlei Formen in der ganzen Welt auftretende Insekten, die nur wenige Millimeter lang werden. Die zuckerhaltigen Ausscheidungen *(Honigtau)* der Blattläuse werden von Ameisen gefressen und von Bienen zu Waldhonig verarbeitet. Blattläuse sind Pflanzenschädlinge. Am bekanntesten sind die *Blutlaus* (an Obstbäumen) und die *Reblaus* (an Weinstöcken).

**Blausäure** [die], eine sehr giftige Säure, die nach Mandeln riecht. Blausäure kommt in bitteren Mandeln und Aprikosenkernen vor.

**Blauwal** [der], in allen Weltmeeren vorkommender *Finnwal.* Mit bis zu 31 m Länge ist er das größte Tier der Erde. Früher waren Blauwale Hauptlieferanten von Walöl, heute sind sie vom Aussterben bedroht. Auch → Wale, → »Genauer betrachtet«.

**Blei** [das], ein chemisches Element, Zeichen Pb, ein weiches, graues Schwermetall, das zur Herstellung von Rohren, Kabeln, Akkumulatoren und in Legierungen verwendet wird. Blei kommt hauptsächlich als *Bleiglanz* vor und wird durch Reduktion des *Bleioxids* gewonnen.

**Blende** [die], Vorrichtung am Fotoapparat, ein Loch, das den Strahlengang eines Fotoobjektivs so einengt, dass die Randstrahlen abgeschnitten werden und die durchgehende Lichtmenge verringert wird. Je kleiner die Blende ist, desto größer ist die Schärfe des Bildes und desto länger die Belichtungszeit.

**Blinddarm** [der], ein sackartiger, blind endender Darmteil an der Mündung des Dünndarms in den Dickdarm. Der etwa kleinfingergroße Anhang am Blinddarm, der Wurmfortsatz, neigt zu Entzündungen und muss dann durch eine Operation entfernt werden.

**Blind Date** [blaind deit; das; engl.], Verabredung oder Treffen zweier Menschen, die sich bis dahin nicht kennen. Der Kontakt wird häufig über Zeitungsanzeigen, Telefon-Hotlines oder Chats im Internet geknüpft.

**Blindenschrift** [die], ein Schriftsystem aus Punkten, die so in kräftiges Papier geprägt werden, dass sie kleine Erhöhungen bilden und mit dem Zeigefinger ertastet werden können. Sie wurde 1825 von dem blinden Franzosen Louis *Braille* entwickelt.

**Blindschleiche** [die], eine beinlose, schlangenähnliche Echse, die über ganz Europa verbreitet ist und häufig mit einer Schlange verwechselt wird. Ihr Skelett lässt deutlich Beinstummel erkennen und auch das Abwerfen des Schwanzes bei Gefahr ist eidechsenähnlich. Die Blindschleiche wird etwa 40–50 cm

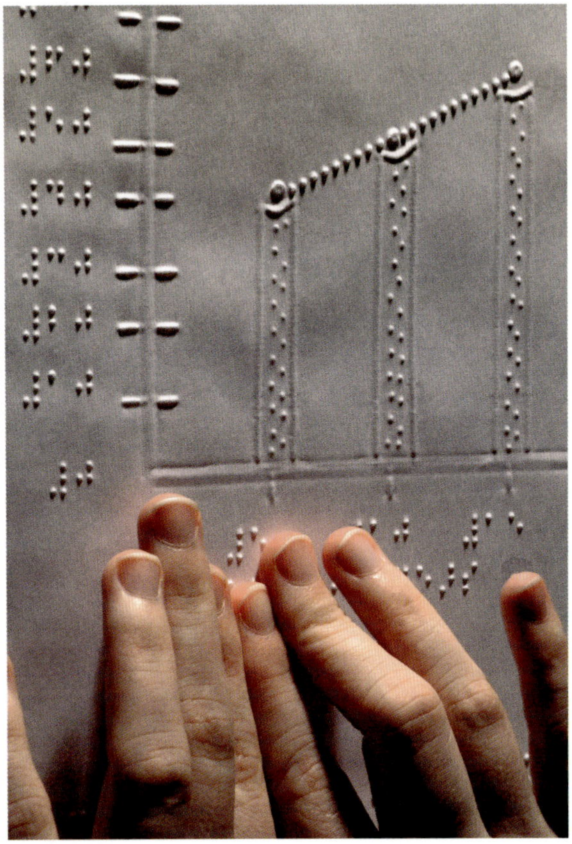

*Blindenschrift: Auch mathematische Diagramme lassen sich mit der Blindenschrift darstellen.*

*Blindschleiche: Die Echse ist ein nützlicher Gast im Garten und wird zu Unrecht gefürchtet.*

lang und ist auf der Körperoberseite graubraun, an der Bauchseite heller. Sie bringt lebende Junge zur Welt und ernährt sich von Schnecken und Würmern.

**Blitz** [der], eine elektrische Entladung bei → Gewittern zwischen Wolken und Erde oder zwischen Wolken. Da der Blitz den kürzesten Weg sucht (Metalle und Wasser sind gute elektrische Leiter), springt er meist nach den höchsten Punkten. Der von B. *Franklin* erfundene *Blitzableiter* kann Blitzschläge nicht verhindern, leitet aber, wenn er in Form einer Metallstange (z. B. auf Hausdächern) angebracht und geerdet ist, den Blitz auf kürzestem Wege zur Erde.

**Blizzard** ['blizəd, der, engl.], ein eisiger Nordsturm in den weiten Ebenen Nordamerikas, bei dem es innerhalb weniger Stunden zu Temperaturstürzen von bis zu 30 °C und zu heftigen Schneefällen mit verheerender Wirkung kommen kann.

**Bloch**, Ernst, * 1885, † 1977; deutscher Philosoph. Er war einer der bedeutendsten deutschen Philosophen des 20. Jh. Seine Philosophie ist v. a. von K. *Marx* und G. W. F. *Hegel* beeinflusst. In seinem Hauptwerk »Das Prinzip Hoffnung« zeigt er den Menschen als ein auf eine bessere Welt hoffendes und wünschendes Wesen.

**Blockbuster** [-bʌstə], *Kassenschlager,* ein Spielfilm, der eine große Anzahl von Zuschauern anlockt und für riesige Einnahmen an den Kinokassen sorgt.

**Blockflöte** [die] → Flöte.

**Blog** → Weblog.

**Bluejeans** [blu:dʒi:nz, die, engl.], ursprünglich eine Arbeitshose aus grobem, blauem Baumwollstoff, die um 1860 in den USA bekannt wurde. Seit etwa 1955 wird sie auch in Europa als Modeartikel getragen.

**Blues** ['blu:z, der, engl.], ursprünglich ein schwermütiger Gesang der amerikanischen schwarzen Sklaven, der später instrumental begleitet wurde. Der Blues ist das weltliche Gegenstück zum Negrospiritual und war ein wichtiges Element bei der Entstehung des *Jazz, Rock'n'Roll* und *Soul.*

**Blut** [das], Körperflüssigkeit der höheren Tiere und der Menschen, die den Körper in einem geschlossenen Röhrensystem durchfließt. Blut ist eine wässrige Lösung, in der *Blutkörperchen* verteilt sind. Die *Blutflüssigkeit (Blutplasma)* besteht zu 90% aus Wasser, Eiweißen und Salzen. Es gibt rote und weiße Blutkörperchen und die Blutplättchen. Die roten Blutkörperchen *(Erythrozyten)* enthalten das *Hämoglobin* (roter Blutfarbstoff) und haben die Aufgabe, Sauerstoff und Kohlendioxid zu transportieren. Die weißen Blutkörperchen *(Leukozyten)* vernichten Fremdkörper und Bakterien im Körper und bilden den Eiter. Die Blutplättchen sorgen für die Blutgerinnung und den Verschluss von Wunden. Das Blut wird im Knochenmark und im Lymphgewebe gebildet. Ein erwachsener Mensch hat 5–6 Liter Blut.

*Blitz: Die häufigste Blitzform ist der an seinem unteren Ende netzartig verzweigte Linienblitz.*

**Blutarmut** [die] → Anämie.

**Blüte** [die], ein Sprossabschnitt von Samenpflanzen, der der geschlechtlichen Fortpflanzung dient. Eine Blüte besteht aus dem Blütenboden, auf dem nach außen hin die gewöhnlich grünen Kelchblätter sitzen. Sie umgeben die meist auffällig bunten Blütenblätter, die die zur Bestäubung notwendigen Insekten anlocken sollen. Im Innern der Blüte stehen die *Staubblätter,* die einen oder mehrere *Stempel* umschließen. Der *Fruchtknoten* enthält eine bis mehrere Samenanlagen, die sich nach der Befruchtung zum Samen entwickeln. Farbe, Größe, Anordnung und Zahl der Blüten sind von Pflanze zu Pflanze verschieden.

**Blütenpflanzen** [Pl.], hoch entwickelte Pflanzen, die *Blüten* tragen und Samen bilden. Man unterscheidet nacktsamige und bedecktsamige Pflanzen. Bei den *Nacktsamern* (z. B. Nadelbäume) liegen die Samenanlagen frei, sie haben keinen Fruchtknoten und keine Narbe. Bei den *Bedecktsamern* sind die Samenanlagen im Fruchtknoten eingeschlossen, der durch die Narbe die Pollen (Blütenstaub) empfängt.

**Bluterkrankheit** [die], eine Krankheit, die auf einer Störung der Blutgerinnung beruht. Schon bei geringen Verletzungen kommt es zu schweren, unstillbaren Blutungen. Die Bluterkrankheit ist vererbbar.

**Blutgruppen** [Pl.], erbliche Merkmale des Blutes. Man unterscheidet heute über 10 verschiedene Blutgruppensysteme. Die vier Hauptgruppen heißen A, B, AB und 0. Bei Blutübertragungen ist es wichtig zu wissen, welche Blutgruppe der Spender und welche Blutgruppe der Empfänger hat, da sich nicht alle Blutgruppen miteinander vertragen.

**Blutkreislauf** [der], Umlauf des Blutes in den Blutgefäßen, der dem ständigen Austausch von lebenserhaltenden Stoffen und Abfallstoffen zwischen allen Organen des Körpers dient. Bei niederen Tieren vollzieht sich der Blutkreislauf teilweise frei durch die Leibeshöhle. Bei den höheren Wirbeltieren und beim Menschen dient dem Blutkreislauf ein geschlossenes Gefäßsystem aus *Adern* und *Lymphgefäßen*. Der Blutkreislauf wird durch das Herz in Gang gehalten, das das Blut stoßweise durch die Adern pumpt. Bei Säugetieren und beim Menschen ist der Blutkreislauf in drei miteinander verbundene Kreisläufe gegliedert: 1. der *Körperkreislauf* geht von der linken Herzkammer aus und verteilt das hellrote, sauerstoffreiche Blut über den ganzen Körper. Von der *Aorta* (Hauptschlagader) fließt es durch die großen *Arterien* oder Schlagadern, die sich immer weiter in kleinere Arterien bis zu den kleinsten Verästelungen, den Haargefäßen *(Kapillaren),* aufspalten. Die Haargefäße durchsetzen alle Organe und Gefäße des Körpers. Zwischen ihnen und den Gewebezellen findet der *Stoffwechsel* statt. Haargefäße leiten das jetzt dunkelrote, sauerstoffarme Blut in die *Venen* oder Blutadern weiter, die sich zu immer größeren Venenstämmen und schließlich zu den beiden großen Hohlvenen vereinigen, die in den rechten Vorhof des Herzens münden. 2. der *Lungenkreislauf* führt das dunkelrote, sauerstoffarme Blut vom rechten Vorhof in die rechte Herzkammer und von dort in die Lungenschlagader, die sich in den beiden Teilen der Lunge bis zu den Haargefäßen in den Lungenbläschen verzweigt. Hier findet der Gasaustausch (Kohlendioxid-Sauerstoff) statt. Die sauerstoffhaltiges, jetzt wieder hellrotes Blut führenden Haargefäße beider Lungenhälften vereinigen sich zu immer größer werdenden Blutgefäßen. Die Lungenvene leitet das frische Blut schließlich in den linken Vorhof des Herzens und damit in den Körperkreislauf. 3. der *Leberkreislauf* ist ebenfalls in den Körperkreislauf eingeschaltet. Die von Magen, Darm, Bauchspeicheldrüse und Milz zur Leber führende Vene (Pfortader) nimmt über Haargefäße die abgebauten Nährstoffe (Eiweiße, Kohlenhydrate) auf und verästelt sich in die Leberhaargefäße, wo manche Stoffe abgelagert und schädliche Stoffe entgiftet werden. Die meisten Nährstoffe gelangen dann über die

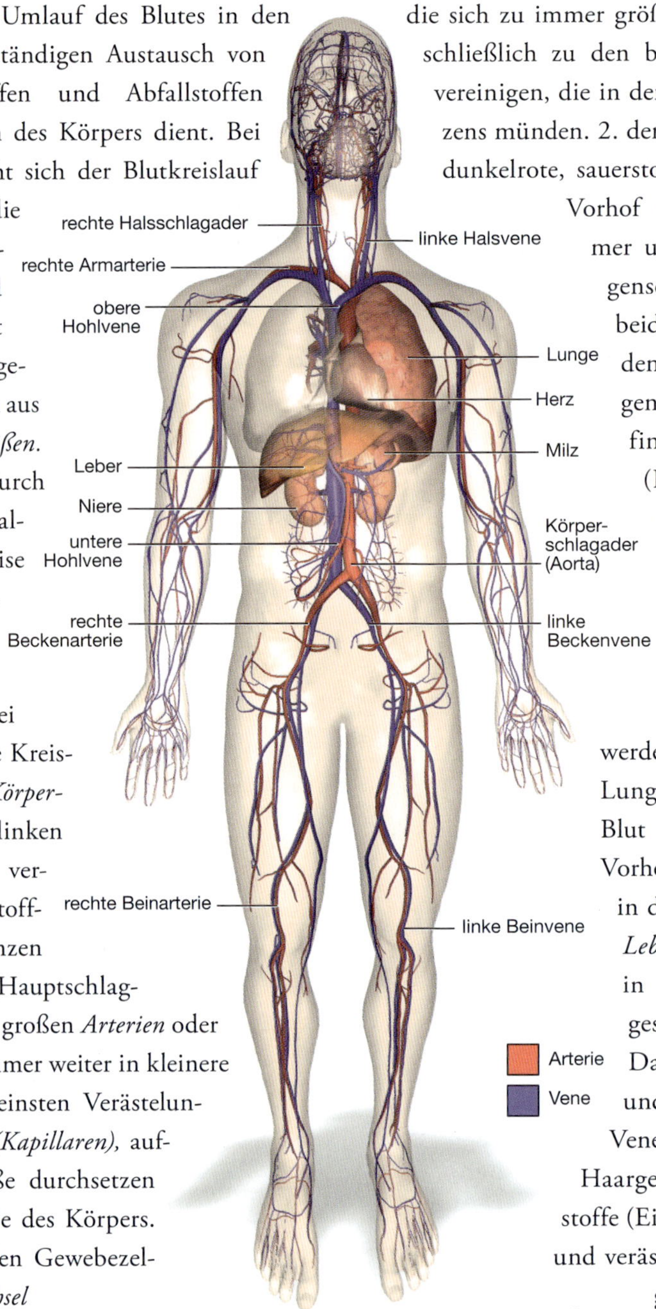


*Blutkreislauf: Die linke Seite des Herzens pumpt sauerstoffreiches Blut (rot) durch Arterien zu den Kapillaren, die Organe und Gewebe versorgen. Dort wird der Sauerstoff durch Stoffwechselreaktionen verbraucht. Sauerstoffarmes Blut (blau) fließt in Venen zur rechten Seite des Herzens zurück, von wo es in die Lungen gepumpt und wieder mit Sauerstoff angereichert wird.*

Venen in den Körperkreislauf und werden dadurch im ganzen Körper verteilt.

**Blutübertragung** [die], *Bluttransfusion,* Übertragung von Blut aus einer Blutkonserve in den Blutkreislauf eines Patienten, der einen starken Blutverlust erlitten hat. Vorher muss die Verträglichkeit des Spenderblutes mit dem des Patienten getestet werden.

**Blutvergiftung** [die], *Sepsis,* das Eindringen von Krankheitserregern, meist durch eine Wunde, in den Blutkreislauf. Bei einer Blutvergiftung ist ärztliche Hilfe erforderlich.

**Blyton** ['blaitən], Enid, * 1897, † 1968; englische Schriftstellerin. Sie schrieb abenteuerliche Jugendbücher wie z. B. die »Fünf Freunde«-Serie und »Hanni und Nanni«.

**BMX-Rad** [das, engl.], Abkürzung für bicycle-motocross, ein Spezialrad, das besonders für Geländerennen geeignet ist. BMX-Räder sind für den Straßenverkehr nicht zugelassen.

**Boaschlangen** [Pl.], eine Unterfamilie der Riesenschlangen, die besonders in Amerika, aber auch in Afrika und Südasien verbreitet ist. Die Boaschlangen sind ungiftige Schlangen, die ihre Beute erwürgen. Sie bringen lebende Junge zur Welt. Zu den Boaschlangen gehört die *Anakonda,* die bis zu 9 m lang werden kann.

**Bobsport** [der], Wintersport mit lenkbaren Sportschlitten auf natürlichen oder Kunsteisbahnen. Die Wettbewerbe werden im Zweier- oder Viererbob ausgetragen.

**Boccaccio** [-'katʃo], Giovanni, * 1313, † 1375; italienischer Dichter. Er war einer der bedeutendsten Poeten des *Humanismus* und gilt als Vater der Novelle. Sein 1348 entstandenes »Decamerone« mit 100 durch eine Rahmenerzählung verbundenen Novellen ist die erste Novellensammlung überhaupt. Sie hatte großen Einfluss auf die gesamte europäische Literatur.

**Boccia** ['bɔtʃa, das, ital.], aus Italien stammendes Spiel mit Metall-, Holz- oder Kunststoffkugeln. Die Kugeln müssen aus einer bestimmten Entfernung möglichst nahe an eine Zielkugel geworfen werden.

**Bodensee** [der], größter deutscher See, 571,5 km², bis zu 254 m tief. Daran grenzen Österreich, die Schweiz und Deutschland. Der See wird vom Rhein durchflossen und es herrscht ein mildes Klima. Die größte Bodensee-Insel heißt Reichenau.

**Bodybuilding** ['bɔdi'bildiŋ, das, engl., »Körperbildung«], ein Trainingssystem auf der Grundlage athletischer Übungsformen zur Entwicklung der Muskulatur.

**Body-Mass-Index** ['bɔdima:s-], *Körpermassenindex,* Abk. *BMI,* heute gebräuchlicher Orientierungswert zur Beurteilung des Körpergewichts. Der BMI errechnet sich durch Teilung des Körpergewichts (kg) durch das Quadrat der Körpergröße (m²). Werte zwischen 18 und 25 liegen im Bereich des Normalgewichts.

**Bodypainting** ['bɔdipɛintiŋ; das; engl.], (Aktions-)Kunstrichtung, bei der der menschliche Körper bemalt wird.

*Bobsport: Während der Startphase können bereits entscheidende Zehntelsekunden gewonnen oder verloren werden.*

*Bogenschießen: Eine Scheibe mit verschiedenfarbigen Kreisen ist das Ziel bei diesem Schießsport.*

**Bogenschießen** [das], sportlicher Wettbewerb mit Pfeilen und Bogen, bei dem aus einer Entfernung von 30–90 m auf eine Scheibe geschossen wird.

**Bogotá**, Hauptstadt von Kolumbien, in 2640 m Höhe auf einer Hochebene, 6,9 Mio. Einwohner. Die 1538 von den Spaniern gegründete Stadt wurde mehrmals durch Erdbeben zerstört.

**Böhmen**, Landschaft im Westen der Tschechischen Republik.

**Bohne** [die], eine Gemüsepflanze mit Hülsenfrüchten. Die Bohne wird wegen ihrer essbaren weißen Samen (weiße Bohnen) und Hülsen (grüne und gelbe Bohnen) angebaut. Es gibt rankende Bohnen (Stangenbohne) und Buschbohnen.

**Bohr**, Niels Henrik David, * 1885, † 1962; dänischer Physiker. Er entwickelte 1912 das erste Atommodell *(Bohr'sches Atommodell)*.

**Boje** [die], verankerter Schwimmkörper zur Kennzeichnung der Fahrrinne oder zum Festmachen von Wasserfahrzeugen.

**Bolívar**, Simón, * 1783, † 1830; südamerikanischer Unabhängigkeitskämpfer und Nationalheld. Bolívar befreite Venezuela, Kolumbien, Panama, Ecuador, Peru und Bolivien von der spanischen Herrschaft. Er wurde 1819 Präsident von Kolumbien und 1827 Diktator von Peru.

***Ländersteckbrief***
**Bolivien**

| | |
|---|---|
| **Fläche:** | 1 098 591 km² |
| **Einwohner:** | 9,4 Millionen = 9 je km² |
| **Hauptstadt:** | Sucre; La Paz (Regierungssitz) |
| **Religion:** | römisch-katholische Kirche |
| **Amtssprache:** | Spanisch, Ketschua, Aymará |
| **Währung:** | 1 Boliviano = 100 Centavos |

**Bolivien**, Staat in Südamerika.

**Landesnatur:** Die Gebirgsketten der bolivischen Anden (bis 6800 m hoch) schließen das 3000 bis 4000 m hohe Hochland *(Altiplano)* mit dem Titicacasee und dem Poopósee ein. Nach Osten fallen sie zum Gran Chaco, nach Nordosten zum Amazonastiefland ab. Im Osten ist es heiß und z. T. sehr feucht, im Hochland dagegen trocken und kühl.

**Bevölkerung:** Die Bevölkerung setzt sich aus 42% Indianern, 31% Mestizen und 14% Weißen zusammen. Die Bewohner sind vorwiegend katholisch und

*Bolivien: Im Hochland im Westen erstreckt sich der Titicacasee, mit 8288 km² der größte See Südamerikas.*

sprechen Spanisch; Indianersprachen (Ketschua, Aymará) sind weit verbreitet.

**Wirtschaft:** Im Hochland wird Viehzucht (Lamas, Rinder, Schafe) und Ackerbau für den Eigenbedarf betrieben. Die Plantagen im Tiefland liefern Kautschuk, Kakao, Zuckerrohr, Früchte, Reis und die Wälder Edelhölzer für den Export. Die wichtigsten Bodenschätze sind Erdgas und Zinn (10% der Weltförderung); daneben gibt es Blei, Zink, Gold, Silber, Kupfer u.a. Die Industrie verarbeitet die Agrar- und Bergbauprodukte.

**Geschichte:** Seit der Unabhängigkeit 1825 erlebte Bolivien nahezu 200 Putsche. Im *Salpeterkrieg* verlor Bolivien seinen Zugang zum Meer an Chile. Weitere territoriale Verluste erlitt es im *Chacokrieg* gegen Paraguay. 1982 ging die Regierungsgewalt nach langen Jahren von den Militärs auf gewählte Organe über. Staatspräsident C. *Mesa* (seit 2003) trat nach schweren Unruhen 2005 zurück. Nachfolger wurde 2006 E. *Morales*, der Führer der Kokabauern. Er leitete einen Politikwechsel ein, mit dem Ziel, die Lage der ärmeren Bevölkerungsschichten zu verbessern. 2006 ließ er eine verfassunggebende Versammlung wählen.

**Böll**, Heinrich, * 1917, † 1985; deutscher Schriftsteller. Böll setzte sich in seinen Werken kritisch mit dem Alltagsleben in der Nachkriegszeit, dem Wirtschaftswunder sowie mit Kirche und Staat auseinander. Er schrieb Romane (u.a. »Ansichten eines Clowns«, »Gruppenbild mit Dame«, »Die verlorene Ehre der Katharina Blum«), Dramen, Hörspiele, Erzählungen und Kurzgeschichten. 1972 erhielt er den Nobelpreis für Literatur.

**Bollywood** ['bɔliwud], Kurzwort aus *Bombay* und *Hollywood*; Bezeichnung für die Filmindustrie im indischen Mumbai (Bombay).

**Bologna** [bɔ'lɔŋa], Stadt in Oberitalien, 373 000 Einwohner. Bologna ist ein wichtiges Kulturzentrum und Sitz der ältesten europäischen Universität, die 1119 gegründet wurde.

**Bolschewismus** [der], von *Lenin* und *Stalin* entwickelte Form des Marxismus, die prägend für den Kommunismus in der ehemaligen Sowjetunion wurde.

**Bombay** ['bɔmbɛi], indisch *Mumbai,* Haupthafen Indiens und größte Stadt, im Norden der indischen Westküste, 11,9 Mio. Einwohner. Bombay ist der wirtschaftliche Mittelpunkt Indiens, hat jedoch aufgrund der »Bevölkerungsexplosion« zahlreiche soziale und wirtschaftliche Probleme (z.B. Wohnungsnot und Arbeitsplatzmangel).

**Bonn**, Stadt in Nordrhein-Westfalen, am Rhein, 311 000 Einwohner. Bonn war von 1949–1990 Hauptstadt der Bundesrepublik Deutschland. Durch den Staatsvertrag (1990) ging der Status der Hauptstadt auf Berlin über.

**Bonus** [der, von lat. »gut«], Sondervergütung, Rabatt, z.B. die neben der Dividende in besonders günstigen Jahren gewährte Sondervergütung an Aktionäre.

**Boom** ['bu:m, der, engl.], plötzlicher Aufschwung einzelner Wirtschaftszweige (z.B. im Baugewerbe) oder der Gesamtwirtschaft.

**Bor** [das], ein chemisches Element mit dem Zeichen B. Bor ist ein schwärzlich graues, sehr hartes Halbmetall, das in der Natur nur in Verbindungen vorkommt.

Es wird in Form der Borsäure als mildes, keimtötendes Mittel sowie als Borcarbid und Bor-Aluminium-Legierung zum Schleifen von Diamanten und Hartmetallen verwendet.

**Borgia** ['bɔrdʒa], *Borja*, spanisches Adelsgeschlecht, das im 15. Jh. in Italien Macht erlangte.

**Borke** [die], die äußerste abgestorbene Rindenschicht bei holzigen Pflanzen.

**Borkenkäfer** [der], ein 1,5–5 mm langer, braunschwarzer Waldschädling, der Bäume befällt und den größten Teil seines Lebens im Holz verbringt. Das Weibchen bohrt unter der Rinde einen Gang, von dem beidseitig Nischen abzweigen, in die es seine Eier legt. Die Larven bohren sich weiter ins Holz und richten dabei großen Schaden an.

**Borkum**, eine der → Friesischen Inseln.

**Born**, Max, * 1882, † 1970; deutscher Physiker. Er beschäftigte sich mit Optik und Relativitätstheorie und formulierte die Theorie des Kristallgitters, die die raumgitterartige Anordnung der Atome, Moleküle und Ionen in einem Kristall beschreibt. Außerdem erarbeitete er die Grundlagen der Quantenmechanik.

*Borneo: Auf der drittgrößten Insel der Welt werden Waren auf schwimmenden Märkten angeboten.*

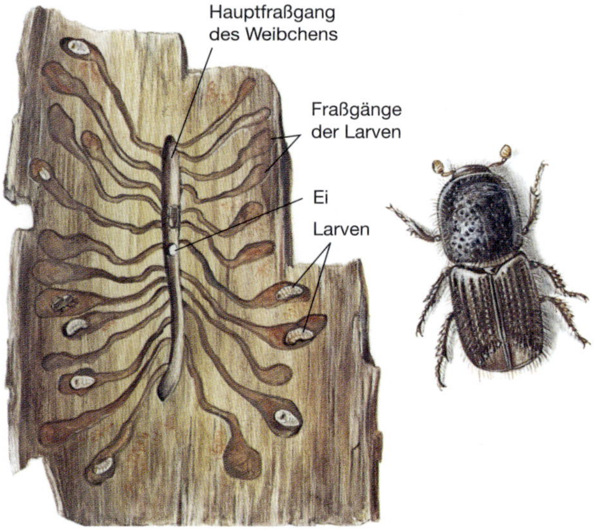


*Borkenkäfer: Der etwa 5 mm lange Buchdrucker gehört zu den gefährlichsten Waldschädlingen. Er bohrt seine Gänge vorzugsweise in Fichten.*

Zusammen mit W. *Bothe* erhielt Max Born 1954 den Nobelpreis.

**Borneo**, *Kalimantan,* größte der südostasiatischen Inseln, drittgrößte Insel der Welt, 746 950 km², über 12 Mio. Einwohner. Der Süden gehört zu Indonesien, im Norden gehören Teile zu Malaysia und Brunei. Die gebirgige Insel ist teilweise noch mit dichtem Urwald bedeckt und wirtschaftlich wenig erschlossen. In den Küstenregionen werden Reis, Zuckerrohr, Baumwolle, Kautschuk und Tabak angebaut.

**Bornholm**, dänische Ostsee-Insel, südöstlich der Südspitze von Schweden; Verwaltungssitz ist Rønne. Die 43 000 Einwohner leben besonders vom Fremdenverkehr und der Fischerei.

**Börse** [die], ein Ort, an dem Kaufleute und Makler zusammentreffen, um Wertpapiere oder Waren zu kaufen oder zu verkaufen. Die Preise *(Kurse)* werden durch Angebot und Nachfrage bestimmt. Ist das Angebot gering, steigen die Preise. Man spricht in diesem Fall von einer *Hausse.* Bei einem Überangebot sind die Preise niedrig und man spricht von einer *Baisse.*

**Bosch**, **1.** Hieronymus, eigentlich H. *van Aken*, *um 1450, † 1516; niederländischer Maler. Er stellte in seinen religiösen Bildern mit unerschöpflicher Fantasie die Versuchungen des Fleisches und die Strafen der Hölle dar. Dämonische Wesen, in denen menschliche, tierische und pflanzliche Formen ineinander übergehen, sind charakteristisch für sein Werk und sollen die Peinigung der sündigen Menschheit versinnbildlichen. **2.** Robert, * 1861, † 1942; deutscher Elektrotechniker. Er war Pionier im Bau elektrischer Ausrüstungen von Kraftfahrzeugen. 1886 gründete er in Stuttgart eine elektrotechnisch-feinmechanische Werkstatt, aus der die *Robert Bosch GmbH* hervorging, und brachte 1902 die Hochspannung-Magnetzündung für Kraftfahrzeuge heraus *(Bosch-Zünder).*

### *Ländersteckbrief* Bosnien und Herzegowina

| | |
|---|---|
| **Fläche:** | 51 197 km² |
| **Einwohner:** | 3,9 Millionen = 76 je km² |
| **Hauptstadt:** | Sarajevo |
| **Religion:** | Islam, orthodoxe Kirche, römisch-katholische Kirche |
| **Amtssprache:** | Bosnisch, Kroatisch, Serbisch |
| **Währung:** | 1 Konvertible Mark = 100 Fening |

**Bosnien und Herzegowina**, Staat in Südosteuropa.

**Landesnatur:** Im Südwesten erstreckt sich verkarstetes, waldarmes Gebirge, in der Mitte das erzreiche, dicht bewaldete Bosnische Erzgebirge, im Norden die fruchtbare und dicht besiedelte Saveniederung. Das Klima ist gemäßigt kontinental, nach Süden hin mediterrane Einflüsse.

**Bevölkerung:** Die Bosnier (rund 48%) gehören vorwiegend dem Islam, die Serben (37%) der serbisch-orthodoxen und die Kroaten (14%) der katholischen Kirche an.

**Wirtschaft:** In der Landwirtschaft Anbau von Getreide, Zuckerrüben, Obst, Tabak; Bergbau (Eisenerz, Bauxit, Braunkohle, Blei u. a.); holzverarbeitende, ferner Maschinen-, Eisen- und Stahlindustrie – Flughäfen in Sarajevo und Mostar.

**Geschichte:** Im 7. Jh. besiedelten Slawen das Gebiet. Höhepunkt der territorialen Ausdehnung des Banats Bosnien war die Erweiterung bis an die Adriaküste unter Ban *Tvrtko I.* (1353–1391). Nach der Eroberung durch die Türken 1463 gab es unter dem Adel und den Städtern große Islamisierungserfolge. 1878 kam Bosnien unter österreichische Verwaltung, wurde 1908 von Österreich in Besitz genommen *(Bosnische Krise)* und kam 1918 zum Königreich der Serben, Kroaten und Slowenen, dem späteren Jugoslawien. Im Zweiten Weltkrieg war das Gebiet Teil der von Deutschland abhängigen Republik Kroatien, 1946 wurde es Teilrepublik des Bundesstaates Jugoslawien.

Im Zuge des Zerfalls Jugoslawiens erklärte das Parlament Bosnien und Herzegowina am 15. 10. 1991 für souverän. Dieser Beschluss wurde in einem Referendum 1992 bestätigt, von der serbischen Bevölkerung aber boykottiert. Bosnische Serben und bosnische Kroaten riefen souveräne Staaten auf bosnischem Gebiet aus. Die bosnischen Serben eroberten mit Unterstützung serbisch-jugoslawischer Truppen

*Bosnien und Herzegowina: Bei Neum liegt der einzige Zugang des Landes zum Mittelmeer.*

bis Oktober 1992 rund 70% des Staatsgebiets. Internationale Vermittlungsbemühungen und der Einsatz von UN-Truppen verhinderten nicht die Eskalation der Auseinandersetzungen. Die serbischen Verbände vertrieben die Angehörigen der anderen Bevölkerungsgruppen aus den von ihnen eroberten Gebieten. Dabei wurde die Zivilbevölkerung Opfer von Gräueltaten (Massaker, Massenvergewaltigungen). Politischer Druck der USA sowie Militärschläge der NATO gegen die bosnischen Serben führten 1995 zu einem Waffenstillstand und zur Unterzeichnung des Friedensabkommens von Dayton. Bosnien und Herzegowina wurde ein einheitlicher Staat mit zwei Teilrepubliken (*Bosniakisch-Kroatische Föderation* und *Serbische Republik*). Eine internationale Friedenstruppe (*IFOR, Implementation Force*; später *SFOR, Stabilization Force*) unter NATO-Führung, zu der auch Bundeswehreinheiten gehörten, sorgte für die Umsetzung des Abkommens. Die Überwindung der Bürgerkriegsfolgen bereitete dem Land große Probleme. 2004 übernahmen die EUFOR-Streitkräfte der EU die Friedenssicherung von der NATO. Mehrfach fanden Wahlen für die Regierungen der Teilrepubliken und ein gemeinsames Parlament sowie für das Staatspräsidium statt (zuletzt 2006).

**Bosporus** [der], eine 30 km lange, 600–3000 m breite Meerenge zwischen dem Schwarzen Meer und dem Marmara meer, die Europa und Asien voneinander trennt. Am Südausgang liegt Istanbul. Seit 1973 führt eine moderne Brücke über den Bosporus, die den europäischen und den asiatischen Teil Istanbuls miteinander verbindet.

**Boston** ['bɔstən], Hauptstadt des US-amerikanischen Staates Massachusetts, 582 000 Einwohner. Boston besitzt mehrere Universitäten, darunter die berühmte Harvard-Universität.

**Botanik** [die], die Wissenschaft von den Pflanzen, ein Teilgebiet der → Biologie.

### *Ländersteckbrief* Botswana

| | |
|---|---|
| **Fläche:** | 582 000 km² |
| **Einwohner:** | 1,8 Millionen = 3 je km² |
| **Hauptstadt:** | Gaborone |
| **Religion:** | Naturreligionen, Christentum |
| **Amtssprache:** | Se Tswana, Englisch |
| **Währung:** | 1 Pula = 100 Thebe |

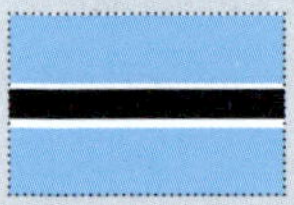

**Botswana**, Staat in Südafrika.

**Landesnatur:** Botswana besteht aus einem abflusslosen, 900–1100 m hohen Hochland *(Kalahari)*; im Nordwesten sumpfiges Okavangobecken, im Nordosten Salzpfannen (Makarikaripfanne); geringe Niederschläge im Sommer. Im Südwesten wachsen lockere Grasfluren, die nach Nordosten über Trockensavannen in laubabwerfende Trockenwälder übergehen.

**Bevölkerung:** Die Bevölkerung gehört vorwiegend zum Bantuvolk der Tswana. 30% sind Christen, der Rest v. a. Anhänger traditioneller Religionen.

**Wirtschaft:** Botswana ist einer der größten Diamantenexporteure der Erde. Andere bedeutende Ausfuhrgüter sind Kupfer, Nickel und Fleischprodukte. Von großer Bedeutung ist auch der Tourismus. Internationaler Flughafen bei Gaborone.

**Geschichte:** Das Land wurde 1885 als *Betschuanaland* britisches Protektorat. Seit 1966 ist es als Botswana unabhängige Republik. Staatspräsident ist seit 1998 F. *Mogae.*

**Botticelli** [-'tʃɛli], Sandro, eigentlich *Alessandro di Mariano Filipepi*, * 1444/1445, † 1510; italienischer Maler. Er war einer der Hauptmeister der florentinischen Renaissancemalerei und schuf religiöse, symbolische und mythologische Darstellungen. Zu seinen Hauptwerken zählt »Die Geburt der Venus«.

**Boulevard** [bul'vaːr, der, franz.], eine breite Geschäftsstraße im Zentrum einer Großstadt.

**Bourgeoisie** [burʒwa'zi, die, franz.], im Sprachgebrauch des Marxismus das wohlhabende Bürgertum.

**Boxen** [das], ein Zweikampf mit den Fäusten, den man schon im Altertum als Mittel zur körperlichen Auseinandersetzung kannte. Der moderne Faustkampf wurde um 1710 in England entwickelt. Die Boxer, die mit gefütterten Handschuhen kämpfen, werden nach Alter und Gewicht in Klassen eingeteilt. Die Kämpfe der Berufsboxer gehen über 6 bis 15 Runden (Männer) bzw. bis 10 Runden (Frauen). Die Amateurkämpfe gehen über 5 Runden à 2 min (Männer) bzw. 4 Runden à 2 min (Frauen). Die Kampfentscheidung erfolgt durch Punktsieg oder Knockout (K.o.), wenn ein Boxer nach einem Niederschlag länger als 10 Sekunden am Boden bleibt. Der Boxring ist ein Quadrat von 4,90 m bis 6,10 m Seitenlänge.

*Boxen: Wladimir Klitschko 2007 im Kampf gegen den Amerikaner Ray Austin*

**Boygroup** ['bɔigruːp], im Musikgeschäft der 1990er Jahre Gruppe junger Männer, die Gesang und Tanz kombinieren und deren Zielgruppe v. a. weibliche Teenager sind.

**Boykott** [der, engl.], der wirtschaftliche, politische oder soziale freiwillige Verzicht auf Kontakt, Handel oder Ähnliches. Dadurch soll eine Person, ein Unternehmen oder ein Staat zu Maßnahmen oder Handlungen veranlasst werden. So können z. B. Staaten durch einen Handelsboykott einen anderen Staat zur Einhaltung der Menschenrechte auffordern.

**Br**, chemisches Zeichen für das Element → Brom.

**Brahmanen** [Pl.], Mitglieder der obersten → Kaste der Hindus.

**Brahms**, Johannes, * 1833, † 1897; deutscher Komponist der Spätromantik. Brahms war zunächst als Pianist und Chorleiter, später als Konzertleiter tätig. Er sammelte und bearbeitete Volkslieder und schuf bedeutende Klavierkompositionen, Kammermusik, Orchester- und Chorwerke (u. a. 4 Sinfonien). Bekannt sind vor allem die »Ungarischen Tänze« und das Chorwerk »Ein deutsches Requiem«.

**Braille** [braj], Louis, * 1809, † 1852; französischer Blindenlehrer. Er gilt als Erfinder der Blindenschrift. Selbst als Kind erblindet, entwickelte er die ursprünglich von dem Offizier C. *Barbier* für militärische Zwecke erfundene »Nachtschrift« weiter und vereinfachte sie. Es entstand die sogenannte *Braille-Schrift*, die 1829 die international gültige Form der Blindenschrift wurde.

**Bramante**, Donato, * 1444, † 1514; italienischer Architekt und Maler. Er war führender Baumeister der italienischen Hochrenaissance. Von ihm stammt der erste Entwurf zum Neubau des Petersdoms in Rom, ein Projekt, dessen Bauleiter er bis zu seinem Tode war.

**Brandenburg**, seit 1990 Bundesland im Osten von Deutschland, das durch viele Seen, Sumpfgebiete und künstliche Wasserstraßen gekennzeichnet ist. Hauptstadt ist *Potsdam*. Brandenburg ist 29 477,16 km² groß und hat 2,6 Mio. Einwohner. Es war das Kernland von Preußen, 1945–1990 gehörte es zur DDR.

**Branding** ['brændiŋ], in der Wirtschaft die Kennzeichnung neuer Produkte mit Markennamen bzw. die Schaffung einer Markenidentität für eine Produktreihe.

***Wer war …***

## Willy Brandt

Der deutsche Politiker Willy Brandt, ursprünglich *Herbert Ernst Karl Frahm* (* 1913, † 1992), war 1969–1974 Bundeskanzler. Er betätigte sich während der Gymnasialzeit in der Sozialistischen Arbeiterjugend und 1931 in der Sozialistischen Arbeiterpartei (SAP). 1933 emigrierte er nach Norwegen, von dort 1940 nach Schweden. Er arbeitete in der Exil-SAP und als politischer Journalist. Nach der Ausbürgerung durch das nationalsozialistische Deutschland war er 1940–1948 norwegischer Staatsbürger. Nach Kriegsende kehrte Brandt nach Deutschland zurück und ließ sich 1948 wieder einbürgern. 1957–1966 war er Regierender Bürgermeister von Berlin, 1964–1987 Vorsitzender der SPD, 1966–1969 Außenminister einer großen Koalition mit der CDU. 1969 wurde Brandt Bundeskanzler einer SPD-FDP-Koalition. 1972 überstand er nur knapp ein Misstrauensvotum der Opposition. 1974 übernahm er für das Eindringen des DDR-Spions Günter *Guillaume* in den Kreis seiner engsten Mitarbeiter die politische Verantwortung und trat als Bundeskanzler zurück. 1976 wurde er Präsident der Sozialistischen Internationale. Er war Alterspräsident des ersten gesamtdeutschen Bundestags.

*Willy Brandts historischer Kniefall vor dem Mahnmal der Opfer des Warschauer Ghettos am 7. Dezember 1970*

Brandt, der sich als Bürgermeister wirkungsvoll für die Freiheit und Lebensfähigkeit Westberlins eingesetzt hatte, förderte als Außenminister im Rahmen der Entspannungspolitik neben der Westintegration besonders die Verbesserung des Verhältnisses zu den östlichen Nachbarn. Als Bundeskanzler intensivierte er die Ostpolitik (1970 Verträge mit der Sowjetunion und Polen, 1973 mit der Tschechoslowakei). Als wichtige Geste der Aussöhnung wurde sein Kniefall 1970 vor dem Mahnmal des Warschauer Ghettos verstanden. Im Verhältnis zur DDR suchte er ein »geregeltes Nebeneinander« herbeizuführen (1970 Treffen mit DDR-Ministerpräsident Willi Stoph in Erfurt und Kassel, 1972 Grundvertrag über die Beziehungen zwischen der Bundesrepublik Deutschland und der DDR). Im Innern leitete die Regierung Brandt viele gesellschaftspolitische Reformen ein. 1971 erhielt Brandt den Friedensnobelpreis für seine »Politik der Versöhnung zwischen alten Feindländern«.

**Brasília**, seit 1960 die Hauptstadt von Brasilien, 2,3 Mio. Einwohner. Brasília wurde nach hochmodernen Plänen seit 1957 aufgebaut.

### *Ländersteckbrief* Brasilien

| | |
|---|---|
| **Fläche:** | 8 547 404 km² |
| **Einwohner:** | 188,9 Millionen = 22 je km² |
| **Hauptstadt:** | Brasília |
| **Religion:** | römisch-katholische Kirche |
| **Amtssprache:** | Portugiesisch |
| **Währung:** | 1 Real = 100 Centavos |

**Brasilien**, Staat in Südamerika.

**Landesnatur:** Brasilien ist flächenmäßig der größte Staat Südamerikas. Das feuchtheiße, von dichtem Regenwald bestandene Amazonastiefland ist das größte tropische Waldgebiet der Erde. Nach Süden hebt sich das Land zum mäßig feuchten Brasilianischen Berg- und Tafelland (bis 2890 m). Im äußersten Norden hat Brasilien Anteil am Bergland von Guyana (bis 3014 m).

*Brasilien: Rio de Janeiro, Blick auf den Zuckerhut und die Bucht von Botafogo*

**Bevölkerung:** 54% sind Weiße, 39% Mischlinge, 6% Schwarze; asiatische und indianische Minderheiten. Die Bewohner sind überwiegend katholisch. Rund 78% leben in den Küstenstaaten des Südens und Südostens.

**Wirtschaft:** Die Landwirtschaft liefert für die Ausfuhr v. a. Kaffee, Kakao, Baumwolle, Sisal, Zuckerrohr und Tabak. Aus den Wäldern werden Hölzer, Kautschuk, Nüsse, Harze, pflanzliche Wachse und Öle gewonnen. Die Viehzucht (v. a. Rinder) ist ebenfalls von Bedeutung. Die reichen und vielfältigen Bodenschätze sind erst z. T. erschlossen. Erdöl und Kohle werden in steigendem Maß gefördert und exportiert. Wichtig sind die Metall- und Maschinen-, chemische, Textil-, Leder-, Papier-, Nahrungsmittel- und Tabakindustrie. Der Export von industriellen Fertigwaren nimmt zu. Für den steigenden Energiebedarf wurden am Parana und Tocantins große Wasserkraftwerke angelegt. – Das Eisenbahn- und Straßennetz ist nur in den Küstenstaaten des Nordens und Ostens sowie im Süden ausreichend dicht. Im Innern spielt das gut ausgebaute Flugnetz eine wichtige Rolle.

**Geschichte:** Brasilien wurde 1500 von P. A. *Cabral* für Portugal in Besitz genommen. 1822 erklärte sich Brasilien unter dem portugiesischen Kronprinzen *Dom Pedro (Pedro I.)* für unabhängig von Portugal. Die Abschaffung der Sklaverei führte 1889 zum Sturz des Kaisertums und zur Einführung der Republik. 1942 trat Brasilien auf alliierter Seite in den Zweiten Weltkrieg ein. Unter der Präsidentschaft von J. *Kubitschek* (1956–1961) entstand die Hauptstadt Brasília. 1964–1985 regierte das Militär. 1988 wurde eine neue sozialstaatlich geprägte Verfassung verabschiedet. 1989 wählte die Bevölkerung F. *Collor de Mello* zum Staatspräsidenten. Er musste 1992 aufgrund einer Korruptionsaffäre zurücktreten. Nachfolger wurde I. *Franco*. Die Präsidentenwahl 1994 gewann F. H. *Cardoso*. 1998 wurde er als erster Präsident seit der Rückkehr des Landes zur Demokratie von den Wählern im Amt bestätigt. Bei den Wahlen 2002 siegte die linke Opposition. L. I. *Lula da Silva* wurde neuer Staatspräsident (Wiederwahl 2006).

**Bratislava**, *Preßburg*, Hauptstadt der Slowakei, an der Donau, 452 000 Einwohner.

**Bratsche** [die], *Viola*, ein Streichinstrument, das etwas größer als eine Geige ist. Die Bratsche ist tiefer gestimmt und klingt dunkler.

**Braun**, Wernher Freiherr von, * 1912, † 1977; deutscher Raketenkonstrukteur. Während des Zweiten Weltkriegs entstand unter seiner Leitung die erste Flüssigkeits-Großrakete der Welt. Nach dem Zweiten Weltkrieg ging Braun in die USA und wurde dort zu einem der führenden Raketen- und Raumfahrtfachleute. Er entwickelte die Rakete, mit der 1958 Amerikas erster künstlicher Erdsatellit in eine Erdumlaufbahn gebracht wurde. Unter seiner Leitung entstand die Saturn-Rakete, die die erste Mondlandung einleitete.

**Braunkohle** [die] → Kohle.

**Braunschweig**, Stadt in Niedersachsen, an der Oker, im nördlichen Harzvorland, 245 000 Einwohner. Braunschweig wurde im 9. Jh. gegründet und war später eine Hansestadt.

**BRD**, Abkürzung für Bundesrepublik Deutschland, → Deutschland.

*Wer war …*
**Bert(olt) Brecht**

*Bertolt Brecht, deutscher Schriftsteller und marxistischer Systemkritiker*

Bert(olt) Brecht (* 1898, † 1956) war ein deutscher Schriftsteller. Als einflussreichster Dramatiker und Theatertheoretiker des 20. Jahrhunderts gehören seine Stücke bis heute zu den meistgespielten des deutschsprachigen Theaters. Er entwickelte und beschrieb eine neue Form des politischen Theaters, das sogenannte epische Theater, das v.a. eine Veränderung der gesellschaftlichen Verhältnisse herbeiführen sollte. Dazu zerlegte Brecht die klassische geschlossene Spielhandlung in eine offene Folge loser Szenen und regte den Zuschauer durch Verfremdungseffekte zu einer kritisch-distanzierten Betrachtung des Bühnengeschehens an. Brecht schrieb über 30 Theaterstücke, ca. 1300 Gedichte und Songs, vereint in seinen Gedichtsammlungen »Hauspostille« und »Svendborger Gedichte«, sowie Prosa. Zu seinen wichtigsten Dramen gehören »Die Dreigroschenoper« (1928), »Die heilige Johanna der Schlachthöfe« (1932), »Mutter Courage und ihre Kinder« (1939), »Der gute Mensch von Sezuan« (1943) und »Der kaukasische Kreidekreis« (1944).

Brecht stammte aus begüterten Verhältnissen und wurde nach einem kurzen Medizinstudium Dramaturg und Schriftsteller. In den 1920er Jahren wandte er sich dem Marxismus zu. Brecht floh 1933 nach der Machtübernahme der Nationalsozialisten aus Deutschland und hielt sich ab 1941 in den USA auf. Nach dem Krieg ließ er sich in Ostberlin nieder, wo er zusammen mit seiner Frau, der Schauspielerin Helene Weigel, ab 1949 das Berliner Ensemble am Theater am Schiffbauerdamm leitete.

**Brechung** [die], die Richtungsänderung eines Lichtstrahls beim Übergang von einem Stoff in einen anderen. Auch → Optik.

**Brehm**, Alfred Edmund, * 1829, † 1884; deutscher Zoologe und Forschungsreisender. Die Ergebnisse seiner Forschungen legte er vor allem in seinem Hauptwerk »Brehms Tierleben« dar.

**Breitenkreis** [der] → Gradnetz.

**Bremen**, **1.** kleinstes deutsches Bundesland, am Unterlauf und Mündungstrichter der Weser, 404,23 km$^2$, 663 000 Ein wohner. **2.** Hafenstadt an der Weser, 545 000 Einwohner. Bremen ist zweitwichtigster Handelshafen Deutschlands. Die Stadt besitzt zahlreiche historische Bauwerke, z. B. den Dom St. Petri (1043) und das gotische Rathaus mit Renaissancefassade. Wahrzeichen der Stadt ist die Rolandsäule auf dem Marktplatz. Bremen gehörte seit 1358 zur Hanse und ist seit dem Kampf gegen Schweden 1646 Freie Reichsstadt.

**Bremse** [die], eine Vorrichtung zum Verlangsamen einer Bewegung (bis zum Stillstand). Bremsen bei Fahrzeugen wirken meist durch Reibung. Dabei werden Bremsbacken an die Wände einer Bremstrommel *(Backenbremsen)* oder Bremsklötze gegen eine Scheibe *(Scheibenbremsen)* gepresst. Die nötige Kraft wird nur noch selten mechanisch (z. B. durch Gestänge oder Seilzug) übertragen, sondern meist hydraulisch oder durch Druckluft. Autos haben meist Scheibenbremsen, Eisenbahnen Druckluftbremsen.

**Bremsen** [Pl.], über die ganze Erde verbreitete Familie der Fliegen. Die Männchen saugen Blütennektar, die Weibchen saugen das Blut von Warmblütern und können dabei Krankheiten übertragen.

**Brennpunkt** [der], *Fokus;* in der Optik der Punkt, in dem sich parallel einfallende Lichtstrahlen nach Brechung durch eine Linse oder Reflexion an einem Hohlspiegel treffen. Der Abstand des Brennpunktes vom Mittelpunkt der Linse ist die *Brennweite.*

**Breschnew** [-ʒnjɛf], Leonid Iljitsch, * 1906, † 1982; sowjetischer Politiker. Er war langjähriges Staatsoberhaupt der Sowjetunion und von 1964 bis zu seinem Tod Parteichef der Kommunistischen Partei KPdSU. Seine Politik zielte auf Stabilisierung des Regimes, strategischen Gleichstand mit den USA durch Aufrüstung, aber auch auf Entspannung des Verhältnisses zum Westen.

**Bretagne** [bre'tanjə, die], im Nordwesten Frankreichs vorspringende Halbinsel mit stark gegliederter, inselreicher Steilküste. Die größte Stadt ist *Rennes.* Die

Menschen in der Bretagne leben vor allem von Landwirtschaft und Fischerei. In den Sommermonaten herrscht reger Fremdenverkehr. Die Bretagne ist nach den im 5. und 6. Jh. eingewanderten keltischen Briten benannt, deren Nachkommen, die *Bretonen,* noch auf der Halbinsel leben.

*Bretagne: An der Küste nördlich von Nantes wird bis heute auf traditionelle Weise Salz gewonnen.*

**Briefgeheimnis** [das], das Verbot für Unbefugte (Personen, die nicht Absender oder Empfänger sind), einen Brief zu öffnen. Die Verletzung des Briefgeheimnisses kann strafrechtlich verfolgt werden.

**Briefmarke** [die], ein amtliches Zahlungsmittel für Postgebühren in Form eines losen, bedruckten, aufklebbaren Papierstücks. Briefmarken haben durch den Aufdruck einen bestimmten Wert. Sie werden auf Briefe, Postkarten, Pakete u. Ä. geklebt und von der Post durch einen Stempel entwertet. Erste Postwertzeichen wurden 1607 in Venedig herausgebracht. Sie bestanden aus besonders bedrucktem Briefpapier, das von den Kunden gekauft und benutzt werden musste. 1653 wurden von der Pariser Stadtpost Streifbänder herausgegeben, die »billet« genannt wurden und mit dem Absendedatum und dem Wert bedruckt waren. Die Idee, Postsendungen durch aufklebbare Postmarken freizumachen, die der Absender bezahlt, kam aus England. So wurden 1840 in Großbritannien die ersten Briefmarken herausgegeben. Sie hatten einen Wert von 1 Penny oder 2 Pence und trugen ein *Wasserzeichen.* In Deutschland erschien die erste Briefmarke 1849 in Bayern. Kurz nach dem Erscheinen der ersten Briefmarken wurden sie ein Gegenstand des Sammelns *(Philatelie).* Der Wert einer Briefmarke hängt außer von ihrem Zustand auch davon ab, wie selten sie ist.

**Brillant** [bril'jant, der, franz., »glänzend«], Edelstein, meist ein Diamant, der in einer besonderen Form geschliffen ist und an den Schliffflächen blitzt und funkelt.

**Brille** [die], Augengläser zur Korrektur von Augenfehlern oder zum Schutz der Augen (z. B. vor Sonne oder bei bestimmten Arbeiten vor Funken und Staub). Bei Kurzsichtigkeit wird eine Zerstreuungslinse (Konkavlinse) verschrieben, bei Weitsichtigkeit eine Sammellinse (Konvexlinse). Die Stärke von Brillengläsern wird in *Dioptrien* angegeben.

**Brillenschlange** [die] → Kobra.

**Brocken** [der], höchster Berg im Harz, 1142 m; Granitkuppe, die mit arktisch-alpiner Vegetation über die Baumgrenze aufragt. Der Berg ist der Schauplatz zahlreicher Volkssagen. Heute befindet sich dort eine Wetterwarte.

**Brom** [das, griech., »Gestank«], ein chemisches Element mit dem Zeichen Br. Brom ist eine rotbraune, schleimhautreizende, Dämpfe entwickelnde, ätzende Flüssigkeit. Es gehört zur Gruppe der Halogene und kommt in der Natur nur gebunden vor, meist zusammen mit Chlor. Bromverbindungen werden als Nerven- und Schlafmittel benutzt. *Silberbromid* ist der wirksamste Bestandteil der lichtempfindlichen Beschichtung von Fotomaterial.

**Brombeere** [die], ein Strauch aus der Familie der Rosengewächse mit Stacheln und glänzend schwarzen Früchten. Er wächst besonders als dichtes Gestrüpp an Waldrändern.

**Bronchien** [Pl.], die beiden Äste der Luftröhre, die in die Lunge führen. Sie spalten sich in immer feinere Äste auf und enden schließlich in den Lungenbläschen. Als *Bronchitis* bezeichnet man eine Entzündung der Bronchien.

**Bronze** [die], eine Kupfer-Legierung (Mischung), vor allem mit Zinn, aber auch mit anderen Metallen. Bronze wird besonders für Maschinen und Glocken verwendet.

**Bronzezeit** [die], ein Zeitabschnitt der Vorgeschichte, in Europa etwa das 2. Jahrtausend v. Chr., der der *Jungsteinzeit* folgte. Vor der Bronzezeit hatten die Menschen unter großer Mühe Werkzeug und auch Waffen aus Stein hergestellt, die jedoch bei Belastungen leicht zerbrachen. Um 2000 v. Chr. lernten sie durch das Erhitzen von metallhaltigen Steinen an Lagerfeuern durch Zufall das Metall Kupfer kennen. Aus Kupfer ließen sich im weichen Zustand leicht kunstvolle Geräte und auch scharfe Waffen herstellen. Doch das Kupfer war zu weich für Belastungen und zerbrach schnell. Schließlich lernten die Menschen, das Kupfer durch Beimischung von etwa einem Teil Zinn auf 9 Teile Kupfer härter und damit widerstandsfähiger zu machen. Aus dieser Mischung war die → Bronze entstanden. Die Bronzezeit wurde von der *Eisenzeit* abgelöst.

*Brombeere: reife Früchte am Strauch*

*Bronzezeit: Der Goldene Hut von Schifferstadt entstand in der mittleren bis späten Bronzezeit; Historisches Museum der Pfalz*

**Browser** [brauzə], Programm zum schnellen Durchblättern und Navigieren sowie zur Auswahl von Dokumenten im Internet.

**Bruch** [der], eine rationale Zahl, der Quotient zweier ganzer Zahlen (a, b) mit der Schreibweise $\frac{a}{b}$ oder a/b; a ist der *Zähler,* b ist der *Nenner.* Der Bruchstrich steht anstelle der Teilungspunkte. Bei einem *echten Bruch* ist der Zähler kleiner als der Nenner, bei einem *unechten Bruch* größer. Bei einem *Dezimalbruch* ist der Nenner

### *Genauer betrachtet ...*
## Brücke

**Die Brücken mit den größten Spannweiten sind:**

| Name | Land | größte Spannweite (m) | Baujahr |
|---|---|---|---|
| Akashi Kaikyo | Japan | 1991 | 1998 |
| Große Beltbrücke | Dänemark | 1624 | 1997 |
| Runyang | China | 1490 | 2005 |
| Humber | Großbritannien | 1410 | 1981 |
| Jiangyin | China | 1385 | 1998 |
| Tsing Ma | China | 1377 | 1997 |
| Verrazano-Narrows | USA | 1298 | 1964 |
| Golden Gate | USA | 1280 | 1937 |
| Höga-Kusten | Schweden | 1210 | 1997 |

*Brücke: Die 1997 fertiggestellte Tsing Ma-Brücke in Hongkong hat eine Spannweite von 1377 m.*

10 oder eine Potenz von 10, z. B. $\frac{5}{10}$, $\frac{2}{100}$. Diese Brüche können auch als Dezimalzahl geschrieben werden: 0,5, 0,02.

**Brücke** [die], ein Bauwerk zum Überführen von Straßen, Eisenbahnen u. Ä. über Flüsse, Täler u. a. Hindernisse. Je nach Form und Konstruktion unterscheidet man beispielsweise Hängebrücken, Bogenbrücken und Klappbrücken. Auch →»Genauer betrachtet«.

**Bruckner**, Anton, * 1824, † 1896; österreichischer Komponist. Bruckner war zunächst Domorganist und Professor am Wiener Konservatorium. Er wurde einer der größten Sinfoniker. Wichtigste Werke: 10 Sinfonien, darunter die »Romantische«, 3 Messen und weitere geistliche und weltliche Chorwerke, z. B. das »Te Deum«.

**Bruegel** ['brɔygl], *Breughel, Brueghel,* Pieter der Ältere, *um 1525, † 1569; bedeutender niederländischer Maler, der besonders Landschaften und das Leben der Bauern malte.

### *Ländersteckbrief*
## Brunei

| | |
|---|---|
| **Fläche:** | 5765 km² |
| **Einwohner:** | 382 000 = 66 je km² |
| **Hauptstadt:** | Bandar Seri Begawan |
| **Religion:** | Islam, Buddhismus, Christentum |
| **Amtssprache:** | Malaiisch |
| **Währung:** | 1 Brunei-Dollar = 100 Cents |

**Brunei**, Staat in Südostasien.

Das Sultanat im Norden Borneos besteht aus einer feuchtheißen Küstenebene, an die ein Hügelland angrenzt. Die Bewohner sind vorwiegend Malaien, daneben Chinesen, 3% sind Dajak; der Islam ist Staatsreligion. Wichtigstes Wirtschaftsprodukt ist Erdöl.

**Geschichte:** 1888 wurde Brunei britisches Protektorat. 1971 erhielt es innere Autonomie. Seit 1984 ist es unabhängiges Sultanat. Staats- und Regierungschef ist seit 1967 Sultan *Hassanal Bolkiah.*

**Brunelleschi** [-'lɛski], *Brunellesco*, Filippo, * 1377, † 1446; italienischer Baumeister und Bildhauer. Er war der einflussreichste Baukünstler der Renaissance. Sein Schaffen war besonders auf dem Gebiet des Kirchenbaus bahnbrechend; er gilt außerdem als Erfinder der Perspektivkonstruktion.

**Brunnen** [der], eine Anlage zur Gewinnung von Grundwasser für Trink- oder Nutzzwecke. Es gibt *Schachtbrunnen* mit einem gemauerten Schacht, der bis zum Grundwasser reicht. Bei einem *Rohrbrunnen* wird das Bohrloch mit einem Metallrohr ausgekleidet und das Wasser hochgepumpt. Bei einem *artesischen Brunnen* tritt das Wasser unter Druck aus einem Bohrloch aus.

**Brunst** [die], beim Hochwild auch *Brunft;* die geschlechtliche Erregung vieler Säugetiere vor der Paarung, die zu bestimmten, immer wiederkehrenden Zeiten auftritt.

**Brüssel**, Hauptstadt von Belgien, 999 900 Einwohner, Sitz vieler Einrichtungen der Europäischen Union und des NATO-Rats. Bekannt ist der Marktplatz mit gotischem Rathaus und zahlreichen Barock- und Renaissancegebäuden.

**Brust** [die], allgemein der obere Vorderteil beim Menschen oder die vordere Hälfte des Rumpfes der Wirbeltiere, der durch den *Brustkorb* gebildet wird. Der menschliche Brustkorb besteht aus 12 Brustwirbeln, 12 Rippenpaaren und dem *Brustbein.* Im engeren Sinne die weibliche Brust; sie besteht aus Fettgewebe und den beiden Brustdrüsen (Milchdrüsen), die in den Brustwarzen enden.

*Brunei: Die Moschee der Hauptstadt Bandar Seri Begawan in der Abenddämmerung*

**brüten**, das Wärmen der abgelegten Eier von Tieren, besonders bei Vögeln, damit sie sich entwickeln können. Oft werden kunstvolle Nester gebaut. Meist brüten die Weibchen, seltener werden sie vom Männchen abgewechselt.

**brutto** [ital.], ohne Abzug; das Gewicht von Ware mit Verpackung. Der Bruttolohn ist der Lohn ohne Abzüge; Gegensatz: *netto.*

**Bruttosozialprodukt** [das], heute *Bruttonationaleinkommen*, alle in Geld erfassbaren Waren und Dienstleistungen, die in einer Volkswirtschaft in einem bestimmten Zeitraum (meist 1 Jahr) geschaffen werden.

**BSE**, Abkürzung für *Bovine Spongiforme Enzephalopathie,* → Rinderwahnsinn.

**Buch** [das], gebundenes oder geheftetes Druckwerk größeren Umfangs. Die ältesten Vorläufer des Buches waren die assyrischen und babylonischen *Tontafeln.* Ägypter, Griechen und Römer schrieben auf zusammengeklebte, später aufgerollte *Papyrusblätter.* Im 4. Jh. n. Chr. setzte sich das *Pergament* endgültig durch. Im Mittelalter wurden alle Bücher (meist von Mönchen) mit der Hand geschrieben und oft mit prächtigen Initialen (Anfangsbuchstaben) und Miniaturen (farbigen Bildern) geschmückt, was äußerst zeitaufwändig war. Erst die Erfindung des Papiers und des *Buchdrucks* führten zu einer größeren Verbreitung des Buches. Diese Entwicklung wurde durch die Erfindung der Schnellpresse noch weiter beschleunigt.

## *Was ist der ...* Buchdruck

Buchdruck ist allgemein das Drucken von Büchern, im Gegensatz zur handschriftlichen Fertigung. Im Besonderen das Verfahren des Hochdrucks, das von Johannes *Gutenberg* ab 1440 entwickelt wurde und das eine Drucktechnik bezeichnet, bei der alle Teile, die Druckfarbe annehmen und abgeben sollen, zu den nichtdruckenden Teilen erhöht stehen.

**Frühere Vervielfältigungsmöglichkeiten:** Bis zur Entwicklung geeigneter Druckverfahren wurden Texte mühevoll abgeschrieben. Ende des 14. Jahrhunderts gelangte die Technik des Holztafeldrucks über die Araber nach Westeuropa. Sie nutzt das Verfahren des Holzschnitts: Bilder und Schriftzeichen wurden gemeinsam in eine Form aus Lindenholz geschnitten, die eingefärbt und auf feuchtes Papier gedruckt wurde. Da sich auf der Rückseite Schattierungen der Schrift abzeichneten, konnten die Blätter nur einseitig bedruckt werden. Anschließend wurden je zwei Blätter mit der unbedruckten Seite zusammengeklebt und gebunden. Etwa zur gleichen Zeit löste Papier, das in China erstmals 105 n. Chr. hergestellt wurde, das Pergament als Beschreibstoff ab. Die erste deutsche Papiermühle wurde um 1390 in Nürnberg gegründet.

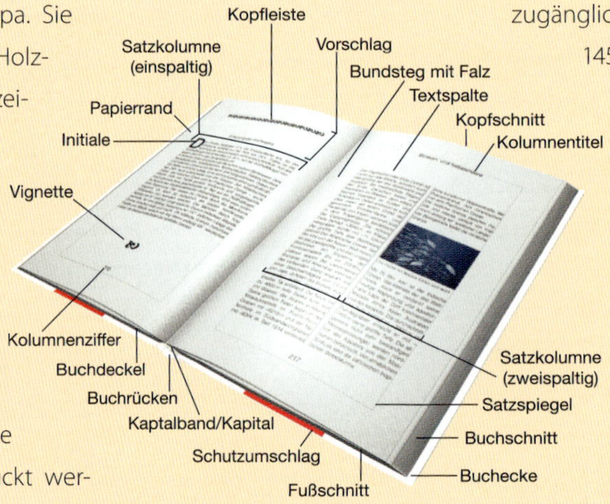

*Schematische Darstellung der Teile eines Buches*

**Gutenbergs Erfindung:** Johannes Gutenberg gilt als Erfinder des Buchdrucks mit beweglichen Lettern. Mit seinem um 1440 konstruierten Handgießinstrument ließen sich in großen Mengen und mit hoher Genauigkeit einzelne, immer wieder verwendbare Bleilettern herstellen, die zeitsparend zu Zeilen und Seiten zusammengefügt werden konnten. Damit war die schnelle Herstellung von Texten in großer Auflage möglich. Besonders die *Reformation* profitierte von dieser technischen Revolution, da von nun an durch erschwingliche Textausgaben Wissen für jedermann zugänglich wurde. Zwischen 1452 und 1456 druckte Gutenberg rund 180 Exemplare seiner berühmten Bibel; bis 1500 hatte sich der Buchdruck über die Verkehrs- und Handelswege in ganz Europa verbreitet, das Buch war zum Massenmedium geworden.

**Vom Hochdruck zum Digitaldruck:** Bis in die 1970er Jahre war der Hochdruck das bestimmende Druckverfahren. Dann wurde er durch den bereits Anfang des 20. Jahrhunderts erfundenen Offsetdruck weitgehend ersetzt. Hierbei wird eine gleichmäßig flachen Druckform mit Wasser leicht angefeuchtet und mit fetthaltiger Farbe eingewalzt, wobei nur die zu druckenden Teile die Farbe annehmen, die nichtdruckenden, feuchten Teile stoßen sie ab. Diese Methode wird auch Flachdruck genannt. Beim Tiefdruck liegen die zu druckenden Teile vertieft. Das beim Drucken gegen die Druckform gepresste angefeuchtete Papier übernimmt die Farbe durch Saugwirkung. Der Siebdruck ist ein Durchdruckverfahren, bei dem die Farbe durch ein feinmaschiges Sieb auf den Bedruckstoff gepresst wird. Den Digitaldruck zeichnet aus, dass Text- und Bildinformationen, die als digitale Daten vorliegen, direkt in den Computer der Druckmaschine eingespeist werden und keine konventionelle Druckformherstellung vor dem Druck erforderlich ist. Bei der Computer-to-Print-Technik wird gar keine ständige Druckform erstellt, die Daten werden vielmehr vor dem Druck in einer Zwischenablage gespeichert (Laserdrucker) oder das Papier wird direkt beschrieben (Tintenstrahl- oder Thermodrucker).

**Buche** [die], ein europäischer Laubbaum aus der Familie der Buchengewächse. Buchen haben hohe, schlanke Stämme mit silbergrauer, glatter Rinde und rötlichem Holz.

**Buchfink** [der], häufigster einheimischer Finkenvogel, der in Laubgehölzen, Parks und Gärten lebt.

**Büchner**, Georg, * 1813, † 1837; deutscher Dramatiker. Als Student griff er 1834 in politische Kämpfe in Hessen ein und verfasste sozialistische Kampfschriften. In seiner 1835 veröffentlichten Tragödie »Dantons Tod« beschäftigt er sich mit der Französischen Revolution.

**Budapest**, Hauptstadt von Ungarn, an der Donau, 1,7 Mio. Einwohner. Am rechten Ufer der Donau liegt der Stadtteil *Buda* mit Burg, Krönungskirche und der Zitadelle, am linken Ufer der Stadtteil *Pest* mit Parlament, Oper und Ringstraßen um die Altstadt.

**Buddha** [Sanskrit, »der Erleuchtete«], eigentlich *Siddhartha* mit dem Beinamen *Gautama,* *um 560 v. Chr., †um 480 v. Chr. Er gilt als der Begründer des Buddhismus.

## *Was ist …* Buddhismus

Buddhismus ist die von *Buddha* (sanskritisch für »der Erleuchtete«) im 6. Jh. v. Chr. gestiftete und nach ihm benannte Religion. Sie ist mit rund 350 Millionen Gläubigen die viertgrößte Weltreligion. Der Buddhismus, der in Indien seinen Ursprung hat, will den Menschen von seinem irdischen, durch einen Kreislauf aus Geburt, Tod und Wiedergeburt bestimmten Dasein erlösen und ihn zur absoluten Befreiung führen *(Nirvana)*. Voraussetzung für die Erlösung ist die Überwindung seiner »Daseinsgier«; der Weg dorthin führt vor allem über die *Meditation*. Es gibt drei Hauptrichtungen, die sich vor allem in der Ver-

*Ein Lehrer unterrichtet Novizen.*

mittlung der Heilslehre unterscheiden: 1. den Hinayana- oder Theravada-Buddhismus (Sri Lanka, Myanmar, Thailand, Kambodscha, Laos, Vietnam); 2. den im 1. Jh. in Indien entstandenen und besonders in Ostasien verbreiteten Mahayana-Buddhismus, zu dem auch der Zen-Buddhismus gehört; 3. den indischen Vajrayana-Buddhismus mit seinen durch *Gurus* vermittelten Meditationspraktiken (u. a. Mantras, Mandala-Grafiken). Eine Sonderform ist der *Lamaismus,* der v. a. in Tibet, Nepal und Bhutan verbreitet is, und an dessen Spitze der *Dalai Lama* steht.

**Buddhas Heilslehre:** Mit 29 Jahren verließ der indische Fürstensohn Siddhartha seine Heimat, um sich in einem asketischen Leben von der äußeren Welt zu lösen. Am Ende wurden ihm die »vier heiligen Wahrheiten« des Buddhismus offenbart: 1. Alles Dasein ist Leiden, 2. »Daseinsgier« ist die Ursache des Leidens, 3. das Leiden kann durch die Beseitigung dieser Gier aufgehoben werden, 4. dazu muss der Gläubige sich in Selbstzucht üben. Der Buddhismus kennt also keinen Gott und Weltenschöpfer, sondern verehrt Buddha als Menschen, der sich von allen Wünschen und Begierden losgesagt und Erlösung im unendlichen Nirvana gefunden hat. Seinem Beispiel eifert der Gläubige nach. Das Ende des dauerhaften Leidens wird also nicht durch einen göttlichen Gnadenakt oder einen Erlöser herbeigeführt, sondern allein durch die Anstrengung des einzelnen Menschen. Der Weg zur Überwindung des Leidens ist an verschiedene, durch Weisheit, Ethik und Meditation zu erreichende Bedingungen geknüpft: 1. rechtes Verstehen (der Lehre Buddhas), 2. rechtes, auf Bescheidenheit und Gewaltverzicht gerichtetes Denken; 3. rechtes Reden, 4. rechtes Handeln, 5. rechtes Leben (das keinem Wesen schadet), 6. rechtes Streben (nach einem von störenden Einflüssen frei gehaltenen Geist), 7. rechte Achtsamkeit (auf Gefühle, Gedanken und körperliche Abläufe), 8. rechte (meditative) Versenkung.

*Die Lehre Buddhas ist in Asien weit verbreitet.*

**Schulen und Riten:** Die sich um die Schüler Buddhas sammelnden Gemeinschaften entwickelten jeweils eigene Lehren und Bräuche. Im Theravada-Buddhismus sorgen in Armut und Keuschheit lebende Mönchs- und Nonnenorden für die geistige Unterweisung und Belehrung der nach Erlösung strebenden Gläubigen. Die Mönche fassten im 1. Jahrhundert v. Chr. die bisher nur mündlich überlieferte buddhistische Lehre schriftlich zusammen. Im Mahayana-Buddhismus, der sich von der Vermittlung des Heils durch Mönche lösen wollte, dienen dem Gläubigen zahlreiche sogenannte Bodhisattvas (Wesen, die auf der Vorstufe zum Buddha stehen) als Helfer auf dem Weg zur Erleuchtung. Nach dieser Schule sind alle Wesen künftige Buddhas. Für alle Buddhisten gelten fünf ethische Grundregeln: Nicht töten, stehlen, lügen, Ehe brechen und keinen Alkohol trinken. Für die Ordensangehörigen bestehen weitere, noch strengere Sittengebote. Neben der buddhistischen Lehre genießen Stätten, in denen Buddha gewirkt hatte und auch seine Fußabdrücke besondere Verehrung. Überreste seines verbrannten Leichnams wurden zunächst in Grabhügeln aufbewahrt, diese werden Stupas genannt. Spätere Stupas, z T. als Pagoden gebaut, enthielten Reliquien u. a. heilige Gegenstände. Verehrt wird Buddha durch Opfergaben (vor allem durch Blumen, Kerzen, Weihrauch) und die rituelle Umrundung eines Stupas.

*Buenos Aires: In der Millionenmetropole lebt rund ein Drittel der argentinischen Bevölkerung.*

**Budget** [byːˈdʒeː, das, franz.] → Haushaltsplan.

**Buenos Aires**, Hauptstadt Argentiniens, an der Mündung des Río de la Plata, 11,5 Mio. Einwohner (mit Vororten). Viele prunkvolle Bauten (z. B. Regierungspalast) prägen das Stadtbild.

**Büffel** [Pl.], Wildrinder mit weit ausladenden Hörnern und bis 1,80 m hohem, tonnenförmigem Rumpf. Zu den Büffeln gehört der südasiatische *Wasserbüffel* und der etwas kleinere afrikanische *Kaffernbüffel.*

*Büffel: Wasserbüffel leben in Südostasien stellenweise noch wild.*

**Bug** [der], das Vorderteil eines Schiffes.

**Bukarest**, Hauptstadt von Rumänien, 1,9 Mio. Einwohner. Die Stadt ist kultureller und wirtschaftlicher Mittelpunkt des Landes sowie ein wichtiges Handels- und Industriezentrum Südosteuropas.

### *Ländersteckbrief*
### Bulgarien

| | |
|---|---|
| **Fläche:** | 110 910 km² |
| **Einwohner:** | 7,7 Millionen = 69 je km² |
| **Hauptstadt:** | Sofia |
| **Religion:** | orthodoxe Kirche, Islam |
| **Amtssprache:** | Bulgarisch |
| **Währung:** | 1 Lew = 100 Stótinki |

**Bulgarien**, Staat in Südosteuropa.

**Landesnatur:** An die lößbedeckte Kreidetafel südlich der Donau schließen sich der Balkan (bis 2376 m hoch) und das fruchtbare Ostrumelische Becken an. Im Süden liegen die hochgebirgsartigen, dicht bewaldeten Rhodopen. Steilküsten und Sandstrände bilden den Abschluss zum Schwarzen Meer. Nördlich des Balkans herrschen warme Sommer und kalte Winter vor, die im Süden ihre Wirkung verlieren.

**Bevölkerung:** Die Bevölkerung setzt sich zu 83,5% aus Bulgaren, 9,5% Türken und 5% Roma zusammen. 86% sind orthodox, 13% islamisch.

*Bulgarien: Der Badeort Nesebâr am Schwarzen Meer; seine historische Altstadt zählt zum Weltkulturerbe.*

**Wirtschaft:** Die Landwirtschaft liefert Tabak, Obst, Wein, Gemüse und Rosenöl für den Export. Viehhaltung wird besonders in den Gebirgen betrieben. An Bodenschätzen gibt es v. a. Braunkohle, Eisenerz, Blei und Zink; Lebensmittel-, Schwer-, Textil-, Tabak- und chemische Industrie. – Die Donau ist ein wichtiger Verkehrsträger, Schwarzmeerhäfen sind Varna und Burgas; Flughäfen in Sofia, Plovdiv, Varna und Burgas.

**Geschichte:** 680 drang das Turkvolk der Bulgaren unter *Asparuch* auf dem Balkan ein und gründete das *Donaubulgarische Reich* (681–1018). Nach byzantinischer Herrschaft entstand das *Zweite Bulgarische Reich von Tirnowo* (1187–1393 bzw. 1396), das dann an die Türken fiel. Der *Berliner Kongress* 1878 errichtete ein Fürstentum Bulgarien, das dem Sultan tributpflichtig blieb. *Ferdinand I.* erklärte 1908 die Lösung von der Türkei und nahm den Zarentitel an. Nach den Balkankriegen 1912/1913 erlitt Bulgarien Gebietsverluste. Es schloss sich im Ersten Weltkrieg den Mittelmächten und im Zweiten Weltkrieg den Achsenmächten an. 1944 wurde Bulgarien sowjetisch besetzt, 1946 Volksrepublik unter G. *Dimitroff.* Zar *Simeon II.* ging ins Exil. Von 1954 bis 1989 stand T. *Schiwkow* an der Spitze der bulgarischen Kommunistischen Partei (war 1971–1989 auch Staatsoberhaupt). Reformorientierte Kräfte erzwangen seinen Rücktritt. 1991 verabschiedete das Parlament eine demokratische Verfassung. Staatspräsident wurde 1996 P. *Stojanow,* den 2001 G. *Parwanow* ablöste. 2004 wurde Bulgarien Mitglied der NATO. Seit 2005 ist S. *Stanischew* (Bulgarische Sozialistische Partei) Ministerpräsident des Landes, das 2007 EU-Mitglied wurde.

**Bulimie** [die], eine psychosomatische Erkrankung. Die Betroffenen versuchen, Heißhungeranfälle, die mit unkontrollierter Nahrungsaufnahme einhergehen, durch ein künstlich herbeigeführtes Erbrechen zu korrigieren.

**Bumerang** [der], gebogenes Wurfholz, das in schraubenförmigen Windungen fliegt und bei Verfehlen des Ziels zum Werfer zurückkehrt. Ursprünglich benutzten die Eingeborenen Australiens den Bumerang als Waffe, heute wird er vorwiegend als Sportgerät verwendet.

**Bundesgerichtshof** [der], oberstes Bundesgericht in Deutschland, das in letzter Instanz über Zivil- und Straf sachen entscheidet. Der Bundesgerichtshof ist in Karlsruhe.

**Bundesgrenzschutz** [der], die Sonderpolizei in der Bundesrepublik Deutschland zur Sicherung des Bundesgebietes gegen unbefugte Grenzübertritte; kann auch in Fällen des inneren Notstands eingesetzt werden. 2005 wurde der Bundesgrenzschutz umbenannt in die *Bundespolizei.*

**Bundeskanzler** [der], in der Bundesrepublik Deutschland und in Österreich der Chef der Bundesregierung, in der Schweiz der Chef der Bundeskanzlei. In der Bundesrepublik Deutschland wird der Bundeskanzler auf Vorschlag des *Bundespräsidenten* vom *Bundestag* gewählt. Er schlägt dem Bundespräsidenten die

Bundesminister zur Ernennung und Entlassung vor und ernennt einen Bundesminister zu seinem Stellvertreter. Die Politik der Bundesregierung wird durch ihn bestimmt. Der Bundestag kann dem Bundeskanzler und damit der Regierung sein Misstrauen nur aussprechen, indem er mit der Mehrheit seiner Mitglieder einen Nachfolger wählt (»konstruktives Misstrauensvotum«). Siehe auch ZEIT-Beitrag → »Bundeskanzler: König sein ist einfacher«, Seite 170–173.

**Bundesland** [das], der einzelne Gliedstaat eines *Bundesstaats.*

**Bundesliga** [die], in der Bundesrepublik Deutschland höchste Leistungsklasse im Sport. In der Bundesliga wird der deutsche Meister der betreffenden Sportart ermittelt.

**Bundesminister** [der], ein *Minister* in der Regierung eines Bundesstaates. Die Bundesminister werden auf Vorschlag des Bundeskanzlers vom Bundespräsidenten ernannt.

**Bundespräsident** [der], das Staatsoberhaupt von Bundesstaaten, so in der Bundesrepublik Deutschland, in Österreich und in der Schweiz. In Deutschland wird der Bundespräsident von der *Bundesversammlung* auf 5 Jahre gewählt. Es ist nur eine Wiederwahl möglich. Der Bundespräsident schlägt dem Bundestag den Bundeskanzler zur Wahl vor und ernennt und entlässt ihn nach der Entscheidung des Parlaments. Außerdem ernennt und entlässt er die Bundesminister auf Vorschlag des Bundeskanzlers sowie hohe Bundesbeamte und Bundesrichter. Der Bundespräsident vertritt die Bundesrepublik im Ausland. – In Österreich wird der Bundespräsident vom Volk für 6 Jahre gewählt. Seine Aufgaben entsprechen denen des Bundespräsidenten in Deutschland. In der Schweiz ist er Vorsitzender des Bundesrats und wird von der Bundesversammlung für ein Jahr gewählt.

*Bumerang: Richtig geworfen kann das Wurfholz eine Strecke von bis zu 200 Metern zurücklegen.*

**Bundesrat** [der], die Länderkammer von Bundesstaaten. In der Bundesrepublik Deutschland besteht der Bundesrat aus gewählten Vertretern der Bundesländer, die bei der Gesetzgebung und Verwaltung mitwirken. Der Bundesrat hat insgesamt 68 Mitglieder; die Mitgliederzahl entspricht der Stimmenzahl. Jedes Land hat mindestens 3 Stimmen (Hamburg, Bremen, Mecklenburg-Vorpommern, Saarland), Länder mit mehr als 2 Mio. Einwohnern haben 4 Stimmen (Hessen, Schleswig-Holstein, Rheinland-Pfalz, Brandenburg, Sachsen-Anhalt, Berlin, Sachsen, Thüringen), Länder mit mehr als 6 Mio. Einwohnern 6 Stimmen (Baden-Württemberg, Bayern, Nordrhein-Westfalen, Niedersachsen).

**Bundesregierung** [die], die Regierung eines Bundesstaates. In der Bundesrepublik Deutschland die aus dem → Bundeskanzler und den → Bundesministern bestehende Regierung, auch Kabinett genannt.

**Bundesrepublik Deutschland**, Abkürzung *BRD*, → Deutschland.

**Bundesstaat** [der], Zusammenschluss mehrerer Länder zu einem Gesamtstaat. Die Länder sind in einzelnen Bereichen selbständig (z. B. in der Bildungspolitik) und haben eine eigene Verwaltung. Ihre Gesetze müssen jedoch in Übereinstimmung mit denen des Gesamtstaates stehen, da dieser die absolute Hoheitsgewalt (z. B. in Fragen der Außenpolitik) besitzt. Bundesstaaten sind u. a. Deutschland, Österreich, die Schweiz und die Vereinigten Staaten von Amerika.

Angela Merkel ist die erste deutsche Bundeskanzlerin – und auf Gruppenfotos von Staatschefs oft die einzige Frau

**Bundeskanzler**

# *König sein ist einfacher*

**Von Matthias Krupa**

Was Könige machen, davon erzählen Abenteuergeschichten und Märchen: Sie wohnen in einem Schloss, sitzen dort auf einem Thron und haben eine Krone auf dem Kopf. Wenn es ein Problem gibt, etwa weil die Tochter oder der Sohn heiraten möchte, sagt der König, was zu tun ist. Es gibt Geschichten über große, tapfere Könige wie Richard Löwenherz von England und solche über kleine, lustige Gestalten wie Alfons den Viertel-vor-Zwölften, der Lummerland regiert. Über Bundeskanzler gibt es keine Märchen.

Bundeskanzler sieht man im Fernsehen oder in der Zeitung. Meistens ähneln sich die Bilder: Der Kanzler steht vor einem Mikrofon und redet; der Kanzler trifft jemanden und schüttelt ihm die Hand; der Kanzler steigt in sein Auto und fährt fort. Das Auto fährt er übrigens nicht selbst, er hat einen Fahrer, weshalb er meist hinten einsteigt. Seit dem 22. November 2005 hat Deutschland allerdings keinen Kanzler mehr, sondern zum ersten Mal eine Kanzlerin: Angela Merkel.

## *Eine Frau unter lauter Männern*

Die Bilder sind seitdem etwas interessanter geworden – weil Angela Merkel oft die einzige Frau unter lauter Männern ist. Das war auch so, als sich die Staatsführer der G8-Länder 2007 in Heiligendamm an der Ostsee trafen, um über weltweite Probleme zu beraten. Ein Bild zeigt die Chefs der Gruppe der Acht – Deutschland, Frankreich, Italien, Großbritannien, Kanada, Japan, USA und Russland – in einem riesigen Strandkorb. Die sieben Männer in ihren dunklen Anzügen kann man kaum unterscheiden, nur Angela Merkel in ihrem grünen Blazer hebt sich gut ab. Aber was die Bundeskanzlerin den ganzen Tag macht, das kann man auf solchen Bildern natürlich nicht erkennen.

## Wie wird man Bundeskanzler?

Die Bundeskanzlerin (oder der Bundeskanzler) regiert. Sie hat dieselbe Aufgabe, die früher ein König hatte: Sie ist die Chefin des Landes. Es gibt zwar auch noch einen Bundespräsidenten (und eines Tages vielleicht auch eine Bundespräsidentin!), der offiziell die Nummer 1 im Staate ist, was man unter anderem daran erkennen kann, dass sein Auto das Kennzeichen 0-1 hat und das der Bundeskanzlerin nur die 0-2. Aber eigentlich hat der Bundespräsident nicht viel zu sagen. Wenn es ein Problem gibt, zum Beispiel wenn viele Menschen keine Arbeit haben, kein Geld verdienen und deshalb nicht wissen, wie sie ihre Wohnung bezahlen sollen, dann muss die Bundeskanzlerin sagen, was zu tun ist. Sie muss sich überlegen, wie neue Arbeitsplätze geschaffen werden können. Jedenfalls erwarten das die Menschen von ihr. Aber die Bundeskanzlerin (oder der Bundeskanzler) hat es dabei viel schwerer als ein König. Das fängt damit an, wie man Bundeskanzler wird. König wird man, wenn man das Kind eines Königs ist. Ist man hingegen zufällig der Sohn einer Krankenschwester, hat man keine Chance. Bundeskanzler dagegen kann jeder werden, egal ob er arm oder reich ist und unabhängig davon, was die Eltern machen. Der Vater von Angela Merkel ist Pfarrer, ihre Mutter Lehrerin. Sie selbst hat Physik studiert, bevor sie Politikerin wurde. Die Mutter von Gerhard Schröder, der vor Angela Merkel Bundeskanzler war, hat als Putzfrau gearbeitet.

Weil jeder Bundeskanzler werden kann und viele es werden wollen, wird gewählt. Und zwar zweimal. Erst wählen alle Deutschen, die älter als 18 Jahre sind, das Parlament: den Bundestag. Sie bestimmen rund 600 Frauen und Männer, die für sie Politik machen, das sind die Abgeordneten. Und diese Abgeordneten wählen dann den Bundeskanzler. Spätestens nach vier Jahren wird neu gewählt. Auch das ist anders als bei einem König: Ein König bleibt so lange, bis er stirbt – oder bis er keine Lust mehr hat und freiwillig

*Konrad Adenauer, der erste Bundeskanzler, kam erst mit 73 Jahren ins Amt und regierte, bis er 87 war*

zurücktritt. Oder bis die Leute ihn vom Thron stoßen. Aber was tut ein Bundeskanzler nun, wenn er gewählt ist, außer Hände schütteln und im Strandkorb sitzen?

Als Erstes sucht er sich eine Reihe von Frauen und Männern, die ihm helfen, das sind seine Minister. Mit ihnen trifft er sich, meistens mittwochs, um über die Probleme, die es im Land gibt, zu sprechen und zu überlegen, wie man sie lösen kann. Auch hiervon gibt es häufig Bilder im Fernsehen: Man sieht dann 20 Frauen und Männer, die an einem großen ovalen Tisch sitzen. Den Stuhl der Bundeskanzlerin erkennt man daran, dass er in der Mitte steht und etwas höher ist als die der anderen. Außerdem entscheidet die Kanzlerin, wann es losgeht und wer reden darf.

Die Minister sind für verschiedene Themen zuständig. So gibt es einen Minister für Verkehr, einen für die Polizei und einen, der sich um das Geld kümmert. Nur der Bundeskanzler ist für alles zuständig: Das nennt man »Richtlinienkompetenz«. Wenn ein Minister vorschlägt, dass alle Menschen zwei Jahre länger arbeiten sollen, bis sie in Rente gehen dürfen, dann sagt der Kanzler, ob er das gut findet oder nicht. Allein entscheiden kann er über diesen Vorschlag allerdings nicht. Denn über jedes Gesetz, das der Kanzler und seine Minister beschließen, stimmen auch die Abgeordneten im Bundestag noch einmal ab. Die Macht des Bundeskanzlers hat klare Grenzen. Weshalb manch einer, der Bundeskanzler war, schon mal heimlich davon geträumt hat, ein König zu sein.

Kanzlerinnen (und Kanzler) schwören bei Amtsantritt einen Eid

## Eine dramatische Abstimmung

Wenn es ganz schlimm kommt, können die Abgeordneten den Bundeskanzler sogar abwählen. Sie müssen dann aber einen neuen Kandidaten vorschlagen. Das haben sie bislang erst zweimal versucht. Das erste Mal, 1972, hieß der Bundeskanzler Willy Brandt, er war Mitglied der SPD. Im Ausland wurde Willy Brandt sehr geschätzt. Die amerikanische Zeitschrift *Time* wählte ihn zum »Mann des Jahres«, und 1971 bekam er sogar den Friedensnobelpreis.

Brandt hatte sich sehr dafür eingesetzt, dass Ost- und Westdeutschland, die damals noch getrennt waren, wieder näher zusammenrückten. Aber in Westdeutschland war seine Politik sehr umstritten, weshalb die Abgeordneten der CDU einen anderen Kandidaten als Bundeskanzler vorschlugen. Sie hofften auf Unterstützung durch

*Angela Merkels Arbeitsplatz: Das Bundeskanzleramt in Berlin*

einige SPD- und FDP-Abgeordnete. Am 1. Oktober 1972 schlugen sie deshalb im Bundestag Rainer Barzel vor, und es kam zu einer dramatischen Abstimmung. Alle Abgeordneten mussten auf einen Zettel schreiben, wen sie lieber als Bundeskanzler hätten. Als der Präsident des Bundestags das Ergebnis vorlas, war es mucksmäuschenstill. Schließlich bekam Rainer Barzel zwei Stimmen zu wenig. Willy Brandt blieb im Amt.

## Von Adenauer bis Merkel

Insgesamt hat es in Deutschland seit 1949 acht Bundeskanzler gegeben. Erst haben sie nur in Westdeutschland regiert; seit Ost- und Westdeutschland wieder zusammengehören, sind sie für das ganze Land verantwortlich.

Der erste Bundeskanzler nach dem Krieg hieß Konrad Adenauer. Er war schon 73 Jahre alt, als er überhaupt anfing zu regieren, und hat erst mit 87 Jahren wieder aufgehört. Nach ihm kamen die Kanzler Ludwig Erhard und Kurt Georg Kiesinger; alle drei waren Mitglieder der CDU. Willy Brandt war der erste Bundeskanzler der SPD. Sein Nachfolger war Helmut Schmidt (auch SPD). Manchmal tritt er noch heute im Fernsehen auf. Schmidt wurde 1982 tatsächlich abgewählt. Er verlor die Abstimmung im Bundestag mit 235 zu 256 Stimmen gegen Helmut Kohl (CDU). Der wurde viermal wiedergewählt, blieb also insgesamt 16 Jahre Kanzler. 1998 wurde er dann von Gerhard Schröder (SPD) abgelöst. Und seit 2005 regiert die Christdemokration Angela Merkel.

Am Ende ihrer Amtszeit, wenn sie aufhören zu regieren, wird von den Kanzlern ein Ölbild gemalt. Den Maler dürfen sie sich selber aussuchen. Dieses Bild wird dann dort aufgehängt, wo sie vorher gearbeitet haben, im Kanzleramt. Eine Ahnengalerie in Öl: Das sieht dann doch ein bisschen aus wie bei Königs.

**Bundestag** [der], *Deutscher Bundestag,* das Parlament der Bundesrepublik Deutschland, als Gesetzgebungsorgan des Bundes und als Repräsentanz des Volkswillens das wichtigste Verfassungsorgan. Er wird vom Volk für 4 Jahre gewählt. Der Bundestag hat die Aufgabe, Gesetze zu verabschieden, den Bundeskanzler zu wählen und die Regierung zu kontrollieren.

**Bundesverfassungsgericht** [das], höchstes Gericht der Bundesrepublik Deutschland mit Sitz in Karlsruhe. Es entscheidet u. a. über verfassungsrechtliche Streitigkeiten und über die Vereinbarkeit von Bundes- und Landesrecht mit dem Grundgesetz, über Verfassungsbeschwerden und über die Verfassungswidrigkeit von Parteien.

**Bundesversammlung** [die], in der Bundesrepublik Deutschland hat sie die Aufgabe, den *Bundespräsidenten* zu wählen. Sie besteht aus den Mitgliedern des Bundestags und einer gleichen Zahl von Mitgliedern, die von den Volksvertretungen der Länder gewählt werden. Die Bundesversammlung Österreichs ist das höchste Organ des Staates, ihr ist der Bundespräsident verantwortlich. Sie besteht aus dem *Nationalrat* (Parlament) und dem *Bundesrat* (Länderkammer). Die Bundesversammlung der Schweiz ist die aus dem *Nationalrat* und dem *Ständerat* bestehende Volksvertretung.

*Bungeejumping: Ein Springer kurz nach dem Absprung*

**Bundeswehr** [die], die Streitkräfte der Bundesrepublik Deutschland, bestehend aus den Teilstreitkräften Heer, Luftwaffe und Marine, der Streitkräftebasis und dem Sanitätsdienst; Befehlsgewalt hat der Bundesminister der Verteidigung, im Verteidigungsfall der Bundeskanzler. Für die Bundeswehr besteht die *allgemeine Wehrpflicht* der Männer vom 18. Lebensjahr an. Der Grundwehrdienst dauert derzeit 9 Monate. Die Wehrpflicht kann durch waffenlosen Dienst in der Bundeswehr oder durch → Zivildienst erfüllt werden. Seit 2001 können auch Frauen freiwillig »Dienst an der Waffe« leisten.

**Bündnis 90/Die Grünen**, eine 1993 durch Verschmelzung des *Bündnis 90* mit *Den Grünen* entstandene Partei. Die seit 1980 als Partei bestehenden Grünen haben den Umweltschutz und die Frauenpolitik als ihre politischen Schwerpunkte gewählt. Nach der ersten gesamtdeutschen Bundestagswahl 1990 vereinigten sich die Grünen (West) und die Grünen (Ost). Die aus der Bürgerrechtsbewegung der ehemaligen DDR (Bündnis 90) und den Grünen entstandene neue Partei setzt sich besonders für den Umweltschutz (Ausstieg aus der Atomenergie) und die Menschenrechte ein. 1998–2005 bildeten Bündnis 90/Die Grünen zusammen mit der SPD die Regierung.

**Bungeejumping** ['bʌndʒi:dʒʌmpiŋ], Extremsportart oder Freizeitvergnügen, wobei ein dehnbares Seil an den Füßen eines Springers befestigt wird, der sich von einer Brücke o. Ä. frei fallen lässt.

**Bunsenbrenner** [der], von R. *Bunsen* (* 1811, † 1899) konstruierter Gasbrenner mit Luftregelung. Das aus einer Düse in ein Rohr einströmende Gas

*Burg Conway in Gwynedd, Wales*

saugt durch die im Rohr befindlichen Löcher Luft an. Das mit der Luft vermischte Gas brennt oberhalb der oberen Öffnung des Rohres mit fast farbloser, nicht rußender, sehr heißer Flamme. Der Bunsenbrenner wird in Chemielaboren zur Erzeugung hoher Temperaturen verwendet.

**Buren** [Pl.], die Nachfahren der seit 1652 ins südafrikanische Kapland eingewanderten niederländischen und deutschen Siedler.

**Burg** [die], eine mittelalterliche Wehranlage, die ihren Benutzern zugleich als Wohnung diente. Im Mittelalter wurden Burgen meist auf Anhöhen und Bergen, aber auch als Wasserburgen errichtet. Die Anlagen wurden von schützenden Mauern umgeben. Einige Burgen hatten hohe Wart- oder Wachttürme. Das Frauengemach war die *Kemenate.* Zur Burg gelangte man manchmal durch eine Vorburg *(Zwinger)* oder über eine Zugbrücke.

**Bürger** [Pl.], ursprünglich Bewohner einer Burg. Etwa seit dem 12. Jh. waren die Bürger die Schicht der freien Gewerbetreibenden (Kaufleute und Handwerker) in der Stadt (im Unterschied zum Adel, zur Geistlichkeit und zu den Bauern). Sie waren in Gilden oder Zünften organisiert, bildeten eine eigene Geisteshaltung heraus und wurden nach der Aufhebung der Zunftschranken zum Träger des industriellen Fortschritts. In der Französischen Revolution gelang es dem Bürgertum, den Adel aus seiner alleinigen Machtposition zu drängen und seine Ziele (Freiheit, Gleichheit, Brüderlichkeit) in der Staatsform der Demokratie durchzusetzen. Das Bürgertum der heutigen Zeit ist der sogenannte Mittelstand, bestehend aus beispielsweise Angestellten, Beamten, kleineren und mittleren Unternehmern.

**Bürgerliches Gesetzbuch**, Abkürzung *BGB,* das Zivilrecht (Privatrecht) der Bundesrepublik Deutschland, seit dem 1. 1. 1900 in Kraft.

***Ländersteckbrief***
**Burkina Faso**

| | |
|---|---|
| **Fläche:** | 274 200 km² |
| **Einwohner:** | 13,6 Millionen = 50 je km² |
| **Hauptstadt:** | Ouagadougou |
| **Religion:** | Naturreligionen, Islam, Christentum |
| **Amtssprache:** | Französisch |
| **Währung:** | CFA-Franc |

**Burkina Faso**, Staat in Westafrika.

**Landesnatur:** Der Binnenstaat in Westafrika ist ein vorwiegend von Trockensavanne bedecktes Hochland;

wechselfeuchtes, tropisches Klima mit nach Süden zunehmenden Niederschlägen.

**Bevölkerung:** Die Bewohner sind v. a. Mossi, ferner Fulbe, Mande, Tuareg u. a. Über die Hälfte sind Anhänger traditioneller Religionen, 43% Muslime, 12% Christen.

**Wirtschaft:** Wichtig ist die Landwirtschaft mit Anbau von Baumwolle (63% der Gesamtausfuhr), Sesam, Erdnüssen und Tabak für den Export, Viehzucht; Abbau von Gold, Manganerz und Kalkstein; kunsthandwerkliche Kleinbetriebe. – Internationale Flughäfen in Ouagadougou und Bobo-Dioulasso.

**Geschichte:** Das seit dem 15. Jh. bestehende Kaiserreich der *Mossi* wurde 1897 französisch besetzt. 1919 wurde die französische Kolonie *Obervolta* gebildet. 1960 wurde das Gebiet unabhängig, 1984 in Burkina Faso umbenannt. Staatschef ist seit 1987 B. *Compaoré* (1998 und 2005 wiedergewählt).

**Bürokratie** [die], das Beamtenwesen. Im übertragenen Sinn nennt man auch das starre Festhalten an Verwaltungsvorschriften Bürokratie.

*Burkina Faso: Mehr als 80% der erwerbstätigen Bevölkerung sind in der Landwirtschaft tätig.*

### *Ländersteckbrief*
### Burundi

| | |
|---|---|
| **Fläche:** | 27 834 km² |
| **Einwohner:** | 7,8 Millionen = 281 je km² |
| **Hauptstadt:** | Bujumbura |
| **Religion:** | Christentum, Naturreligionen |
| **Amtssprache:** | Kirundi, Französisch |
| **Währung:** | 1 Burundi-Franc = 100 Centimes |

**Burundi**, Staat in Ostafrika.

**Landesnatur:** Burundi ist ein mäßig warmes und feuchtes Hochland, das vorwiegend von Savannen eingenommen wird und zu den dichtest besiedelten Gebieten Afrikas zählt. Im Westen hat Burundi Anteil am Tanganjikasee.

**Bevölkerung:** Rund 80% der Bevölkerung gehören zum Bantuvolk der Hutu, die Ackerbau treiben, 19% zum Hirtenvolk der Tutsi. Über 65% sind Christen, der Rest Anhänger traditioneller Religionen.

**Wirtschaft:** Die Landwirtschaft dient fast ausschließlich der Selbstversorgung. Kaffee und Tee werden ausgeführt. Der Außenhandel wird über den Hafen von Bujumbura am Tanganjikasee abgewickelt.

**Geschichte:** Im 15. Jh. entstand in Burundi der südlichste der Hima- oder Tutsi-Staaten. Burundi kam 1890 zu Deutsch-Ostafrika, 1919 zusammen mit Rwanda als Völkerbundsmandat unter belgischer

Herrschaft (seit 1946 UN-Treuhandgebiet). Am 1. 7. 1962 wurde Burundi unabhängige Monarchie, 1966 erfolgte die Umwandlung in eine Republik.

Burundi wird stark durch den blutigen Dauerkonflikt (seit 1993 über 300 000 Tote) zwischen der Bevölkerungsmehrheit der Hutu und der herrschenden Schicht der Tutsi belastet. Eine 2000 in Arusha getroffene Friedensvereinbarung sollte die innenpolitischen Verhältnisse entspannen. Staatspräsident ist seit 2005 P. *Nkurunziza*.

**Busch**, Wilhelm, *1832, †1908; deutscher humoristischer Schriftsteller und Zeichner. Busch wurde berühmt durch seine Bildergeschichten in Versen. Sie wenden sich gegen Scheinmoral und falsche Frömmigkeit. Hauptwerke: »Max und Moritz«, »Hans Huckebein«, »Die fromme Helene«, »Fipps der Affe«, »Maler Klecksel«.

**Buschleute** [Pl.], Wildbeutervolk in Südafrika. Die einstigen Ureinwohner dieses Gebietes wurden von Bantustämmen und Europäern teils vernichtet, teils in die Kalahari abgedrängt.

**Bush** [buʃ], George Walker, Sohn von George Herbert Bush, *1946; US-amerikanischer Politiker (Republikaner). Seit 2001 ist er der 43. Präsident der USA. Seine erste Amtszeit stand im Zeichen der Anschläge vom 11. 9. 2001, auf die er mit Verkündigung eines Krieges gegen den internationalen Terrorismus reagierte und danach das Talibanregime in Afghanistan sowie die Diktatur Husseins im Irak beseitigen ließ. In der Innenpolitik senkte die Bush-Regierung die Steuern und führte eine Bildungsreform durch.

*Burundi: Ein buntes Bild bietet der Markt von Bujumbura.*

**Bussarde** [Pl.], Greifvögel mit kurzen Schwänzen und breiten Flügeln, die ausgezeichnet segeln können. Der bekannteste Vertreter ist der *Mäusebussard,* der über ganz Mitteleuropa und weite Teile Asiens verbreitet ist. Er kreist stundenlang über bewaldeten Talhängen und Waldrändern und hält nach Beute (Mäuse, Ratten, Maulwürfe, Schlangen) Ausschau. Er wird bis zu 56 cm lang und erreicht eine Spannweite bis 125 cm. Der Bussard baut seinen Horst (Nest) in hohen Baumkronen.

**Butter** [die], ein Speisefett aus Milch. Durch Abschöpfen oder Ausschleudern in der Zentrifuge wird Rahm gewonnen; es bleibt Magermilch zurück. Die Fettanteile aus dem Rahm werden durch verschiedene Verfahren zur Butter zusammengepresst. Bei diesem Vorgang bleibt die Buttermilch zurück. Butter enthält neben den Fettanteilen etwa 14% Wasser sowie Salz.

**Byrd** [bəːd], Richard, *1888, †1957; US-amerikanischer Polarforscher. Byrd überflog 1926 als erster Mensch den Nordpol und erforschte in zahlreichen Expeditionen die Antarktis.

**Byte** [bait, das], eine Einheit der Datenverarbeitung, die 8 Bits (→ Bit) umfasst.

**Byzantinisches Reich**, das Oströmische Reich, die östliche Hälfte des Römischen Reichs, das 395 n. Chr. in einen westlichen und einen östlichen Teil zerfiel. Hauptstadt war *Byzanz (Konstantinopel).* Es umfasste das Gebiet des heutigen Bulgarien, Rumänien und Griechenland, die kleinasiatischen Provinzen und Ägypten. Das Byzantinische Reich war von der griechischen Kultur und vom Christentum geprägt. Erst im Mittelalter verlor das Reich seine Macht und 1453 fiel es an die Türken.

**Byzanz** → Byzantinisches Reich, → Istanbul.

C

**C**, **1.** dritter Buchstabe des Alphabets (Konsonant). **2.** römisches Zahlzeichen für 100. **3.** Kurzzeichen für Celsius und Coulomb. **4.** chemisches Zeichen für → Kohlenstoff.

**Ca**, chemisches Zeichen für → Calcium.

**CAD**, Abkürzung für englisch **c**omputer-**a**ided **d**esign (»computerunterstütztes Konstruieren«), die Konstruktion technischer Produkte mit der Hilfe eines Computers. Der Computer übernimmt dabei Routinearbeiten und kann unterschiedliche Möglichkeiten durchrechnen.

**Cadmium** [das], ein chemisches Element mit dem Zeichen Cd. Cadmium ist ein silberweißes Schwermetall und kommt gebunden als Beimengung in Zinkerzen vor. Es wird zur Herstellung leicht schmelzender Legierungen und für rostschützende Überzüge verwendet. Cadmiumsulfid gibt Malerfarbe einen gelben Farbton.

**Cage** [kɛidʒ], John, * 1912, † 1992; US-amerikanischer Komponist. Er gilt als führender Vertreter der revolutionären Avantgarde, experimentierte mit dem Zufallsprinzip und der Einbeziehung von Alltagsgeräuschen. Zu seinen Werken gehören u. a. »Bacchanale«, »Notations« und das Hörspiel »Roaratorio«.

**Calcium** [das], *Kalzium,* ein chemisches Element mit dem Zeichen Ca. Calcium ist ein silberweißes, glänzendes Erdalkalimetall. Es kommt als Kalkstein, Kreide, Marmor, Gips oder z. B. als Flussspat vor. Für Mensch und Tier spielt es eine wichtige Rolle beim Stoffwechsel oder beim Aufbau der Knochen und Zähne.

**Calcutta**, *Kalkutta,* seit 2001 *Kolkata,* eine indische Stadt im Ganges-Delta, 4,6 Mio. Einwohner, mit Vororten 12,2 Mio. Einwohner. Die Stadt ist eines der größten Ballungsgebiete Indiens mit schweren sozialen Problemen.

**Callas**, Maria, eigentlich M. *Kalogeropoulos,* * 1923, † 1977; griechische Sängerin. Als Sopranistin setzte sie mit ihrer technisch vollendeten Stimme neue Maßstäbe und hatte ab 1947 Welterfolge in Europa und den USA. Für viele verkörperte sie das Urbild der Primadonna.

*Calcutta: Der Jain-Tempel ist überreich mit Ornamenten verziert.*

**Calvin**, Johannes, eigentlich Jean *Cauvin,* * 1509, † 1564; schweizerischer Kirchenreformator. In seiner Vorbestimmungslehre vertrat er die Ansicht von der Vorbestimmung des Menschen zur Seligkeit oder Verdammnis.

**CAM**, Abkürzung für englisch **c**omputer-**a**ided **ma**nufacturing (»computerunterstützte Fertigung«), die Steuerung der technischen Fertigung durch Computer.

**Cambridge** ['kɛimbridʒ], eine englische Universitätsstadt, 131 000 Einwohner. Die Universität wurde im 13. Jh. gegründet und ist neben Oxford die bedeutendste in England.

**Camcorder** [der, Zusammensetzung aus engl. **ca**mera und re**corder**], ein tragbares Gerät, in dem eine Videokamera und ein Videorekorder kombiniert sind.

**Campagne** [kam'panjə, die] → Kampagne.

**Camus** [ka'my:], Albert, * 1913, † 1960; französischer Schriftsteller, der von der Philosophie des *Existenzialismus* beeinflusst war. Er stellt den von Gott verlassenen, auf sich selbst zurückgeworfenen Menschen dar, der vergeblich nach einem Sinn für sein Leben sucht. Er erhielt 1957 den Nobelpreis für Literatur. Zu seinen Hauptwerken gehören: »Der Mythos von Sisyphos«, »Der Fremde«, »Die Pest«.

**Canberra** [kænbərə], die Hauptstadt von Australien, 321 000 Einwohner. Die planmäßig angelegte Stadt wurde 1911 gegründet.

**Cannabis** [der], wissenschaftlicher Name für die Hanfpflanze, aus der Haschisch und Marihuana gewonnen werden.

**Canyon** ['kænjən, der, engl., von span. cañon, »Röhre«], ein steilwandiges, von einem Fluss in weiches Gestein eingegrabenes, schluchtartiges Tal, oft mehrere Hundert Meter tief. Berühmt ist der *Grand Canyon* des Colorado-Flusses in Arizona (USA), der bis zu 1800 m tief ist.

**Caracas**, die Hauptstadt von Venezuela, 1,8 Mio. Einwohner. Das Kultur- und Wirtschaftszentrum liegt in einem fruchtbaren Hochtal in Küstennähe.

**Caravàggio** [-'vadʒo], Michelangelo *Merisi da Caravàggio,* * 1573, † 1610; italienischer Maler. Er war einer der bedeutendsten Maler des italienischen Frühbarock (um 1600). Seine Bilder wirken aufgrund genauer Naturbeobachtung, ihrer Lichteffekte und kraftvollen Figurengestaltung sehr realistisch. Er schuf v. a. allegorische, mythologische und religiöse Bilder.

**Carbonate** [Pl.], die Salze der Kohlensäure.

**Carstens**, Karl, *1914, †1992; deutscher Politiker, 1979–1984 deutscher Bundespräsident.

**Cartoon** [kar'tu:n, der oder das], eine Karikatur mit Alltagshumor, häufig in der Form von Comicstrips.

**Caruso**, Enrico, * 1873, † 1921; italienischer Opernsänger. Als Tenor erlangte er in den 1910er und 1920er Jahren Weltruhm.

**Casablanca**, wichtigste Hafenstadt und Wirtschaftszentrum Marokkos, im Nordwesten Afrikas am Atlantik gelegen, 2,9 Mio. Einwohner.

**Casanova**, Giovanni Giacomo, Chevalier de *Seingalt* (selbst verliehener Adel), * 1725, † 1798; italienischer Abenteurer und Schriftsteller. Durch die Niederschrift seiner Memoiren und der darin enthaltenen genauen Beschreibungen erotischer Abenteuer wurde er weltberühmt; er gilt als Urbild des Verführers.

?

*Wer war ...*
**Gaius Julius Cäsar**

Gaius Julius Cäsar (* 100 v. Chr., † 44 v. Chr. [ermordet]) war ein römischer Staatsmann und Feldherr.

Er begann seine Laufbahn in einer Zeit politischer Unruhen an der Seite der Popularen (»Volkspartei«). Im Jahr 60 v. Chr. schloss Cäsar mit *Pompeius* und *Crassus* ein Bündnis *(Triumvirat)*, das der Durchsetzung der politischen und finanziellen Ziele der drei Beteiligten gegen eine Mehrheit des Senats dienen sollte. 59 v. Chr. wurde Cäsar Konsul und ging im Jahr darauf nach Gallien. Cäsar unterwarf das Gebiet des heutigen Frankreich, Belgien und der Niederlande bis zum Rhein, drang 55 und 53 v. Chr. über den Rhein in germanisches Gebiet und 55/54 v. Chr. zweimal nach England bis zur Themse vor. 52 v. Chr. warf er einen blutigen Aufstand der Gallier unter Führung des *Vercingetorix* nieder. Als er sich in Abwesenheit zum Konsul bewerben wollte, forderte der Senat Cäsar auf, sein Heer zu entlassen. Gleichzeitig wurden seinem früheren Bundesgenossen Pompeius diktatorische Vollmachten übertragen. Daraufhin überschritt Cäsar 49 v. Chr. mit seinem Heer den Rubikon, den Grenzfluss zwischen Italien und der Provinz Gallia Cisalpina, eroberte Italien und brachte 48 v. Chr. Pompeius eine entscheidende Niederlage bei. Cäsar setzte 47 v. Chr. *Kleopatra* als Königin Ägyptens ein. Nach den Siegen über die Reste der Pompeianer 46 und 45 v. Chr. endete der Bürgerkrieg und Cäsar wurde die Diktatur auf Lebenszeit übertragen. Damit war er Herr des Römischen Reichs und versuchte, seine Pläne zur Erneuerung Roms zu verwirklichen. Obgleich Cäsar die ihm angetragene Königswürde ablehnte, wuchs der Widerstand gegen seine Alleinherrschaft. In der letzten Senatssitzung vor seinem Aufbruch zum Partherkrieg fiel er einem Attentat republikanischer Verschwörer unter *Brutus* und *Cassius* zum Opfer und wurde erdolcht. Cäsar hinterließ keine legitimen Kinder und hatte in seinem Testament seinen Großneffen *Octavian*, den späteren Kaiser *Augustus*, als Erben eingesetzt.

Cäsar galt als hervorragender Redner und genoss auch als Schriftsteller Ansehen. Berühmt sind sein Bericht über den von ihm geführten Gallischen Krieg *(De bello Gallico)* sowie sein Kommentar zu den Bürgerkriegen *(De bello civili)*. Aus dem Namen Cäsar sind später die Titel *Kaiser* und *Zar* entstanden.

*Gaius Julius Cäsar: römischer Feldherr und Staatsmann, der weite Gebiete Galliens und Germaniens unterwarf.*



**Cäsium** [das], ein chemisches Element mit dem Zeichen Cs. Cäsium ist ein seltenes, silberweißes Alkalimetall, das sehr reaktionsfähig ist und daher nur in Verbindungen vorkommt.

**Casting** ['ka:stiŋ, engl.], Auswahlverfahren zur Besetzung von Rollen beim Film oder zur Mitarbeit im Bereich Fernsehen, Foto, Mode u. Ä.

**Castro**, *Castro Ruz,* Fidel, *1927; kubanischer Politiker. Er kämpfte seit 1956 in einem Guerillakrieg gegen die bestehende Diktatur in Kuba. 1959 übernahm er die Macht in Kuba, errichtete eine kommunistische Diktatur und wurde Staatsoberhaupt.

**CD** [die], Abkürzung für → **C**ompact **D**isc.

**CD-Brenner** [der], Computer-Hardware, mit der CD-ROMs und Audio-CDs erstellt (gebrannt) werden können.

**CD-Player** [-'plɛiər, der], Gerät zum Abspielen von Compact Discs (CDs).

**CD-ROM** [die] → Compact Disc.

**CDU**, Abkürzung für → **C**hristlich **D**emokratische **U**nion.

**Cello** [tʃello, das], Kurzform für *Violoncello;* ein tief klingendes Geigeninstrument. Es wird auf dem Boden abgestützt und zwischen den Knien gespielt.

**Cellulose** [die], *Zellulose,* ein Kohlenhydrat. Cellulose bildet die Zellwände von Pflanzen. Reine Cellulose ist in Baumwolle, Jute oder Flachs enthalten, aus zerfasertem Holz kann es auf chemischem Wege herausgelöst werden. Cellulose dient zur Herstellung von Papier, Kunstseide und Viskose.

**Celsius**, Anders, * 1701, † 1744; schwedischer Astronom und Physiker. Celcius schlug 1742 die 100-Grad-Teilung des Thermometers vor, nach der der Gefrierpunkt von Wasser bei 0 °C, der Siedepunkt bei 100 °C liegt.

**Cembalo** ['tʃɛmbalo, das], ein bedeutendes Tasteninstrument des Barock, bei dem die Saiten angerissen werden. Das Cembalo ist ein Vorläufer des Klaviers.

*Wer war ...*
## Cervantes

Der spanische Schriftsteller Saavedra Miguel de Cervantes (* 1547, † 1616) schuf mit seinem 1605 und 1615 in zwei Teilen erschienenen Roman »Don Quijote« das bekannteste Werk der spanischen Literatur, das bis heute einen bedeutenden Beitrag zur Weltliteratur darstellt. Angelegt als Satire auf die Ritterromane, schildert Cervantes die tragikomischen Abenteuer eines Adligen von niederem Stand, dessen überholte Ideale an der Realität scheitern. Dem idealistischen »Ritter von der traurigen Gestalt« steht sein bauernschlauer Knappe Sancho Pansa als Gegenfigur zu Seite. Mit dem »Don Quijote« und seinem vielschichtigen Zeit- und Menschenbild wurde Cervantes zum Schöpfer des modernen Romans.

*Illustration zu Cervantes »Don Quijote de la Mancha« von Charles Léandre*

*Paul Cezanne, Mont Sainte-Victoire; 1897. Baltimore, Museum of Art*

**Ceylon** → Sri Lanka.

**Cézanne** [se'zan], Paul, *1839, † 1906; französischer Maler. Cézanne malte besonders Landschaften, Stillleben und Akte. Er verkörperte zunächst die Stilrichtung des *Impressionismus,* wurde dann aber mit einem eigenen Stil (flächiger Farbauftrag, Reduzierung des Räumlichen) zum Wegbereiter des *Kubismus.*

**Chagall** [ʃa'gal], Marc, * 1887, † 1985; französischer Maler russischer Herkunft. Seine in leuchtenden Farben gemalten Bilder sind durch Erinnerungen an seine Heimat und durch seinen jüdischen Glauben geprägt

*Chamäleons: Die Augenlider sind mit Schuppen bedeckt und so verwachsen, dass nur die Pupille frei bleibt.*

und wirken oft märchenhaft. Häufige Themen seiner Bilder sind russische Dorfszenen, Liebespaare und Motive aus dem Alten Testament. Er gestaltete auch berühmte Glasfenster.

**Chamäleons** [Pl.], eine Familie der Echsen, die vorwiegend in Afrika, Indien und im Mittelmeerraum lebt. Chamäleons leben auf Bäumen und fangen ihre Beute mit ihrer körperlangen, klebrigen Zunge. Die Hautfarbe der Chamäleons passt sich immer wieder neu der Umgebung an und kann sich bei Erregung sehr schnell ändern.

*Champignons sind vorzügliche Speisepilze.*

**Champagner** [ʃã'panjər, der], ein französischer Schaumwein, der nur aus Wein hergestellt werden darf, der in der *Champagne* in Nordfrankreich angebaut wird.

**Champignon** [ʃãmpinjɔ̃, der, franz.], ein beliebter Speisepilz mit weißlichem Fruchtkörper. Er wächst vor allem auf gedüngten Wiesen, wird aber auch häufig in dunklen, feuchten Räumen gezüchtet. Der Champignon kann leicht mit dem giftigen weißen Knollenblätterpilz verwechselt werden.

**Champions League** ['tʃæmpjəns liːg], im Fußball der Europapokalwettbewerb der Landesmeister.

**Chance** [ʃãs, die], eine günstige Gelegenheit.

**Chanel** [ʃa'nɛl], Gabrielle, genannt »Coco«, * 1883, † 1971; französische Modeschöpferin. Sie setzte sich in der Damenbekleidung für einen sportlichen Stil ein und gilt als die Erfinderin des Modeschmucks. Ihre erfolgreichste Kreation ist das zeitlos-elegante Chanel-Kostüm.

**Chang Jiang** ['tʃaŋ djiaŋ, chinesisch, »Langer Fluss«], *Jangtsekiang,* längster Fluss Chinas mit 6300 km. Er entspringt in Osttibet und mündet nordwestlich von Shanghai ins Ostchinesische Meer.

**Chanson** [ʃã'sɔ̃, das, franz., »Lied«], im Mittelalter jedes weltliche, mehrstrophige Gedicht, das gesungen werden konnte. Heute bezeichnet man ein witzig-kabarettistisches, auch sentimentales Lied als Chanson.

**Chaos** [kaɔs, das], ein Durcheinander, Wirrwarr.

**Chaplin** ['tʃæplin], Charles (Charlie), seit 1975 Sir, * 1889, † 1977; englischer Filmschauspieler, Filmautor und Filmregisseur. Er ist der größte Komiker des Stummfilms. Zu seinen bekanntesten Filmen gehören »Goldrausch«, »Moderne Zeiten«, »Der große Diktator« und »Ein König in New York«.

**Charakter** [ka'rakter, der], alle Eigenschaften eines Menschen, die seine Eigenart ausmachen.

**Charme** [ʃarm, der], *Scharm,* persönliche Anziehungskraft, Liebreiz.

*Charlie Chaplin: Szene aus dem 1925 entstandenen Film »Goldrausch«*

**Charts** [tʃaːts], Bezeichnung für regelmäßig veröffentlichte Listen mit den meistverkauften Singles (Maxi-CDs) oder Alben (CDs) aus mehreren Musikrichtungen, z. B. Pop, Jazz und Klassik.

**Chassis** [ʃa'si], das Fahrgestell eines Autos.

**Chat** [tʃæt; der], Bezeichnung für eine moderne Art der Kommunikation, insbesondere im Internet, bei der sich Teilnehmer auf elektronischem Weg online und in Echtzeit miteinander verständigen.

**Chauvinismus** [ʃovi'nismus, der], übertriebener Nationalstolz. Heute bezeichnet man auch Männer, die sich Frauen überlegen fühlen, als Chauvinisten.

**Check** [ʃɛk, der] → Scheck.

**Chemie** → Seite 185.

**chemische Waffen** [Pl.], chemische Stoffe, die, als Kampfmittel eingesetzt, die feindlichen Soldaten oder die zivile Bevölkerung schädigen oder töten sowie Sachwerte zerstören (z. B. nerven-, haut- und lungenschädigende Gase, Brandstoffe wie Magnesium, Phosphor und Napalm).

**Chemnitz**, eine Stadt in Sachsen, Zentrum des Industriebezirks zwischen Chemnitz und Zwickau, 250 000 Einwohner. Chemnitz hieß von 1953 bis 1990 Karl-Marx-Stadt.

**Chiang Kai-shek** [dʒiaŋ kaiʃɛk-], * 1887, † 1975; chinesischer General und Politiker. 1928–1949 war er unter wechselnden Titeln Staatschef. Er unterlag im Bürgerkrieg gegen die Kommunisten und floh nach Taiwan, wo er 1950–1975 Präsident war.

**Chicago** [ʃi'kagɔu], Stadt in den USA, im Staat Illinois am Michigansee, 2,9 Mio. Einwohner. Die drittgrößte Stadt der USA ist ein Wirtschafts- und Verkehrszentrum.

**Chiemsee** ['kiːmsee, der], der größte See in Oberbayern, im Südosten des Landes. Im See liegen die Herreninsel, die Fraueninsel und die Krautinsel.

*Chile: Das Klima bietet hervorragende Bedingungen für die Weingärten z. B. in der Region von Santiago de Chile.*

***Ländersteckbrief***
**Chile**

| | |
|---|---|
| **Fläche:** | 756 626 km² |
| **Einwohner:** | 16,5 Millionen = 22 je km² |
| **Hauptstadt:** | Santiago de Chile |
| **Religion:** | römisch-katholische Kirche |
| **Amtssprache:** | Spanisch |
| **Währung:** | 1 Chilenischer Peso = 100 Centavos |

**Chile**, Staat in Südamerika.

**Landesnatur:** Das in Nordsüdrichtung 4275 km lange, aber nur 120–380 km breite Land nimmt den Westabfall der Anden ein, die sich in eine Haupt- und Küstenkordillere aufspalten und das *Chilenische Längstal* einschließen. Im Norden herrscht Wüstenklima *(Atacama)*, in der Mitte ist es gemäßigt warm mit



Fortsetzung → Seite 186

*Mehr wissen …*

## Die Bausteine der Materie: Chemie

Die Chemie befasst sich mit den Eigenschaften, der Zusammensetzung und dem Verhalten der Stoffe und Stoffverbindungen, aus denen unsere Welt besteht. Grundlage der heutigen wissenschaftlichen Chemie ist die *Alchemie*. Die Alchemisten der Antike und des Mittelalters versuchten, z. T. noch mit Mitteln der Magie, aus unedlen Stoffen Gold herzustellen. Bei ihren vergeblichen Bemühungen, Mittel zur unbegrenzten Lebensverlängerung zu finden, entdeckten sie viele chemische Reaktionen und schufen somit die Grundlagen der späteren wissenschaftlichen Chemie. Die Erkenntnis, dass alle Stoffe aus Grundbausteinen, sogenannten Atomen, bestehen, die auf chemischem Wege nicht mehr teilbar sind, war bahnbrechend für die moderne Chemie. Es gibt verschiedene Atomarten, die sich durch ihren Aufbau unterscheiden. Sie werden *Elemente* genannt. Es sind mehr als 100 verschiedene bekannt.

### Atomverbindungen:

Zwei oder mehrere Atome können sich miteinander verbinden und *Moleküle* bilden, indem sie Elektronen austauschen. Solche chemischen Bindungen können dadurch zustande kommen, dass sich die beiden Atome zwei Elektronen teilen, die dann sowohl zu dem einen als auch zum anderen Atom gehören. Im zweiten Fall gibt das eine Atom ein Elektron ab und ist nun positiv geladen, das andere Atom hat ein Elektron dazubekommen und ist nun negativ. Das positive und das negative Atom ziehen sich an. Weil die verschiedenen Elemente unterschiedlich viele Bindungen mit anderen Atomen eingehen können, ergeben sich sehr viele Möglichkeiten, wie sich Moleküle zusammensetzen können. Die einfachsten bestehen aus zwei gleichen Atomen wie z. B. der Sauerstoff in der Luft. Das Molekül wird $O_2$ genannt: O steht für Sauerstoff und die kleine, tiefgestellte 2 besagt, dass das Molekül aus 2 Atomen zusammengesetzt ist. Ein komplizierteres Molekül ist der Zucker ($C_6H_{12}O_6$). Er besteht aus 6 Kohlenstoffatomen ($C_6$), 12 Wasserstoffatomen ($H_{12}$) und 6 Sauerstoffatomen ($O_6$). Die kompliziertesten Moleküle bestehen aus Tausenden von Atomen und vielen verschiedenen Elementen.

Jedes Molekül hat ebenso wie jedes Element charakteristische Eigenschaften, wie Farbe, Gewicht, Siedepunkt und Schmelzpunkt. Die beiden letzten Eigenschaften bestimmen den Zustand eines Stoffes und seien am Beispiel des Wassers kurz erklärt. Wir kennen Wasser in drei verschiedenen Zuständen: als festes Eis, flüssiges Wasser und gasförmigen Wasserdampf. Welche Form das Wasser gerade hat, hängt von seiner Temperatur ab. Nehmen wir ein Stück Eis aus dem Tiefkühlfach, ist es z. B. –10 °C kalt. Bei Raumtemperatur schmilzt es zu Wasser, weil seine Temperatur über den Gefrierpunkt (0 °C) ansteigt. Wenn wir das Wasser zum Kochen bringen, erreicht es den Siedepunkt bei 100 °C. Nun löst sich das Wasser nach und nach in Dampf auf, bis der Topf leer ist.

Nicht nur Wasser kann in drei Zuständen vorliegen, prinzipiell trifft dies für jeden Stoff zu. Schmelz- und Siedepunkt variieren jedoch bei jedem Stoff. Um ein Gas wie Sauerstoff zu verflüssigen, muss man es sehr stark abkühlen, nämlich auf –183 °C. Einen Feststoff wie Stahl müssen wir dagegen auf mehrere Tausend Grad erhitzen, damit er flüssig wird.

### Reaktionen von Atomen und Molekülen:

Treffen zwei oder noch mehr Atome oder Moleküle aufeinander, können sie miteinander reagieren und einen oder mehrere neue Stoffe bilden. Bei einer solchen *Reaktion* werden Atombindungen gelöst und neue aufgebaut. Manche Reaktionen brauchen Energie, um ablaufen zu können, andere geschehen sofort, und wieder andere brauchen eine Starthilfe, um in Gang zu kommen und dann selbständig weiterlaufen zu können. Ein Beispiel ist die Verbrennung von Erdgas: Wenn es aus der Leitung strömt, passiert nichts. Halten wir aber eine Streichholzflamme an die Düse, fängt es an zu brennen. Die Hitze der Flamme hat die Reaktion zwischen dem Gas und Sauerstoff in Gang gebracht. Die Reaktion entwickelt selbst so viel Wärme, dass die Verbrennung in Gang bleibt und uns Wärme zum Kochen oder Heizen liefert. Bei der Verbrennung entstehen neue Stoffe, in diesem Fall sind es vor allem Kohlendioxid ($CO_2$) und Wasser. Die Chemiker nennen diese Reaktion *Oxidation*. Auch bei biologischen Prozessen (z.B. Atmung) sind Oxidationsvorgänge von großer Bedeutung. Eine Oxidation muss also nicht immer mit Feuer und Flamme einhergehen.

**Die Bedeutung der Chemie:**

Ohne Chemie könnten wir nicht leben. In unserem Körper laufen zahllose chemische Reaktionen ab, die die Voraussetzung für die Lebensprozesse bilden. Chemische Produkte sind aus allen Bereichen des modernen Lebens nicht mehr wegzudenken. Ohne Düngemittel wäre die Erdbevölkerung nicht zu ernähren. Die breite Palette der Medikamente hilft, Krankheiten zu heilen und Leben zu verlängern. Kunststoffe sind ungemein vielseitig einzusetzende Materialien. Laufend werden neue Verbindungen hergestellt und erforscht, um Medikamente, Werkstoffe und Produktionsverfahren zu entwickeln. Zunehmend zeigen sich jedoch die negativen Folgen: Überdüngung belastet unsere Böden und Gewässer, Insektizide bedrohen Vögel und schließlich sogar den Menschen, Allergien nehmen stark zu. So ist die Chemie vielfach Segen, aber manchmal auch Fluch.

Winterregen, der Süden ist äußerst regenreich, kühl und dicht bewaldet.

**Bevölkerung:** Die Bevölkerung (92% Mestizen und Weiße, 7% Indianer) ist vorwiegend katholisch. Sie lebt vor allem im Chilenischen Längstal, das den wirtschaftlichen Kernraum bildet.

**Wirtschaft:** Grundlage des Außenhandels ist der Bergbau. Chile liegt in der Weltförderung von Kupfer, Natursalpeter und Jod an erster Stelle. Außerdem werden Eisen, Gold, Kohle u.a. gefördert. Die Industrie verarbeitet die Bergbauprodukte und erzeugt Nahrungsmittel. Rund 23% der Gesamtfläche werden als Ackerland genutzt (Anbau von Getreide, Gemüse, Obst, Oliven, Wein). Der Süden dient der Schafzucht und der Holzwirtschaft. Wichtig ist auch die Fischerei. – Die wichtigsten Häfen sind Valparaíso, San Antonio, Antofagasta, Talcahuano und Iquique.

**Geschichte:** Chile, im 16. Jh. von Spanien erobert, wurde 1818 unabhängige Republik. Inneren Wirren folgte 1831–1871 eine Periode wirtschaftlichen und politischen Aufbaus. Im *Salpeterkrieg* gegen Bolivien und Peru (1879–1883) gewann Chile durch Angliederung der Atacama-Wüste das Weltmonopol in Salpeter. Im 20. Jh. kam es mehrfach zu sozialen Unruhen. Der christdemokratische Präsident E. *Frei* (1964 bis 1970) führte soziale Reformen durch. Der Sozialist S. *Allende* (gewählt 1970) erstrebte eine sozialistische Umgestaltung auf parlamentarischem Weg; er wurde 1973 vom Militär unter A. *Pinochet* (1974–1990 Präsident) gestürzt. Pinochet errichtete ein diktatorisches Regime, das erst mit den Parlaments- und Präsidentschaftswahlen 1990 endete. In der Folgezeit gelang die Rückkehr zur Demokratie. Seit 2006 ist die Sozialistin M. *Bachelet* Präsidentin des Landes.

***Ländersteckbrief***
**China**

| | |
|---|---|
| **Fläche:** | 9 596 961 km² |
| **Einwohner:** | 1,32 Milliarden = 138 je km² |
| **Hauptstadt:** | Peking |
| **Religion:** | Konfuzianismus, Buddhismus |
| **Amtssprache:** | Chinesisch |
| **Währung:** | 1 Renminbi-Yuan = 10 Jiao = 100 Fen |

**China**, Staat in Ostasien.

**Landesnatur:** Das Land bricht vom innerasiatischen Tibetischen Hochland in mehreren steilen Stufen nach Osten zum Pazifik ab. Der Osten wird von Mittelgebirgen eingenommen, zwischen die die großen fruchtbaren Becken der Ströme *Huang He* (auch Gelber Fluss), *Chang Jiang* und *Xi Jiang* eingeschaltet sind. Im Süden liegt das verkarstete südchinesische Bergland, an das sich im Nordosten das fruchtbare Rote Becken von Sichuan anschließt. Der Norden und Nordwesten wird von wüstenhaften Tafelhochländern eingenommen. – Der Nordosten hat feuchtwarme Sommer und kalte trockene Winter; im Südosten des Landes herrscht teilweise subtropisches warmes und feuchtes Klima. Der Nordwesten und Norden Chinas ist sehr trocken mit extremen Temperaturgegensätzen zwischen Sommer und Winter.

**Bevölkerung:** China ist der volkreichste Staat der Erde. 92% sind Chinesen (Han), 8% verteilen sich auf 55 ethnische Gruppen (Turkvölker, Tibeter, Mongolen u. a.) mit Angehörigen zwischen über 15 Mio. und weniger als 10 000. Der Konfuzianismus ist mit fast 200 Mio. Anhängern am weitesten verbreitet, gefolgt vom Buddhismus. Die Bewohner leben vorwiegend im Osten des Landes (z. T. über 2000 Einwohner/km²).

**Wirtschaft:** Seit Ende der 1980er Jahre gehört China zu den Ländern mit dem stärksten Wirtschaftswachstum. Durch die Öffnung des chinesischen Marktes ist v. a. das Außenhandelsvolumen sprunghaft angestiegen. – Die besten Ackerbaugebiete sind die großen Stromebenen im Osten des Landes. Hauptanbauprodukte sind Sojabohnen, Weizen, Hirse, Baumwolle, Erdnüsse, Reis, Tee und Süßkartoffeln. In den westlich anschließenden Gebieten dominiert die Viehwirtschaft. Die Forstwirtschaft liefert Tungöl und Teakholz. China ist einer der kohlenreichsten Staaten der Erde. Außerdem besitzt es bedeutende Eisenerz-, Zinn-, Mangan-, Erdöl- und Bauxitlagerstätten sowie die größten Wolfram-, Antimon- und Molybdänvorkommen der Erde. Die wichtigsten Industriezweige sind Eisen- und Stahlerzeugung, Maschinen- und

*China: Shanghai ist die größte Stadt des Landes.*

Fahrzeugbau, Kunstdüngerherstellung, Textil- und Erdölindustrie. – Wichtigste Überseehäfen sind Hongkong und Shanghai. Internationale Flughäfen gibt es in Shanghai, Canton, Hongkong und Peking.

**Geschichte:** Die Anfänge der chinesischen Staatsbildung liegen in der Tiefebene am mittleren Huang He. Historisch fassbar ist erstmals die *Shang*-Dynastie (17. bis 11. Jh. v. Chr.) mit ausgebildeter Schrift und Bronzekunst. Unter der *Zhou*-Dynastie zerfiel China seit dem 8. Jh. v. Chr. in einander bekämpfende Einzelstaaten. Im 5. Jh. v. Chr. entstanden die philosophischen Systeme des Konfuzianismus und Daoismus. 221 v. Chr. einigte der Fürst von *Qin* als »Erster Kaiser« *(Shihuangdi)* das Reich. Unter der *Han*-Dynastie (206 v. Chr. bis 220 n. Chr.) wurde China zum zentralistischen Beamtenstaat. Danach kam es mehrmals zu Zerfall und Wiederherstellung der Reichseinheit. Der Buddhismus drang ein und wurde zeitweise vorherrschend. Unter der *Tang*-Dynastie (618–906) wurde China kosmopolitische Weltmacht und erlebte eine kulturelle Blüte. Im 13. Jh. eroberten die Mongolen China und herrschten bis 1368. Die ihnen folgende *Ming*-Dynastie verlegte die Hauptstadt nach Peking und erneuerte die Chinesische Mauer (Anfänge im 3. Jh. v. Chr.). 1644 begann die Fremdherrschaft der Mandschu (*Qing*-Dynastie). Der größten Machtausdehnung Chinas im 18. Jh. folgte im 19. Jh. der Verfall: Eindringen europäischer Mächte, Taiping-Revolution, Niederlage gegen Japan.

Die Revolution 1911 unter *Sun Yatsen* (Gründer der *Guomindang*) machte China zur Republik. Nach langem Bürgerkrieg zwischen lokalen Machthabern stellte *Chiang Kai-shek* 1928 die Einheit Chinas wieder her. Die Kommunisten unter *Mao Zedong,* die seit 1927 Stützpunkte im Süden besaßen, zogen sich in den Norden zurück (»Langer Marsch« 1934/1935). Im chinesisch-japanischen Krieg 1937–1945 hielten Guomindang und die Kommunisten Burgfrieden. Im erneuten Bürgerkrieg siegten die Kommunisten. Die Guomindang-Regierung floh nach Taiwan. 1949 proklamierte Mao die Volksrepublik China und leitete eine sozialistische Umgestaltung ein. Er brach mit der UdSSR und steuerte einen »linken« Kurs (1958 totale Kollektivierung im »Großen Sprung«, 1966 Kampf gegen Intellektuelle in der »Kulturrevolution«). Nach Maos Tod (1976) setzte sich *Deng Xiaoping* († 1997) 1978 als faktischer Parteiführer durch. Er betrieb eine pragmatische Reformpolitik (Zulassung privatwirtschaftlicher Initiativen), unterdrückte aber gewaltsam (1979, 1986, 1989) die besonders von Studenten getragene Demokratiebewegung. Generalsekretär der Kommunistischen Partei wurde 1989 *Jiang Zemin.*

*China: Bizarr wirkende Karstkegel prägen die Landschaft der Autonomen Region Guangxi-Zhuang*

Angesichts des Zusammenbruchs der kommunistischen Regime in Osteuropa und der Sowjetunion sicherte er das Machtmonopol der Kommunistischen Partei Chinas ab und ließ oppositionelle Regungen sofort verfolgen. In den 1990er Jahren intensivierte das Land die außenwirtschaftliche Öffnungspolitik, was einen rasanten ökonomischen Aufschwung nach sich zog.

1997 erfolgte die Rückführung der chinesischen Souveränität über die ehemalige britische Kronkolonie Hongkong. Das Land erhielt den Status einer Sonderverwaltungszone. 1999 erlangte China auch die Souveränität über Macau zurück.

Durch die 2001 erfolgte Aufnahme in die *World Trade Organization* (Welthandelsorganisation) erhoffte sich die chinesische Führung weitere wirtschaftspolitische Fortschritte. 2002 übernahm *Hu Jintao* das Amt des Generalsekretärs der Kommunistischen Partei. 2003 wurde er auch Staatspräsident. Siehe auch ZEIT-Beitrag → »China: Ein unvorstellbar großes Land«, Seite 190–193.

**Chinchilla** [die oder das], ein Nagetier, mit weichem, silbergrauem Fell, das in Südamerika beheimatet ist.

**Chinesische Mauer**, eine über 2500 km lange Mauer im Norden Chinas zur Abwehr fremder Völker. Sie ist im Durchschnitt 5–6 m breit und 6–7 m hoch. Mit ihrem Bau wurde im 3. Jh. v. Chr. begonnen, ihre heutige Form erhielt sie im 14./15. Jh.

**Chip** [tʃip, der, engl., »Stückchen«], in der Elektronik eine nur wenige Millimeter große Scheibe aus Halbleiterkristallen. Diese Scheiben tragen elektronische Schaltungen, die meist aufgedampft werden. Die Speicherkapazität kann mehrere Millionen → Bit pro Chip erreichen.

**Chipkarte**, Kunststoffkarte mit eingebautem Mikroprozessor, erlaubt in Verbindung mit einer persönlichen Identifikationsnummer (PIN) u. a. das bargeldlose Bezahlen an Kartentelefonen.

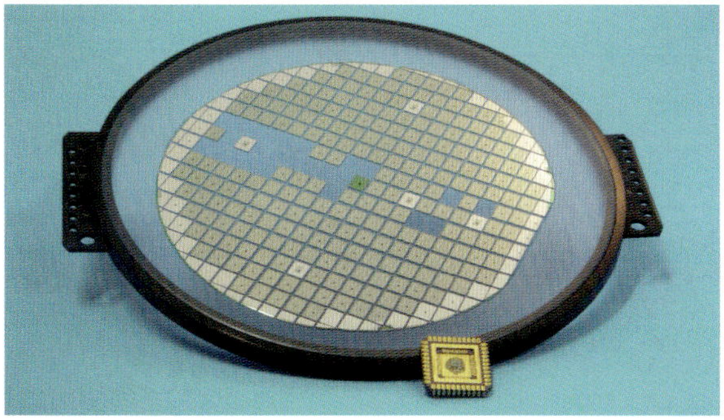

*Chip: Ein Computer-Chip neben einem Wafer, der als Trägermaterial für Chips dient*

**Chirurgie** [die], ein Teilgebiet der Medizin, in dem Krankheiten durch Operationen behandelt werden.

**Chitin** [das], ein stickstoffhaltiges Kohlenhydrat, das gegen chemische und mechanische Einwirkungen sehr widerstandsfähig ist. Aus Chitin besteht z. B. die Körperhülle von Insekten (»Außenskelett«).

**Chlor** [kloːr, das], ein chemisches Element mit dem Zeichen Cl. Das gelbgrüne, stechend riechende, die Schleimhäute reizende Gas gehört zur Gruppe der *Halogene* und ist eines der reaktionsfähigsten Elemente. Chlor kommt in der Natur nur in Verbindungen vor, z. B. als Natriumchlorid oder als Chlorwasserstoff, dessen wässrige Lösung die Salzsäure ist. Chlor wird u. a. als Desinfektionsmittel oder zum Bleichen verwendet.

**Chlorophyll** [kloroˈfyl, das], *Blattgrün,* ein Farbpigment in den Blättern und Stängeln der Pflanzen. Chlorophyll kommt in Form kleiner Körnchen vor und ist an die Chloroplasten, die Farbstoffträger der Pflanzenzelle, gebunden. Das Chlorophyll ist für die → Photosynthese unentbehrlich.

**Cholera** [ˈkoːlera, die], eine Infektionskrankheit, die von Cholerabakterien hervorgerufen wird und mit heftigem Erbrechen und Durchfall einhergeht, wodurch der Körper stark austrocknet. Unbehandelt ist die Krankheit lebensbedrohlich. Sie kommt in Ländern mit mangelhaften hygienischen Bedingungen vor und wird durch verunreinigtes Trinkwasser und Nahrungsmittel übertragen. Die Choleraerreger wurden 1883 von Robert *Koch* entdeckt.

**Cholesterin** [kolesteˈriːn, das, griech., »Gallenfett«], eine in allen tierischen Geweben vorkommende Substanz, die vor allem in der Leber gebildet wird und ein Ausgangsstoff für Vitamin D, Nebennieren- und Sexualhormone ist. Ein zu hoher Cholesterinspiegel im Blut kann zu Arterienverkalkung *(Arteriosklerose)* führen. Die Ursache hierfür ist häufig eine zu fettreiche Ernährung.

Im 15. Jahrhundert vollendeten die Kaiser der Ming-Dynastie die berühmte Chinesische Mauer

**China**

# Ein unvorstellbar großes Land

**Von Georg Blume**

Alle reden über China. Weil das früher so arme Land weltweit Handel treibt und schnell reicher wird. Das merkt man zum Beispiel daran, dass heute jedes zweite Spielzeug auf der Welt aus China kommt. Vor allem aber ist China wichtig, weil in keinem anderen Land mehr Menschen leben. Jeder fünfte Mensch der Welt ist ein Chinese.

Wir im Westen haben ganz unterschiedliche Vorstellungen über das rund 8000 Kilometer entfernte Land. Die einen denken an schwarz-weiße Pandabären, die es nur in China gibt, anderen fällt eher Hühnchenfleisch süß-sauer ein, und wieder andere Leute denken an die schön geformten chinesischen Schriftzeichen. Denn Chinesen schreiben nicht mit einzelnen Buchstaben, ihre Zeichen bedeuten jeweils gleich ein ganzes Wort. Tatsächlich ist China für uns unvorstellbar groß: Deutschland passt 26 Mal in seine Fläche. Im Vergleich zur Bundesrepublik leben 16-mal so viele Menschen in China, insgesamt 1,3 Milliarden.

## Wüste, Berge, Urwald und Meer

Ein Teil davon ist in riesigen Städten wie der Hauptstadt Peking oder der Hafenstadt Shanghai zu Hause. 125 Städte haben mehr als eine Million Einwohner! Den Stadtbewohnern geht es relativ gut, viele von ihnen können sich eine eigene Wohnung und ein eigenes Auto leisten. Doch die meisten Chinesen sind immer noch sehr arm und leben als Bauern. Ihre Hütten haben oft keinen Strom, und das Wasser müssen sie aus dem Brunnen holen. Chinas Landschaft ist sehr unterschiedlich: Im Nordwesten gibt es Wüste, im Südwesten hohe Berge, im Süden den Regenwald und im Osten das Meer.

Auch spricht man in China viele verschiedene Dialekte, nur die Schriftzeichen sind überall gleich. Das Essen schmeckt im Westen ganz scharf, im Norden salzig und im Süden süß. Es gibt 56 verschiedene Bevölkerungsgruppen, die alle eine andere Sprache sprechen, ein wenig anders aussehen und unterschiedlich essen und feiern.

## Nur ein Kind pro Familie

Anders als in Europa wachsen viele chinesische Kinder, besonders in den Städten, ohne Geschwister auf. Die chinesische Regierung glaubt, dass es in China zu viele Menschen gibt und Wohnraum und andere Dinge nicht für alle reichen. Deshalb dürfen Familien in der Stadt nur ein Kind haben. Die Bauern auf dem Land können noch ein zweites Kind bekommen, wenn das erste ein Mädchen ist. Denn für die schwere Arbeit auf dem Feld brauchen sie einen Sohn.

Kinder und Jugendliche in China haben wenig Freizeit. Auf dem Land müssen sie oft schon früh auf dem Hof mitarbeiten. Die Schule dauert den ganzen Tag, und abends müssen sie noch Hausaufgaben machen. In den Städten melden die Eltern ihre Kinder noch für viele Extrakurse neben der Schule an: Englisch, Musikunterricht, Malen oder Sport. Denn die Eltern machen sich immer Sorgen, dass ihr Kind nicht auf die beste Schule oder Universität kommt. Am liebsten spielen chinesische Kinder mit dem Computer. Beliebt sind auch Basketball, Federball und Tischtennis.

China hat eine lange Geschichte und eine reiche kulturelle Tradition. Ungefähr als die Römer ihr Reich schufen, entstand auch in China das erste große Kaiserreich. Das war im Jahr 221 vor Christus, nachdem der spätere Kaiser Ying Zheng alle anderen Fürsten unterworfen hatte. Da er aus dem Staat Qin stammte, nannte er seine Herrschaft die Qin-Dynastie. Seitdem wurde China über 2000 Jahre lang von Kaisern regiert und war dabei zeitweise ein mächtiges und blühendes Land: Viele wichtige Erfindungen wurden hier gemacht, zum Beispiel 105 nach Christus

*Mao Zedong (1893 bis 1976), der »Große Vorsitzende« der chinesischen Kommunisten, brachte Leid über sein Land*

das Papier, 868 der Buchdruck oder 1090 der Magnetkompass.

Die letzte Kaiserherrschaft, die Qing-Dynastie, dauerte bis 1911. Aus Macht- und Geldgier kümmerten sich die kaiserlichen Beamten nicht mehr um die Bevölkerung und verbündeten sich sogar mit Banditen. Der Kaiser konnte dagegen nicht viel tun. Als es schließlich zur Revolution kam, war der letzte Kaiser, Puyi, erst fünf Jahre alt. Danach scheiterte der Versuch, eine Demokratie aufzubauen.

Die Chinesen durchlitten eine lange Zeit des Bürgerkrieges. Im Zweiten Weltkrieg, der in China von 1937 bis 1945 dauerte, kämpften sie dann gegen die Japaner, die China teilweise besetzt hatten. Hinterher kam es nochmals zum Bürgerkrieg zwischen der Kommunistischen Partei Chinas (KPCh) und der Nationalen Partei (Kuomintang). Die Kommunisten gewannen, und ihr Vorsitzender Mao Zedong gründete am 1. Oktober 1949 die heutige Volksrepublik China.

Zu Beginn ihrer Herrschaft taten die Kommunisten viel für die armen Bauern. Sie bekamen eigenes Land und mehr Rechte. Alle Chinesen trugen damals den gleichen blauen Mao-Anzug. Doch gegen Leute, die nicht ihrer Meinung waren, gingen die Kommunisten schon bald mit Gewalt vor.

## Der »Große Sprung nach vorn«

Mao, der Große Vorsitzende, wollte beweisen, was er mit China alles schaffen konnte. Beim »Großen Sprung nach vorn« befahl Mao den Bauern, Stahl statt Weizen und Reis zu produzieren, um die Industrieländer schneller einzuholen. Doch das Ergebnis war eine große Hungersnot, bei der zwischen 1959 und 1962 Millionen von Menschen umkamen.

Danach gab es viel Kritik an Mao. Um nun seine Macht wieder zu festigen, rief er 1966 die »Kulturrevolution« aus, die das »alte China der Kaiser« beseitigen sollte. Er begeisterte damit viele junge Leute, die in ganz China alte Tempel plünderten, Menschen an den Pranger stellten und noch Schlimmeres anrichteten. Wieder kamen sehr viele Menschen ums Leben. Erst als Mao 1976 gestorben war, begann in China wieder eine friedliche Zeit. Seinem Nachfolger Deng Xiaoping war die wirtschaftliche Entwicklung Chinas am wichtigsten. Die neue Regierung mischte sich auch nicht mehr so in das Leben der Leute ein.

Die Wirtschaft Chinas ist in den letzten 30 Jahren rasant gewachsen. In Shanghai beispiels-

*Die Arbeit in den Reisfeldern ist hart, viele Bauern sind bitterarm*

Die Skyline von Hongkong sieht aus wie ein Blick in die Zukunft

weise war Ende der siebziger Jahre östlich des Huangpu-Flusses ein großes Schlammgebiet. Heute stehen dort zwei der fünf höchsten Wolkenkratzer der Welt. Der zweitgrößte, das Shanghaier Weltfinanzzentrum, ist 492 Meter hoch und hat 101 Stockwerke.

## Angst vor chinesischem Fleiß

Auch in den anderen großen Städten Chinas sieht man riesige Einkaufszentren und breite Straßen. Noch vor 15 Jahren war eine Familie in der Stadt froh, wenn sie sich eine Waschmaschine leisten konnte. Heute fahren viele Chinesen Autos von Audi oder VW, surfen im Internet und fahren nach Europa in den Urlaub.

Manche Menschen im Westen sehen heute nur dieses reiche China. Und sie fürchten sich, dass dieses Land eine Gefahr für ihr Leben wird. Sie glauben, dass die Arbeiter in der Volksrepublik, die viel weniger verdienen als sie selbst, ihnen die Jobs wegnehmen könnten. Und sie sagen, China brauche für seine Wirtschaft so viel Öl und Rohstoffe, dass für die anderen Länder immer weniger übrig bleibt und alles teurer wird. Außerdem heißt es, China mache die Umwelt kaputt. In Wirklichkeit aber schafft der wirtschaftliche Erfolg Chinas auch in Europa Arbeitsplätze.

Und was den Energieverbrauch betrifft: Die Länder in Westeuropa und die USA haben über lange Zeit viel mehr Rohstoffe verbraucht als China. Weil westliche Unternehmen jetzt auch in China arbeiten, sind sie am Energieverbrauch der Volksrepublik beteiligt. Zudem ist China nun einmal das bevölkerungsreichste Land der Erde – wenn man die Zahlen, etwa den Ausstoß von Schadstoffen, zur Zahl der Einwohner ins Verhältnis setzt, dann verschmutzen die Chinesen die Umwelt viel weniger als die Menschen im Westen.

**Chomeini** [xɔ'mɛini], *Khomeini*, Ruhollah, * 1902, † 1989; iranischer Politiker und schiitischer Theologe (Ayatollah). Als Gegner des Schahs verbrachte er die Jahre 1964–1979 im Exil. Er rief 1979 die »Islamische Republik Iran« aus und erhielt als herrschender Gottesgelehrter die letzte Entscheidungsbefugnis in allen politischen und religiösen Fragen.

**Chopin** [ʃɔ'pɛ̃], Frédéric, * 1810, † 1849; polnischer Pianist und Komponist, der später in Frankreich lebte. Er galt bereits mit 9 Jahren als Wunderkind, bekannt wurde er durch seine romantischen Klavierwerke.

**Chor** [koːr, der], in der Musik eine Gruppe von Singenden; in der Kirchenbaukunst ein vom übrigen Kirchenraum abgeteilter Altarraum oder die Empore für Orgel und Sänger.

**Choral** [ko'raːl, der], ein einstimmiger Kirchengesang. In der evangelischen Kirche versteht man unter Choral das Kirchenlied der Gemeinde, das von der Orgel begleitet wird, in der katholischen Kirche von einem kleinen Chor vorgetragene, seit dem Mittelalter festgelegte Gesänge in lateinischer Sprache (gregorianischer Gesang).

**Choreografie** [koreo'grafiː, die], *Choreographie,* die Zusammenstellung der Tanzfiguren und Schrittfolgen für ein Ballett sowie das Aufschreiben dieser Entwürfe durch Symbole und Zeichen (Tanzschrift).

*Chor: gotischer Chor, Blaubeuren, Klosterkirche 15./16. Jh.*

### *Was ist das …*
### Christentum

Christentum ist eine auf dem Boden des *Judentums* entstandene Glaubensbewegung, die sich auf *Jesus Christus* als ihren Stifter beruft. Mit rund 2 Milliarden Anhängern ist das Christentum die weltweit größte religiöse Gemeinschaft. 1,1 Milliarden ihrer Gläubigen gehören der römisch-katholischen Kirche an, 375 Millionen der protestantischen, 150 Millionen der orthodoxen und 80 Millionen der anglikanischen Kirche. Rund 60% aller Christen leben heute in Lateinamerika, Afrika und Asien. Die heilige Schrift des Christentums ist die Bibel. Jesus Christus, den seine Anhänger als Messias und Heilsbringer ansahen, wollte durch seine Menschwerdung und seinen Kreuzestod sowie durch seine Auferstehung die Menschen von der Sünde erlösen.

**Entwicklung:** Schon kurze Zeit nach dem Tod Jesu setzte die Verkündung und Verbreitung, aber auch die Verfolgung ihrer Anhänger ein. Neben ersten Gemeinden in Israel entstanden durch das Wirken der Apostel überall im Römischen Reich christliche Gemeinden. Schon um 200 n. Chr. hatte sich aus der Bewegung eine frühkatholische Kirche entwickelt, weitere 100 Jahre später war das Christentum von Spanien bis Persien und Indien verbreitet. Doch entstanden auch früh unterschiedliche Auffassungen innerhalb des Christentums, die zur Bildung von Gegenkirchen und Kirchenspaltungen führten. Als 380 die katholische Kirche Staatskirche im Römischen Reich wurde, bildete sich neben Rom als zweiter Mittelpunkt Konstantinopel (Byzanz) heraus. Besonders im Nahen Osten entwickelten sich die *orthodoxen* (»rechtgläubigen«) *Kirchen,* die in selbstständige Landeskirchen gegliedert sind. Sie werden jeweils von einem Patriarchen

*Der zwölfjährige Jesus im Tempel; 16. Jh. Venedig, Galleria dell'Accademia*

geführt. An der Spitze der römisch-katholischen Kirche steht der Papst in Rom. Die einzelnen Länder sind in Bistümer unterteilt und werden von einem Bischof geleitet. Im 16. Jh. spaltete sich in der *Reformation* die *protestantische Kirche* von der römisch-katholischen ab. Der Protestantismus gliedert sich in vier große Kirchengruppen: 1. die *lutherische Kirche*, die sich auf die Lehren M. Luthers beruft; 2. die *reformierte Kirche*, die auf die Schweizer U. Zwingli und J. Calvin zurückgeht; 3. die *anglikanische Kirche*, die in England und Nordamerika verbreitet ist; die *Freikirchen* und *selbstständige Kirchen*, die aus der anglikanischen und der reformierten entstanden (Mormonen, Puritaner, Quäker, Methodisten, Baptisten u.a.). Die ökumenische Bewegung strebt eine Annäherung der verschiedenen Kirchen an. Das heutige Christentum ist durch eine Vielzahl von Strömungen gekennzeichnet. Christentum und Kirche werden nicht mehr in jedem Fall als Einheit betrachtet, stattdessen bevorzugen viele Gläubige ein »persönliches Christentum«. Vor allem in Europa verlieren die christlichen Kirchen Gläubige, während besonders in der Dritten Welt evangelikale und protestantische Freikirchen durch starke Missionstätigkeit an Einfluss gewinnen.

**Glauben und Lehre:** Trotz vieler trennender Merkmale zwischen den christlichen Kirchen sind innerhalb des Christentums Gemeinsamkeiten geblieben. Das sind der Glaube an die Dreieinigkeit (Gott ist der allmächtige Schöpfer der Welt, in Jesus Christus wird er Mensch und durchdringt als Heiliger Geist die Kirche) und die Bibel mit ihrem Alten und Neuen Testament. Die Christen glauben an die Unsterblichkeit der Seele und an das Leben nach dem Tod. Die ewige Seligkeit wird durch ein gottgefälliges Leben nach dem Vorbild Christi erlangt, daher soll das Leben durch die Liebe zu Gott und zu den Mitmenschen bestimmt sein. Die Aufnahme in die christliche Gemeinschaft geschieht durch die Taufe. Im Gottesdienst wird Gott u.a. durch Schriftlesung, Predigt, Gebet und Gesang gemeinschaftlich verehrt. Höhepunkt in fast allen christlichen Kirchen ist das *Abendmahl*, das zum Gedächtnis an das letzte Mahl Jesu Christi mit seinen Jüngern gefeiert wird. Zu den hohen christlisten Feiertagen gehören *Weihnachten* (Geburt Christi), *Karfreitag* (Kreuzigung), *Ostern* (Auferstehung), *Himmelfahrt* und *Pfingsten* (Herabkunft des Heiligen Geistes).

**Christie** ['kristi], Agatha, * 1890, † 1976; englische Schriftstellerin. Sie verfasste erfolgreiche Kriminalromane um den belgischen Meisterdetektiv Hercule Poirot und die Amateurdetektivin Miss Jane Marple.

**Christlich-Demokratische Union** [die], Abkürzung CDU, eine politische Partei in der Bundesrepublik Deutschland. Die CDU wurde 1945 als überkonfessionelle christliche Partei gegründet. Sie ist mit Ausnah-

*Christo und Jeanne Claude verhüllten 1995 den Reichstag, so dass die Konturen des Bauwerks noch hervortreten konnten und die Architektur auf ganz neue Weise wahrnehmbar wurde.*

me von Bayern in allen Bundesländern vertreten. 1990 hat sich die CDU der Bundesrepublik mit der CDU der ehemaligen DDR, die dort ebenfalls seit 1945 bestand, zusammengetan. Auf Bundesebene bildet die CDU eine Fraktion mit der *Christlich-Sozialen Union (CSU).* Sie war 1949–1969 und 1982–1998 die führende Regierungspartei der Bundesrepublik Deutschland. 2005 bildete die CDU/CSU eine große Koalition mit der SPD und wurde erneut Regierungspartei.

**Christlich-Soziale Union** [die], Abkürzung CSU, eine politische Partei in Bayern. Sie wurde 1945 als christliche Partei für alle Konfessionen gegründet. Seit ihrer Gründung hat die CSU bis auf die Jahre von 1954 bis 1957 in Bayern die Regierung gestellt. Auf Bundesebene bildet die CSU eine gemeinsame Fraktion mit der *Christlich-Demokratischen Union (CDU)* und war 1949–1969 und 1982–1998 an der Bundesregierung beteiligt. Seit 2005 ist sie erneut Regierungspartei.

**Christo**, eigentlich Christo *Javacheff*, *1935 und seine Frau Jeanne Claude de Guillebon, *1935; bulgarische Verpackungskünstler. Sie verpacken Objekte und Gebäude (wie 1995 das Reichstagsgebäude in Berlin) und verändern Landschaften mit Hilfe monumentaler Folienobjekte. Sie wollen damit neue Seherfahrungen ermöglichen.

**Chrom** [kroːm, das], ein chemisches Element mit dem Zeichen Cr. Das silberglänzende, harte Metall kommt fast nur in Verbindungen vor. Wegen seiner großen Beständigkeit gegen Korrosion wird Chrom für schützende Überzüge auf Metallen sowie zur Herstellung von rostfreiem Stahl verwendet.

**Chromatik**, in der Musik die Versetzung eines Tons um einen halben Ton nach unten. Die *chromatische Tonleiter*, eine Folge von 12 Halbtonschritten, ist, isoliert gesehen, nicht mehr an Dur oder Moll gebunden. Die 12 gleichwertigen Töne im Rahmen einer Oktave bilden die Basis der *Zwölftonmusik*.

**Chromosomen** [kromoˈsoːmən, Pl.], aus der Erbsubstanz *DNA* und Proteinen bestehende Gebilde im Zellkern von Organismen. Die Chromosomen sind die Träger der *Gene* (Erbfaktoren). Die Gestalt und Anzahl ist typisch für jede Art. Körperzellen sind mit einem doppelten Chromosomensatz ausgestattet, Keimzellen haben einen einfachen Satz. Auch → Genetik.

**Chromosphäre**, die obere Schicht der Sonnenatmosphäre.

**Chronik** [ˈkroːnik, die], ein Bericht über Ereignisse in ihrer zeitlichen Abfolge. Die Verfasser nennt man *Chronisten.*

**chronisch** [ˈkroːniʃ], lange dauernd, z. B. chronische Krankheiten. Gegensatz: *akut.*

**Chruschtschow** [xruˈʃtʃɔf], Nikita Sergejewitsch, * 1894, † 1971; sowjetischer Politiker. Seit 1953 Partei- und seit 1958 auch Regierungschef. Er lockerte das despotische Herrschaftssystem, bemühte sich um eine Wirtschaftsreform und versuchte, den allgemeinen Lebensstandard zu heben. Außenpolitisch bemühte er sich – trotz weiterer Aufrüstung – um ein friedliches Nebeneinander mit dem Westen. 1959 besuchte er als erster sowjetischer Regierungschef die USA. Nach innen- und außenpolitischen Fehlschlägen wurde er 1964 gestürzt.

**Chur** [ku:r], die Hauptstadt des Kantons Graubünden im Südosten der Schweiz, 30 500 Einwohner. Die Stadt wurde als Cuera von den Römern gegründet.

*Wer war ...*
**Winston Churchill**

*Winston Churchill macht das V-Zeichen für Victory (Sieg).*

Der britische Premierminister Sir (1953) Winston Spencer Churchill (* 1874, † 1965) gilt als der bedeutendste britische Staatsmann im 20. Jahrhundert. Er begann seine politische Laufbahn 1900 als konservativer Abgeordneter, 1904 wechselte er zu den Liberalen, 1924 wieder zurück zu den Konservativen. Zwischen 1904 und 1929 war Churchill mehrfach Regierungsmitglied (1924–1929 Schatzkanzler). Schon früh erkannte er die von Hitler ausgehende Gefahr und wandte sich gegen die Beschwichtigungspolitik *(Appeasement)* der britischen Regierung. Als Premier- und Verteidigungsminister leitete er die britische Kriegsführung im Zweiten Weltkrieg. Er koordinierte seit Ende 1941 die britischen Kriegsanstrengungen mit den USA. 1942 brachte er auch die Sowjetunion zur Teilnahme an der Anti-Hitler-Koalition. Churchill war so das Rückgrat der Allianz gegen Hitler, das sowjetische Vordringen in Europa vermochte er als schwächster Partner des Pakts dabei nicht zu verhindern. 1945 musste Churchill während der Potsdamer Konferenz nach der Wahlniederlage seiner Partei als Regierungschef zurücktreten. 1951–1955 war er erneut Premierminister.

Als strikter Antikommunist befürwortete Winston Churchill zu Beginn des Kalten Kriegs die feste Bindung des westlichen Europa an die USA und inspirierte die Gründung von Europarat und NATO. 1953 erhielt er den Nobelpreis für sein literarisch-historisches Werk, 1956 den Karlspreis. 2005 wurde in London ein Churchill-Museum eröffnet.

**CIA** [si ai ɛi, die oder der], Abkürzung für **C**entral **I**ntelligence **A**gency, die zentrale Geheimdienstorganisation der USA.

*Marcus Tullius Cicero*

**Cicero**, Marcus Tullius, * 106 v. Chr., † 43 v. Chr.; römischer Politiker und Schriftsteller. Cicero war ein Gegner der Alleinherrschaft Cäsars, er setzte sich entschieden für die Republik ein. Seine kunstvollen lateinischen Schriften wurden besonders bekannt.

*William Jefferson (Bill) Clinton, 42. Präsident der USA*

**Cidre** ['sidr], französischer Wein aus Apfelsaft.

**Cl**, chemisches Zeichen für das Element → Chlor.

**Client** ['klaiənt], Computer, der die Dienste eines → Servers nutzt.

**Clinton** ['klintən], William Jefferson (Bill), ursprünglich *William Blythe,* * 1946; US-amerikanischer Politiker (Demokrat). 1993–2001 war er der 42. Präsident der USA. Innenpolitisch steht seine Amtszeit für eine erfolgreiche Wirtschafts- und Umweltpolitik und eine Reduzierung der Arbeitslosigkeit; außenpolitische Verdienste waren die NATO-Osterweiterung und die Vermittlung im Nahostkonflikt sowie im Krieg in Bosnien-Herzegowina.

**Clique** [klikə, die], eine Gruppe, Bande.

**Clou** [klu:, der], der Höhepunkt, Glanzpunkt einer Sache.

**Clown** [klaun, der], ein Spaßmacher, z. B. in Zirkus und Varieté.

**cm**, das Kurzzeichen für → Zentimeter.

**Co**, **1.** chemisches Zeichen für das Element → Kobalt. **2.** Abkürzung für Company, Compagnie, eine Handelsgesellschaft. Steht die Abkürzung hinter einem Firmennamen, bedeutet es, dass der Firmeninhaber einen oder mehrere Geschäftspartner hat.

**Coach** [kɔutʃ], Trainer, Sportlehrer.

**Coaching** ['kɔu:tʃiŋ], das Trainieren, Beraten und Betreuen von Menschen durch ausgebildete Berater.

**Cockpit** [das, engl.], die Pilotenkabine in einem Flugzeug.

**Cocktail** ['kɔktɛil, der], ein Mischgetränk aus alkoholischen Getränken und weiteren Zutaten, z. B. Fruchtsäften.

**Code** [ko:d, der], der »Schlüssel« (z. B. Zahlen, Abkürzungen, Schlüsselwörter), um verschlüsselte (chiffrierte) Texte wieder in Klartext übertragen zu können und umgekehrt.

**Coffein** [das], *Koffein,* ein Wirkstoff, der in Kaffeebohnen, getrocknetem Tee und in Kolanüssen vorkommt und auf verschiedene Organe anregend wirkt (z. B. auf Großhirn, Atemzentrum, Kreislauf und

*Cockpit: Pilot und Copilot üben bei einem Trainingsflug die Steuerung des Flugzeugs.*

Nieren). Coffein kann auch synthetisch gewonnen werden.

**Cognac** [kɔ'njak, der], *Kognac,* ein Weinbrand, der nach bestimmten Verfahren aus Weintrauben hergestellt wird, die in der Umgebung der südwestfranzösischen Stadt *Cognac* wachsen.

**Coitus** [der] → Koitus.

**Collage** [kɔ'la:ʒə, die], ein Klebebild, das nicht gemalt, sondern aus verschiedenen Materialien (z. B. Papier, Stoff) zusammengesetzt wird.

**College** ['kɔlidʒ, das], in Großbritannien ein Internat für Lehrer und Schüler. In den USA bezeichnet man auch eine höhere Schule, die auf der High School aufbaut und zur Hochschulreife führt, als College.

**Colombo**, die Hauptstadt von Sri Lanka, 642 000 Einwohner. Die Küstenstadt ist eine der bedeutendsten Hafenstädte in Asien.

**Colorado** [der], *Colorado River,* ein Fluss im Südwesten der USA. Der 2334 km lange Fluss hat in seinem Mittellauf den bis zu 1,8 km tiefen *Grand Canyon,* eine Durchbruchsschlucht, geschaffen.

**Comicstrips** ['kɔmikstrips, Pl.], *Comics, Bildstreifen,* gezeichnete Bildergeschichten mit einem einfachen Text, der in Form von Sprechblasen in die Bilder einbezogen ist. Die erste Comicserie erschien 1896 in New York (»The Yellow Kid«). Bekannt sind die seit 1930 erschienenen Tiercomics von Walt *Disney.* Auch → »Genauer betrachtet«.

**Coming-out** ['kʌmiŋ 'aut] → Outing.

**Commonwealth** ['kɔmənwɛlθ, das, engl., »Gemeinwesen«], eine lockere Gemeinschaft unabhängiger Staaten, die früher zum Britischen Reich gehört haben: Großbritannien und Nordirland und die ehemaligen Kolonien.

**Community** [kə'mju:niti, die, engl.], Gemeinschaft, virtueller Zuammenschluss von Internet-Nutzern mit gemeinsamem Thema oder Ziel.

### *Genauer betrachtet …*
### Comicstrips

Der erste Comicstrip »The Yellow Kid« von Richard F. *Outcault* erschien am 18. Oktober 1896 im *New York Journal*, einer Sonntagszeitung. Es handelte sich um eine Bildstreifenserie farbiger Einzelzeichnungen mit Sprechblasen. Die Streiche von »Yellow Kid«, einem barfüßigen und glatzköpfigen Kind, spielten vor dem Hintergrund der New Yorker Slums. Das auffälligste Merkmal der Titelfigur, ein safrangelbes, sackähnliches Hemd, hatte einen unerwarteten Nebeneffekt: Der Begriff »Yellow Press« (= gelbe Presse), ein neues Schlagwort für die Boulevardpresse, entstand.

*Die »Peanuts« wurden von dem Amerikaner Charles M. Schulz erfunden.*

**Compact Disc** [die], Abkürzung CD, eine Kunststoffscheibe von 12 cm Durchmesser, auf der Daten (meist Musik) digital gespeichert und von einem Laserstrahl berührungslos abgetastet werden. Eine Weiterentwicklung der CD ist u. a. die *CD-ROM* (CD-**R**ead **O**nly **M**emory), auf der bis zu 682 Megabyte gespeichert werden können. Zum Lesen dieser Daten benötigt man ein CD-ROM-Laufwerk. Auch → Digital Versatile Disc, → neue Medien.

*Was sind …*
## Computer

Computer ist der Sammelbegriff für elektronische, programmierbare Rechner und Rechenanlagen unterschiedlicher Leistungsfähigkeit und verschiedener Techniken. Durch ihre universelle Verwendbarkeit tragen Computer zum wissenschaftlich-technischen Fortschritt bei und ermöglichen über die Entwicklung neuer (besserer) Produkte und Dienstleistungen oder durch Zeitersparnis eine Verbesserung des (Alltags-)Lebens. Computerausfälle (z.B. Abstürze) machen die Abhängigkeit heutiger Gesellschaften vom Computer zuweilen schmerzlich bewusst, zeigen aber zugleich, dass Computer kaum mehr wegzudenken sind.

*Personalcomputer gehören zur Grundausstattung vieler Millionen Haushalte.*

**Computertypen und Funktionsprinzip:** Man unterscheidet die Grundtypen Analog-, Digital- und Hybrid-Computer. Analog-Computer verarbeiten Regel- und Stellgrößen sowie sich kontinuierlich verändernde Werte, während die zu verarbeitenden Daten eines Digital-Computer durch Zahlen ausgedrückt werden müssen; Hybridrechner stellen eine Kombination beider Computer-Typen dar. Auch die in Industrie und Haushalten eingesetzten Steuerungsautomaten und -anlagen sind Computer. Nach Rechenleistung und Ausstattung mit Prozessoren unterscheidet man Kleincomputer, Personal Computer (PC), Großrechner und Supercomputer. Die zu lösenden Aufgaben müssen in ein Computerprogramm umgesetzt werden, das die Lösungsschritte in einer Form beschreibt, die vom Computer verstanden werden kann. Dazu wird üblicherweise das Binärsystem eingesetzt, dessen beide Ziffern 0 und 1 auf einfache Weise durch elektronische Schaltzustände (z.B. Strom ein- oder ausgeschaltet) wiedergegeben werden können.

**Bestandteile von Computern:** Ein Computer setzt sich aus technischen Komponenten *(Hardware)* und Programmen *(Software)* zusammen. Digitalcomputer haben folgende Bestandteile: Der Prozessor enthält das Rechen- und Steuerwerk, im Arbeitsspeicher (auch Hauptspeicher oder RAM) werden die zu verarbeitenden Daten für den Prozessor bereit gehalten, der Bus (Sammelleitung) steuert den Datenaustausch zwischen den Funktionseinheiten, das BIOS (Basic Input Output System) enthält die grundlegenden Befehle zur Steuerung der Ein- und Ausgabevorgänge, ein Taktgeber (Echtzeituhr) gibt den gleichmäßigen Takt für die Arbeitsschritte vor, die interne oder externe Festplatte, DVD-/CD-RW-Laufwerk und USB-Speichersticks dienen der dauerhaften Aufzeichnung von Daten. Hinzu kommen Ein- und Ausgabegeräte wie Tastatur, Maus, Monitor, Drucker oder Kommunikationsgeräte wie Netzwerkkarte oder Modem. Als Zentraleinheit werden begrifflich Prozessor, Ein- und Ausgabewerke sowie der Arbeitsspeicher zusammengefasst. Um mit dem Computer zu kommunizieren, ist ein Betriebssystem notwendig, das auf dem BIOS aufsetzen und die Prozessorbefehle unterstützen muss, sowie für dieses Betriebssystem erzeugte

Anwendungsprogramme (z.B. Text- oder Bildbearbeitung, Datenbanken, Computerspiele).

**Anwendungsbereiche:** Ursprünglich als Einzelplatzrechner genutzt, bieten Computer durch ihre Vernetzung mittels Netzwerken und Datenfernübertragung (z.B. über das Internet) neue Einsatzmöglichkeiten. Daten werden z.B. auf einem Rechner gehalten und bearbeitet, während sie auf einem anderen abgerufen werden, etwa bei Banken oder auf Bahnhöfen. Die Digitalisierung von Informationen und die Weiterentwicklung der Kommunikations- und Informationstechnologien benötigen einerseits Computer, eröffnen aber gleichzeitig neue Anwendungsfelder.

**Computerspiele**, Spiele für Einzel- oder mehrere Spieler, bei denen Gegenstände bzw. Figuren mit Hilfe von z.B. Tastatur, Maus oder Joystick bewegt werden. Sie können auf PCs, mit Spielekonsolen, die mit einem Fernseher verbunden sind oder Geräten mit Flüssigkristallbildschirmen gespielt werden. Siehe auch ZEIT-Beitrag → »Computerspiele: Der Sieger heißt Pong«, Seite 202–205.

**Computerviren**, eingeschleuste Programmteile, die sich selbst reproduzieren und z.B. das Betriebssystem oder Anwendungsprogramme manipulieren. Ein Computervirus ist Bestandteil eines *Wirtsprogramms* und arbeitet, wenn dieses gestartet wird. Dabei können Daten und Programme verfälscht oder zerstört werden.

**Constable** ['kʌnstəbl], John, * 1776, † 1837; englischer Maler. Er war der Hauptmeister der realistischen Landschaftsmalerei Englands und gilt wegen seiner stimmungsvollen Darstellung als Vorläufer des *Impressionismus.*

**Container** [kɔn'tεinə, der], ein Großbehälter mit international einheitlichen Abmessungen, denen Ladegeräte und Laderäume auf Schiffen, Eisenbahnen usw. angepasst sind.

**contra** [lat.], *kontra,* gegen, entgegen; *pro und contra:* für und wider.

**Cook** [kuk], James, *1728, †1779; englischer Seefahrer, einer der größten Entdeckungsreisenden. Cook erforschte die Ostküste Australiens sowie die Küsten Neuseelands und vieler Südseeinseln. Er wurde von Eingeborenen auf Hawaii erschlagen.

**Cooper** ['ku:pə], James Fenimore, * 1789, † 1851; US-amerikanischer Schriftsteller. In seinen »Lederstrumpf«-Romanen (u.a. »Der letzte Mohikaner«) beschreibt er das abenteuerliche Leben der Indianer und Trapper zur Zeit der Besiedlung Amerikas.

**Copyright** ['kɔpirait, das], der Schutz des Urheberrechts. Das Copyright wird im Impressum z.B. von Büchern und Zeitschriften vermerkt und soll vor unerlaubtem Nachdruck schützen. Es hat das Zeichen ©.

**Córdoba**, eine Stadt im Südwesten Spaniens (Andalusien), 319 000 Einwohner. Die Stadt hatte ihre Blütezeit unter den Mauren (711 bis 1236). Daran erinnert noch heute »La Mezquita«, die ehemalige Hauptmoschee der westlichen arabischen Welt.

*Córdoba: 856 Marmorsäulen tragen das Gewölbe der Gebetshalle der ehemaligen Moschee »La Mezquita«, daher wird der Raum auch als »Zauberwald der Säulen und Bögen« bezeichnet.*

So fing alles an: Das Fernsehtennis Pong

## Computerspiele

# Der Sieger heißt Pong

**Von Christoph Drösser**

Im Sommer 1973, mit 14 Jahren, war ich zu einem Schüleraustausch in England. An einem Tag gingen wir in eine Spielhalle, zum Flippern. Flipper werden heute nicht mehr gebaut, deshalb sollte ich vielleicht erklären, was ein Flipper ist.

Ein Flipper ist ein Spielautomat. Eine silberne Kugel wird dabei in ein Spielfeld geschossen und prallt dort wild hin und her. Mit zwei »Paddeln«, die mit Knöpfen bedient werden, muss man versuchen, die Kugel daran zu hindern, unten aus dem abschüssigen Feld zu rollen.

Das ist eine recht nüchterne Beschreibung für ein Spiel, das damals sehr cool war. Die Rockgruppe The Who hat ein ganzes Musical namens *Tommy* über einen blinden Flipperspieler geschrieben, der zum »Pinball Wizard« wurde, zum Flipperzauberer.

## Der springende Punkt

Zwischen all den blinkenden Flippermaschinen stand damals ein Spielautomat, wie ihn noch keiner von uns gesehen hatte. Dieser Automat bestand nur aus einem Schwarzweißfernseher in einer Kiste, auf dessen schwarzem Hintergrund rechts und links ein weißer Balken zu sehen war, den man mit einem Drehknopf nach oben und unten bewegen konnte. In der Mitte teilte eine weiße Linie den Bildschirm in zwei Hälften, und ein quadratischer Punkt sprang auf dem Schirm hin und her, man musste ihn mit den weißen Balken abfangen und zum Gegner zurückspielen. Gewonnen hatte, wer am wenigsten »Bälle« durchließ. Immer wenn der Ball irgendwo anstieß, gab der Apparat einen elektronischen Ton von sich: »Pong, pong, pong …« Pong hieß auch das Spiel. Und obwohl es unendlich primitiv war, viel weniger Reize bot als die teilweise hoch komplizierten Flipperautomaten, bildeten wir Jungs eine große Traube um die Pong-Kiste. Jeder wollte einmal eine Münze hineinwerfen und das »Fernsehtennis« spielen. Pong war das erste Computerspiel, das man in Spielhallen und später auf dem Fernseher zu Hause spielen konnte.

Auch heute kann man auf Computern und Spielkonsolen Bälle hin und her schlagen – die Spiele sind allerdings sehr viel ausgefeilter als Pong: Um etwa das Tennisspiel für die Xbox zu beherrschen, muss man fast so lange trainieren wie im richtigen Tennis, um das Grand-Slam-Turnier zu gewinnen. Man entwirft das äußere Erscheinungsbild seiner Spielfigur, kleidet sie ein (später lässt man sich dann auch von Sportartikelfirmen sponsern) und lernt unzählige Schlagvarianten. Selbstverständlich sind die Tennisplätze den großen Centre-Courts in aller Welt nachgebildet; wenn man einen besonders guten Schmetterball landet, applaudiert das Publikum extra laut und erhebt sich von den Sitzen.

Computerspiele haben sich also verändert in den vergangenen 30 Jahren. Aus dem simplen Pingpong hat sich eine Vielfalt von Spielen entwickelt, die in immer realistischeren Welten stattfinden. Der Spieler taucht in Szenen ein, die an Detailreichtum vergleichbar sind mit den ersten vollständig im Computer animierten Trickfilmen. Das ist deshalb bemerkenswert, weil im Computerspiel die Szenen in Echtzeit, also augenblicklich, berechnet werden müssen, während für einen Kinofilm jedes der 24 Bilder, die man pro Sekunde sieht, stundenlang von spezialisierten Grafikrechnern »gerendert« wird.

## Action in Echtzeit

Mit Computerspielen wird heute mehr Umsatz gemacht als mit Spielfilmen. Es kommt nicht nur zu vielen Filmen fast gleichzeitig das »Spiel zum Film« auf den Markt – zunehmend werden auch Computerspiele als Vorbild für (meist ziemlich langweilige) Filme genommen, so war es etwa bei *Resident Evil.* Manche Computerspieler haben aus ihrer Leidenschaft sogar einen Beruf gemacht: Es gibt professionelle Ligen für »Computersport«. Auch die Geräte, auf denen man Computer-

Spielen auf höchstem technischem Niveau: Die Xbox-Konsole

spiele spielt, sind aufwendiger geworden: Es gibt weiterhin spezielle Konsolen (Playstation, Xbox, Nintendo Gamecube), die man an den Fernseher anschließt. Sie konnten sich gegenüber den PC-Spielen behaupten – an der Konsole sitzt man weiter vom Bildschirm weg, was vor allem dann von Vorteil ist, wenn mehrere Personen spielen. Tragbare Spielgeräte (Nintendo DS, Playstation Portable) mit anspruchsvoller Grafik verdrängen den Gameboy – und viele Menschen spielen auf ihrem Handy.

Ein Überblick über die Spiele von heute ist fast unmöglich. Man kann versuchen, sie grob in einige Gruppen einzuteilen, wobei die Übergänge fließend sind: Geschicklichkeitsspiele sind vielleicht die direktesten Nachfahren von Pong. Zu ihnen gehören auch einfache »Ballerspiele«, die man häufig auch direkt im Internetbrowser spielen kann, und die »Jump 'n' Run«-Spiele, bei denen eine Spielfigur einen Hindernisparcours zu durchlaufen hat. Aber auch die Gruppe der Sportspiele, von Tennis über Fußball bis zum Autorennen, gehören dazu. Das wichtigste dabei ist die geschickte Handhabung des Spiele-Controllers – denken muss man nicht viel.

Vernetzte Spieler: LAN-Party in der Erfurter Sporthalle (2001)

## Rollenspiele und Ego-Shooter

Rollenspiele entführen den Spieler in eine Fantasiewelt. Dort stellt er eine sagenhafte Figur dar und kämpft (meist) als Guter gegen das Böse. Dabei muss er teilweise Denkaufgaben lösen, aber auch geschickt Kämpfe bestehen.

Simulationsspiele bilden einen Bereich der wirklichen Welt mehr oder weniger genau ab. Beim Flugsimulator ist es das Cockpit des Piloten, bei Siedler errichtet man Dörfer und Städte, bei den Sims geht es um das menschliche Zusammenleben bis hin zu der Frage, welche Schlafzimmervorhänge man kaufen will.

Strategiespiele bilden meist kriegerische Situationen ab. Es geht darum, den Krieg zu gewinnen, indem man seine Einheiten geschickt einsetzt. Age of Empires und Command & Conquer sind bekannte Beispiele.

Ego-Shooter (englisch: *first person shooter)* sind eine Weiterentwicklung der Ballerspiele und im Moment wohl die umstrittenste Sorte von Computerspiel: Man sieht die Welt aus der Perspektive eines Kämpfers, zielt mit seiner Waffe auf die Gegner, die es auszuschalten gilt. Außenstehende sind oft entsetzt über die brutalen Gewaltszenen in diesen Spielen, die Fans betonen dagegen, dass es ihnen nicht darum gehe, Blut fließen zu sehen, sondern um die Strategie. Viele Ego-Shooter wie

*Der Schnellste gewinnt: Das Computerspiel Moorhuhnjagd*

Counter-Strike haben eine Altersbeschränkung ab 16 oder 18 Jahren.

## Ein umstrittenes Vergnügen

Onlinespiele zeichnen sich dadurch aus, dass man nicht gegen den Computer spielt, sondern mit und gegen andere Spieler aus Fleisch und Blut, die über die ganze Welt verstreut sind. Das bekannteste Beispiel ist World of Warcraft. Onlinespiele gehen wegen ihrer monatlichen Gebühr allerdings ganz schön ins Geld, und sie haben einen hohen Suchtfaktor – das Spiel geht weiter, auch wenn der Spieler offline ist, und deshalb können sich viele kaum vom Bildschirm lösen, weil sie nichts verpassen wollen.

Obwohl die Computerspieler der ersten Generation inzwischen fast 50 Jahre alt sind und viele von ihnen immer noch zu Hause spielen, gelten die Games weiterhin als Unterhaltung für (vor allem männliche) Jugendliche. Sie werden für vieles verantwortlich gemacht – angefangen bei den schlechten Schulleistungen (vor allem der Jungen) bis hin zu Gewalttaten wie dem Amoklauf eines 19-Jährigen in Erfurt im Jahr 2002.

Die Frage, ob Computerspiele Gewalt erzeugen oder fördern, ist unter Pädagogen immer noch heiß umstritten. Als gesichert kann aber gelten, dass Jugendliche, die ohnehin zur Gewalttätigkeit neigen, durch entsprechende Spiele noch in ihren brutalen Fantasien bestärkt werden. Seit 2003 bewertet die »Unterhaltungssoftware Selbstkontrolle« (USK) sämtliche Computerspiele und versieht sie mit Altersfreigaben.

Bei der Games Convention 2007 in Leipzig, der größten Computerspielmesse Europas, wählte eine Jury die einflussreichsten Spiele aller Zeiten. Auf den ersten Plätzen lagen nicht etwa die aufwendigen von heute, sondern das Klötzchen-Spiel Tetris von 1985 – und Pong.

**Corporate Identity** [kɔ:pərit ai'dɛntiti], Selbstverständnis bzw. Identität eines Unternehmens, bestimmt durch Firmenstil, Unternehmenskultur und Erscheinungsbild in der Öffentlichkeit.

**Cortés**, Hernando (Hernán), * 1485, † 1547; spanischer Eroberer. Cortés eroberte das Reich der Azteken (heute Mexiko) und unternahm weitere Expeditionen bis nach Kalifornien.

**Cosa Nostra** [ital., »unsere Angelegenheit«], eine kriminelle Vereinigung in den USA, organisiert nach dem Vorbild der sizilianischen Mafia.

***Ländersteckbrief***
**Costa Rica**

| | |
|---|---|
| **Fläche:** | 51 100 km² |
| **Einwohner:** | 4,4 Millionen = 86 je km² |
| **Hauptstadt:** | San José |
| **Religion:** | römisch-katholische Kirche |
| **Amtssprache:** | Spanisch |
| **Währung:** | 1 Costa-Rica-Colón = 100 Céntimos |

*Costa Rica: Tropischer Regenwald im Braulio-Carrillo-Nationalpark*

**Costa Rica**, Staat in Mittelamerika.

**Landesnatur:** Die vulkanische Kordillere (im Chirripó Grande 3820 m) trennt die feuchttropische, regenwaldbestandene Küstenebene des Atlantiks von der wechselfeuchten pazifischen Küstenebene. Im Süden des Zentralgebirges liegt die fruchtbare Hochfläche Meseta Central.

**Bevölkerung:** Die Bevölkerung besteht zu 87% aus Weißen (vorwiegend spanischer Herkunft) und Kreolen. 95% sind Christen (v. a. Katholiken).

**Wirtschaft:** Die Landwirtschaft liefert für den Export Kaffee, Kakao, Zuckerrohr, Bananen, Palmölprodukte, Tabak, Baumwolle, Milch- und Schlachtvieh sowie Edelhölzer. Costa Rica hat eine vielseitige Konsumgüterindustrie; Tourismus. – Haupthäfen sind Limón und Puntarenas.

**Geschichte:** Kolumbus betrat das Land 1502 und gab ihm den Namen Costa Rica (»reiche Küste«). 1520 wurde es dem spanischen Generalkapitanat Guatemala eingegliedert, 1838 endgültig unabhängig. Nach 1900 setzte eine intensive wirtschaftliche und politische Entwicklung ein. Dabei verstärkte sich der Einfluss der USA. Staatspräsident ist seit 2006 O. *Arias Sánchez*.

**Côte d'Azur** [ko:t da'zy:r, franz., »blaue Küste«], Küstenstreifen des Mittelmeers, die französische Riviera zwischen Toulon und Ventimiglia.

### *Ländersteckbrief*
### Côte d'Ivoire

| | |
|---|---|
| **Fläche:** | 322 462 km² |
| **Einwohner:** | 18,5 Millionen = 57 je km² |
| **Hauptstadt:** | Yamoussoukro |
| **Religion:** | Naturreligionen, Islam, Christentum |
| **Amtssprache:** | Französisch |
| **Währung:** | CFA-Franc |

**Côte d'Ivoire**, Staat in Westafrika.

**Landesnatur:** Die Küstenebene ist von dichtem Regenwald bestanden. Im Hochland dehnen sich Feucht- und Trockensavannen aus. Das Klima ist tropisch mit nach Norden abnehmenden Niederschlägen.

**Bevölkerung:** Die Bewohner teilen sich auf rund 60 verschiedene Stämme auf. 14% sind Anhänger traditioneller Religionen, 43% Muslime, 23% Christen.

**Wirtschaft:** Die Bevölkerung lebt vorwiegend von der Landwirtschaft (Export von Kaffee und Kakao). Die Wälder liefern Mahagoni und andere Edelhölzer. Die wichtigsten Industriezweige sind Nahrungsmittel-, Holz-, Baumwollindustrie und Ölmühlen; Förderung und Export von Erdöl und -gas.

**Geschichte:** Ohne Staatenbildung bis zur Kolonialzeit wurde das Gebiet 1893 französische Kolonie, später ein Teil Französisch-Westafrikas. 1958 zunächst Republik mit innerer Autonomie, konnte am 7. 8. 1960 die Unabhängigkeit erreicht werden. Staatspräsident seit Erlangung der Unabhängigkeit war F. *Houphouet-Boigny*. Nach dessen Tod wurde 1993 H. K. *Bédié* Präsident. Ende 1999 stürzte ihn das Militär. 2000 übernahm L. *Gbagbo* das Präsidentenamt. 2002 entwickelte sich aus einer Militärrevolte ein Aufstand muslimischer Rebellengruppen gegen die Zentralregierung, die nur noch den Süden der Côte d'Ivoire kontrollieren konnte. Französische Truppen bemühten sich um eine Eindämmung der Auseinandersetzungen. 2004 stationierte die UNO Blauhelmtruppen. Die Lage blieb angespannt (Kämpfe zwischen Franzosen und ivorischen Einheiten, Ausschreitungen gegen Ausländer). 2005 und 2007 schlossen Regierung und Rebellen Friedensabkommen zur Beendigung des Konflikts.

**Countdown** [kaunt'daun, der, engl., »Herunterzählen«], das Abzählen von 10 bis 0 zu einem Raketenstart. Im weiteren Sinn gehören zum Countdown die Überprüfung der Vorbereitungen und die Durchführung des Starts.

*Côte d'Ivoire: Angehörige des Mandelevolks aus dem Nordwesten*

*Lucas Cranach d. Ä.; Selbstbildnis, um 1550. Florenz, Uffizien*

**Coup** [ku:, der], Stoß, Schlag, Streich, eine überraschende Tat, z. B. ein raffinierter Bankraub.

**Cover** [kʌvə, das], Verpackungshülle einer Schallplatte oder Compact Disc.

**Cowboy** ['kaubɔi, der, engl., »Kuhjunge«], ein berittener Viehhirte, besonders im Westen der USA; romantischer Held zahlreicher Bücher und Filme über die amerikanische Pioniergeschichte.

**Cr**, chemisches Zeichen für → Chrom.

**Crack** [kræk], aus Cocain und Backpulver hergestelltes Rauschmittel, das sehr schnell zur Abhängigkeit führt.

**cracken** ['krɛkən], Schweröle durch chemische Verfahren *(Crackprozess)* zur Erhöhung der Benzinausbeute bei der Erdölverarbeitung in Leichtöle umwandeln.

**Cranach**, Lucas der Ältere, * 1472, † 1553; deutscher Maler und Grafiker. Er war einer der Hauptmeister der deutschen Reformationszeit, Freund M. *Luthers* und P. *Melanchthons.* Ab 1505 arbeitete er als Hofmaler des sächsischen Kurfürsten Friedrich des Weisen in Wittenberg. Er schuf besonders Porträts, Bildnisse mit mythologischen Themen, Altarwerke, Madonnenbilder, Holzschnitte, Kupferstiche und Radierungen.

**Crashtest** [krɛʃtest, der, engl.], die Simulation eines Unfalls, um die möglichen Unfallfolgen unter verschiedenen Bedingungen zu untersuchen. Gummipuppen *(Dummys)* übernehmen dabei die Rolle der Autoinsassen.

**Crew** [kru:, die, engl.], Mannschaft, z. B. die Besatzung eines Schiffes oder eines Flugzeugs.

**Cromwell** ['krɔmwəl], Oliver, * 1599, † 1658; englischer Politiker und strenger Puritaner. Er kämpfte gegen den Absolutismus Karls I. und die anglikanische Kirche und überführte das britische Empire in eine Republik. 1649 stimmte er für die Hinrichtung *Karls I.* und übernahm 1653 als »Lordprotektor« die Regierungsgewalt. Durch Siege über Holland und Spanien stärkte er Englands Machtstellung. Sein Sohn Richard wurde 1658 sein Nachfolger, aber schon 1659 gestürzt.

*Crashtests sind vorgeschrieben, bevor ein neues Auto für den Straßenverkehr zugelassen wird.*

**CSU**, Abkürzung für → **C**hristlich-**S**oziale **U**nion.

**Cu**, chemisches Zeichen für → Kupfer.

**Curie** [ky'ri], eine polnisch-französische Gelehrtenfamilie.

### *Wer war …*
## Marie Curie

Marie Curie (* 1867, † 1934) war eine französische Chemikerin und Physikerin polnischer Herkunft. Sie leistete auf dem Gebiet der Radioaktivität Pionierarbeit und begründete mit ihren Arbeiten zu den physikalischen, chemischen und biologischen Wirkungen radioaktiver Strahlen die Radiochemie. 1891 floh Curie vor der russischen Polizei – Zentralpolen stand damals unter russischer Herrschaft – von Warschau nach Paris, wo sie Physik und Mathematik studierte. 1895 heiratete sie den Physiker Pierre Curie. Nach dessen Tod 1906 führte sie seine Vorlesungen an der Pariser Universität Sorbonne fort. 1908 war sie dort als erste Frau ordentliche Professorin für Physik und ab 1914 leitete sie auch das dortige »Institut du radium«. Als Doktorandin von A. H. *Becquerel* untersuchte Curie die Radioaktivität und entdeckte dabei die Radioaktivität des Thoriums und – gemeinsam mit ihrem Mann – die Elemente Polonium und Radium. Diese isolierte sie später aus vielen Tonnen Pechblende (Radium 1902 mit A. Debierne). Für ihre Arbeiten auf dem Gebiet der Radioaktivität erhielt sie 1903 zusammen mit ihrem Mann den Nobelpreis für Physik; ihr Doktorvater wurde zugleich für die Entdeckung der Radioaktivität ausgezeichnet. Als einziger Wissenschaftlerin wurde ihr 1911 zum zweiten Mal der Nobelpreis, dieses Mal für Chemie, verliehen, u. a. für die Reindarstellung des Radiums und die Untersuchung seiner Eigenschaften. Curie setzte sich darüber hinaus für die Anwendung von Röntgenstrahlen in der Medizin ein und wurde 1922 als erste Frau in die Pariser Académie de Médecine aufgenommen.

*Marie Curie, hier 1905 in ihrem Pariser Laboratorium, wurde gemeinsam mit ihrem Mann Pierre Curie durch die Entdeckung der Elemente Polonium und Radium berühmt.*

**Curry** ['kœri, der], eine aus Indien stammende, scharfe Gewürzmischung.

**Cursor** [kəːrsər, der], eine bewegliche Leuchtmarkierung auf dem Bildschirm eines Computers, die die Position des nächsten Buchstabens oder Zeichens angibt. Der Cursor wird mit Hilfe von Tasten oder mit der *Maus* bewegt.

**CVJM**, Abkürzung für **C**hristlicher **V**erein **j**unger **M**enschen (ursprünglich Männer), ein Verein der evangelischen Jugendarbeit.

**Cyberspace** ['saibəspɛis, engl.], *virtuelle Realität,* englisch *virtual reality,* eine mittels Computer erzeugte, dreidimensionale künstliche Welt. Einer mit entsprechenden Geräten, z. B. Datenhelm und Displaybrille, ausgestatteten Person *(Cybernaut)* wird das Gefühl vermittelt, selbst ein Teil dieser Welt zu sein und darin handeln zu können. Einsatzgebiete sind u. a. Flugsimulation, Medizin und Unterhaltungselektronik (Computerspiele).

**Cypern** → Zypern.

# D

**D**, **1.** vierter Buchstabe des Alphabets (Konsonant). **2.** römisches Zahlzeichen für 500.

**Dachs** [der], ein bei uns heimisches Säugetier, das zu den Mardern gehört und sich von Früchten und Kleintieren ernährt. Der Dachs ist nachts aktiv und verbringt den Tag in seinem selbst gegrabenen Bau.

**Dackel** [der], *Dachshund,* eine kurzbeinige Jagdhundrasse, für die Dachs-, Fuchs- oder Kaninchenjagd gezüchtet.

**Dadaismus** [der], eine 1916 begründete künstlerische Bewegung, die sich zum scheinbar Sinnlosen hinwenden wollte, um damit gegen die bürgerliche Kultur zu protestieren.

**Daguerre** [da'gɛːr], Louis Jacques Mandé, * 1787, † 1851; französischer Maler. Er erfand 1838/39 das erste praktisch verwendbare fotografische Verfahren, die *Daguerreotypie.*

**Dahlie** [die], ein Korbblütler, dessen einfach blühende, wilde Formen in Mexiko beheimatet sind und der bei uns als Gartenpflanze wächst.

**Daidalos**, *Dädalus,* ein sagenhafter griechischer Baumeister, der für König Minos auf Kreta das Labyrinth baute. Er entkam dem König mit Hilfe von

*Daimler: Die Daimler-Motorkutsche von 1886 war das erste vierrädrige Automobil der Welt.*

*Dachs: Einen Dachs wird man selten sehen. Er ist in der Dämmerung und nachts aktiv. Er gehört bei uns zu den gefährdeten Arten.*

Flügeln, die er für sich und seinen Sohn *Ikarus* aus Federn und Wachs baute. Ikarus kam dabei der Sonne so nahe, dass das Wachs schmolz und er ins Meer stürzte.

**Daily Soap** ['dɛili səup; die; engl.], während der Woche täglich ausgestrahlte Fernsehserie mit einfach strukturierter Handlung und festen Charakteren.

**Daimler**, Gottlieb, * 1834, † 1900; deutscher Ingenieur und Unternehmer. Daimler baute 1883 einen Verbrennungsmotor, der 1885 im ersten Motorrad und 1886 im ersten Daimler-Auto erprobt wurde. Er gründete 1890 die Daimler-Motoren-Gesellschaft, die sich 1926 mit der Benz & Cie. AG (1883 von K. F. *Benz* gegründet) zur Daimler-Benz AG zusammenschloss.

**Dakar**, die Hauptstadt von Senegal und größter Handelshafen Westafrikas, 2,0 Mio. Einwohner.

**Daktylus**, ein Versfuß aus einer langen Silbe und zwei kurzen Silben.

**Dalai-Lama** [der, mongolisch, »Ozean des Wissens«], das Oberhaupt des tibetischen Lamaismus. Auch → »Genauer betrachtet«, Seite 212.

*Genauer betrachtet …*
## Dalai-Lama

Der Dalai-Lama ist der höchste geistige Würdenträger des Lamaismus, einer hauptsächlich im Himalaya und Zentralasien verbreiteten Form des Buddhismus. Der derzeitige 14. Dalai-Lama ist ein tibetischer Mönch, der am am 6. Juli 1935 unter dem Namen Lhamo Dhondrub geboren wurde. Mit einem verstärkten Interesse westlicher Gesellschaften am Buddhismus insbesondere seit den 70er und 80er Jahren des 20. Jahrhunderts wurde der Lehre des Dalai-Lama von der Aufhebung der Trennung zwischen Gefühl und Verstand, in der die Ursachen für Egozentrik und Feindseligkeit liegen sollen, auch in anderen Kulturkreisen verstärkt Aufmerksamkeit geschenkt. 1959 wurde die Region Tibet gewaltsam von China annektiert, damit erlangte der Dalai-Lama auch eine politische Bedeutung durch seine Eigenschaft als Oberhaupt der tibetischen Exilregierung in Indien. Er hat als Symbolfigur für die Bemühungen des tibetischen Volkes um kulturelle und politische Unabhängigkeit ein gewisses Gewicht auf der weltpolitischen Bühne, das mit der Verleihung des Friedensnobelpreises an ihn im Jahr 1989 noch verstärkt wurde. Er setzt sich besonders für Toleranz zwischen den Religionen und den Völkern ein.

**Dalí**, Salvador, * 1904, † 1989; spanischer Maler, ein Vertreter des *Surrealismus.* Er stellt in seinen Gemälden eine absurde Bildwelt von Träumen dar.

**Dalmatien**, eine Küstenlandschaft am Adriatischen Meer, überwiegend von Kroaten bewohnt. Haupthäfen sind *Split* und *Zadar.*

**Damaskus**, Hauptstadt von Syrien, 2,2 Mio. Einwohner. Das Verkehrs- und Handelszentrum wird im 15. Jh. v. Chr. erstmals erwähnt.

**Damokles**, Diener des Tyrannen Dionysios I. von Syrakus. Der Tyrann ließ ihn unter einem Schwert, das an einem Pferdehaar aufgehängt war, üppig speisen. Damit wollte er ihm das gefährliche Glück des Herrschers verdeutlichen. Mit dem danach benannten sprichwörtlichen *Damoklesschwert* will man heute eine drohende Gefahr beschreiben.

**Dämon** [der], im Volksglauben eine Macht, die keinen Namen hat und deren Wesen nicht so deutlich umschrieben ist wie das der Götter. Diese Macht kann gut oder böse sein.

**Dampf** [der], der Zustand von Stoffen beim Übergang von der flüssigen zur gasförmigen Phase.

**Dampfmaschine** [die], eine Maschine, die die Energie von Dampf in mechanische Arbeit umsetzt. Der Dampfdruck, der in einem beheizten Wasserkessel erzeugt wird, wird genutzt, um einen Kolben in einem Zylinder hin und her zu bewegen. Dieser Kolben treibt

*Salvador Dalí*

über eine Kolbenstange und eine Pleuelstange wiederum ein Rad an. Die erste brauchbare Dampfmaschine wurde 1769 von James *Watt* gebaut. Sie trug erheblich zur Entwicklung der industriellen Fertigung bei.

**Dancefloor** [dænsflɔː], besonders für Diskotheken entwickelte Musikformen; auch Bezeichnung für die Tanzfläche einer Diskothek.

### *Ländersteckbrief*
### Dänemark

| | |
|---|---|
| **Fläche:** | 43 094 km² |
| **Einwohner:** | 5,4 Millionen = 126 je km² |
| **Hauptstadt:** | Kopenhagen |
| **Religion:** | evangelisch-lutherische Kirche |
| **Amtssprache:** | Dänisch |
| **Währung:** | 1 Dänische Krone = 100 Öre |

**Dänemark**, Staat in Nordeuropa.

Dänemark besteht aus der Halbinsel *Jütland,* den Inseln *Seeland, Fünen, Lolland, Bornholm, Falster, Langeland, Alsen* und über 400 weiteren kleinen Inseln. Zu Dänemark gehören politisch ferner die *Färöer* und *Grönland.*

**Landesnatur:** Die Mitte Jütlands prägt ein eiszeitlicher Höhenzug, vor dem sich nach Westen von Heide, Wäldern und Mooren bedeckte Sandflächen ausdehnen. Das wirtschaftliche Schwergewicht des Landes liegt in den fruchtbaren, gewellten Moränengebieten Ostjütlands und der Inseln. Dänemark hat ein ausgeglichenes mildes und feuchtes Klima.

*Dänemark: Die »Kleine Meerjungfrau« in Kopenhagen ist das Wahrzeichen der Hauptstadt.*

**Bevölkerung:** Die Bevölkerung setzt sich fast ausschließlich aus Dänen zusammen und gehört zu 84% der lutherischen Kirche an.

**Wirtschaft:** Schwerpunkt der intensiv betriebenen Landwirtschaft ist die Viehzucht. Dänemark ist arm an Bodenschätzen. Die wichtigsten Industriezweige sind die chemische, Textil-, Lebensmittel-, Metall- und Maschinenindustrie sowie der Schiffbau. – Die Inseln sind durch Brücken, Tunnel oder Fähren miteinander verbunden. Die wichtigsten Seehäfen sind Kopenhagen, Ålborg und Köge.

**Geschichte:** Die erste staatliche Zusammenfassung Dänemarks gelang im 10. Jh. Im 11. Jh. eroberte König *Sven Gabelbart* England; *Knut der Große* (1018–1035) beherrschte Norwegen, England und Schottland. Das dänische Ostseereich fiel Anfang des 13. Jh. auseinander. *Waldemar IV. Atterdag* (1340–1375) hielt die Auflösung des Reichs auf. Seine Tochter *Margarete* gründete 1397 die Union aller drei Reiche des Nordens *(Kalmarer Union).* Die Union mit Schweden zerbrach 1523. *Christian III.* führte 1536 durch einen Staatsstreich die Reformation ein. 1658 ging der gesamte Besitz auf der skandinavischen Halbinsel an Schweden verloren. 1814 *(Kieler Friede)* musste Dänemark auch den Verlust Norwegens hinnehmen. Nach den deutsch-dänischen Kriegen 1848–1850 und 1864 musste Dänemark Schleswig, Holstein und Lauenburg an Österreich und Preußen abtreten. Eine Volksabstimmung brachte 1920 einen Teil Nordschleswigs an Dänemark. Von 1940–1945 war Dänemark von deutschen Truppen besetzt. 1973 erfolgte der dänische Beitritt zur Europäischen Gemeinschaft. 1979 wurde dem zu Dänemark gehörenden Grönland Autonomie zugestanden. Staatsoberhaupt ist seit 1972 Königin *Margarete II.* Von 1993 bis 2001 war der Sozialdemokrat P. N. *Rasmussen* Ministerpräsident. Er wurde von dem liberalen Politiker A. F. *Rasmussen* abgelöst.

### *Wer war …*
## Dante Alighieri

Dante Alighieri (1265, † 1321) war der bedeutendste italienische Dichter des späten Mittelalters. Dante beeinflusste mit seinem Schaffen maßgeblich die italienische Sprache und Literatur. Sein Hauptwerk »Die göttliche Komödie« (entstanden 1307–1327, erschienen 1472) und erlangte nach seinem Tod Weltruhm. Es gilt bis heute als eines der wichtigsten Werke überhaupt. Dante bietet in ihm eine Zusammenfassung des philosophischen, theologischen, wissenschaftlichen und politischen Denkens seiner Zeit. Das Epos besteht aus rund 14 200 Versen, damit ist es das längste christliche Weltgedicht. Es ist in drei Teile zu je 33 Gesängen gegliedert, die u. a. die Dreifaltigkeit Gottes, die 33 Lebensjahre Christi darstellen. Erzählt wird die Wanderung Dante Alighieris durch die drei Jenseitsbereiche des katholischen Glaubens: die Hölle, das Fegefeuer und das Paradies. Berühmt ist Dante auch für seine Sonette, in denen er seine zarte, traumhafte Liebe zu der jungen Beatrice beschreibt. In diesen Gedichten stellt der Autor die Liebe v. a. als Mittel zur sittlichen Vervollkommnung dar.

Der Florentiner Dante nahm aktiv am politischen Leben teil und hatte verschiedene Ämter in seiner Heimatstadt inne. 1302 wurde er wegen Opposition zu Papst Bonifatius VIII. verbannt und zum Tode verurteilt. Seine Flucht führte ihn durch fast ganz Italien, Stationen des Exils waren u. a. Treviso, Verona, Lucca und Ravenna.

*Dante Alighieri*

**Danton** [dã'tõ], Georges Jacques, * 1759, † 1794; führender Vertreter der Französischen Revolution, Rechtsanwalt und mitreißender Redner. Danton setzte die ersten Revolutionsgerichte ein und ließ Anhänger des Königs umbringen. Wegen seiner zunehmend mäßigenden Haltung wurde er auf Veranlassung von *Robespierre* hingerichtet.

*Daoismus: Hohe daoistische Priester mit ihrem Abt vor einem großen Tempel in Quingdao, Provinz Shangdong*

**Danzig**, polnisch *Gdańsk,* bedeutende Hafenstadt an der Ostsee, 457 000 Einwohner. Danzig ist eine alte Hansestadt, die nach 1918 zum Freistaat wurde, 1939 dem Deutschen Reich angegliedert wurde und seit 1945 zu Polen gehört. Die Stadt wurde im Zweiten Weltkrieg stark zerstört. 1980 ging von Danzig die Bildung der unabhängigen Gewerkschaft Solidarność aus.

**Daoismus** [der], *Taoismus,* die chinesische Volksreligion, die auf den alten chinesischen Philosophen Lao Zi zurückgeht. Er sah im Dao (chinesisch, »Bahn«, »Weg«) das göttliche Urwesen, aus dem die Welt entstanden ist und in das alle Dinge wieder zurückkehren. Der Daoismus fordert nicht Handlungen, sondern Annäherung an das Dao. Er nahm auch andere ostasiatische Lehren auf und enthält manchen Zauber- und Dämonenglauben.

**Dardanellen**, im Altertum *Hellespont,* eine schmale Meeresstraße (65 km lang, 1,9–6 km breit), die das Ägäische Meer mit dem Marmarameer verbindet. Sie trennt die europäische Türkei von der asiatischen.

**Dar es Salaam**, *Daressalam,* Hauptstadt und wichtigster Hafen von Tansania, 2,3 Mio. Einwohner.

**Darlehen** [das], Geld, das für einen bestimmten Zeitraum, meist gegen Zinsen, verliehen wird. Dieses Geld und die dafür fälligen Zinsen können auch in kleinen Beträgen (Raten) zurückbezahlt werden.

**Darm** [der], ein schlauchförmiges Organ, das der Verdauung dient. Der Darm schließt an den Magen an und ist beim Menschen insgesamt etwa 8–9 m lang. Er ist mit längs- und ringförmiger Muskulatur versehen, die durch rhythmisches Zusammenziehen

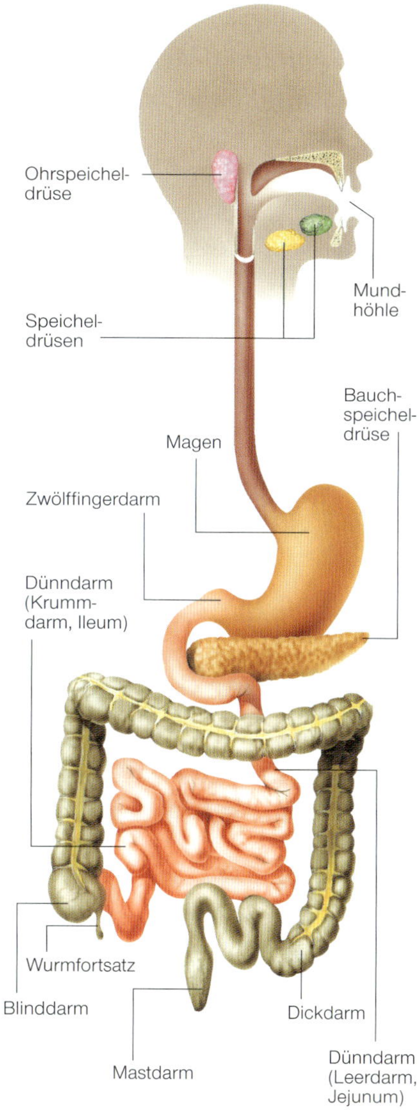


*Darm: Die Grafik zeigt das menschliche Verdauungssystem.*

*(Peristaltik)* den Speisebrei vorwärts befördert. Man unterscheidet die beiden großen Abschnitte *Dünndarm* und *Dickdarm.* Der erste Abschnitt des Dünndarms ist der *Zwölffingerdarm,* der etwa so lang ist, wie zwölf Finger breit sind. Hier kommen Galle aus der Leber und Fermente aus der Bauchspeicheldrüse zum Nahrungsbrei, um ihn weiter zu zersetzen. Die Nährstoffe werden durch die Darmschleimhaut an die Blutgefäße abgegeben und dem Körper zugeführt. Im Dickdarm wird dem Speisebrei das Wasser entzogen. Darmbakterien sorgen hier für die weitere Verdauung der Nahrung. Der unverdauliche Nahrungsrest wird über den After ausgeschieden. Der Dickdarm an der Einmündung des Dünndarms heißt *Blinddarm,* an ihm sitzt der Wurmfortsatz. Der letzte Abschnitt des Dickdarms ist der *Mastdarm.*

**Darmstadt**, Stadt in Hessen, am Anfang der Bergstraße und am Rand des Odenwalds gelegen, 140 000 Einwohner.

**Darts** [da:ts, das], ein Wurfspiel, bei dem bis zu 15 cm lange Pfeile aus Metall auf eine Scheibe geworfen werden. Die Scheibe hat einen Durchmesser von 40–45 cm und ist in Abschnitte eingeteilt, die unterschiedlich nach Punkten bewertet werden.

*Darts: Die höchste Punktzahl bringt der Treffer in die Mitte der Dartscheibe.*

### *Wer war …*
### Charles Darwin

*Statue des Forschers Charles Darwin in seiner Geburtsstadt Shrewsbury, England*

Der britische Naturforscher Charles Darwin (* 1809, † 1882) war einer der bedeutendsten Biologen der Geschichte. Er begründete die moderne Evolutionstheorie und beeinflusste damit maßgeblich die europäische Geistesgeschichte.

Darwin studierte 1825–1827 Medizin in Edinburgh und 1827–1831 Theologie in Cambridge. 1831–1836 unternahm er als naturwissenschaftlicher Begleiter auf dem Vermessungsschiff »Beagle« eine Weltreise, auf der ihn v. a. seine Beobachtungen der Vogelwelt auf den Galápagosinseln zu seinen späteren Studien über den Ursprung der Arten angeregt haben. Nach England zurückgekehrt, lebte Darwin ab 1837 in London und ab 1842 auf seinem Landsitz in Down. Wissenschaftliche Gründlichkeit, aber auch die Furcht vor Anfeindung ließen ihn mehr als zwanzig Jahre zögern, seine Evolutionstheorie zu veröffentlichen. Erst 1859 erschien sein bahnbrechendes Werk »Über die Entstehung der Arten durch natürliche Zuchtwahl«. Hierin ging er von der Beobachtung aus, dass Arten stets einen Überschuss an Nachkommen produzieren, ihre Zahl aber innerhalb einer Schwankungsbreite konstant bleibt, da u.a. die natürlichen Ressourcen wie Nahrung oder Lebensraum begrenzt sind. Dieses Phänomen erklärte er damit, dass zwischen den Individuen einer Art, die sich in ihren Merkmalen mehr oder weniger stark unterscheiden, ein Konkurrenzkampf um Nahrung, ums Nicht-Gefressenwerden stattfindet, so dass ein Teil der Tiere das Fortpflanzungsalter nicht erreicht. Diejenigen, die der Konkurrenz standhalten, sind besser an die herrschenden Lebensbedingungen angepasst als ihre unterlegenen Konkurrenten und geben ihre Erbanlagen (Gene) an die nächste Generation weiter. Diese »natürliche Auslese« führt ganz allmählich zu einem Wandel der Arten.

Von E. *Haeckel* angeregt, übertrug er seine Anschauung auf den Menschen und dessen Abstammung. Darwins Theorie, heute Grundlage der Evolutionsbiologie, war lange Zeit v.a. deshalb sehr umstritten, weil sie mit der biblischen Schöpfungsgeschichte nicht vereinbar ist und dem Menschen keine Sonderstellung einräumt.

**Datei** [die], englisch *file*, geordnete Zusammenstellung von Daten.

**Datenautobahn** [die], Bezeichnung für ein Datennetz, das mit Hilfe spezieller Kabel *(Glasfaserkabel)* den Transport von Bild-, Text- und Tonsignalen ermöglicht. Dabei werden durch die Verbindung von Telekommunikation, Computertechnik und Fernsehen neue Kommunikationsformen geschaffen.

**Datenbank** [die], ein System aus Datengroßspeichern, das viele Daten eines Wissensgebietes enthält, die schnell abgerufen werden können.



**Datenschutz** [der], der Schutz der Bürger vor dem Miss brauch persönlicher Daten (Geburtsdaten, Einkommen u.Ä.) bei ihrer Speicherung, Übermittlung, Veränderung oder Löschung. Dieser Schutz wurde 1977 im *Datenschutzgesetz* festgelegt. Danach sind Mitarbeiter in entsprechenden Einrichtungen zur Geheimhaltung verpflichtet. Jeder Bürger hat das Recht, von Daten verarbeitenden Stellen Auskunft über die von ihm gespeicherten Daten zu erhalten. Über die Einhaltung des Datenschutzes wachen Datenschutzbeauftragte.

**Datenträger** [der], Sammelbezeichnung für verschiedene mobile Medien, auf denen Daten abgespeichert werden können.

**Datenverarbeitung** [die], *elektronische Datenverarbeitung, EDV,* das Erfassen, Speichern, Übertragen, Ordnen und Umformen von Daten zur Gewinnung

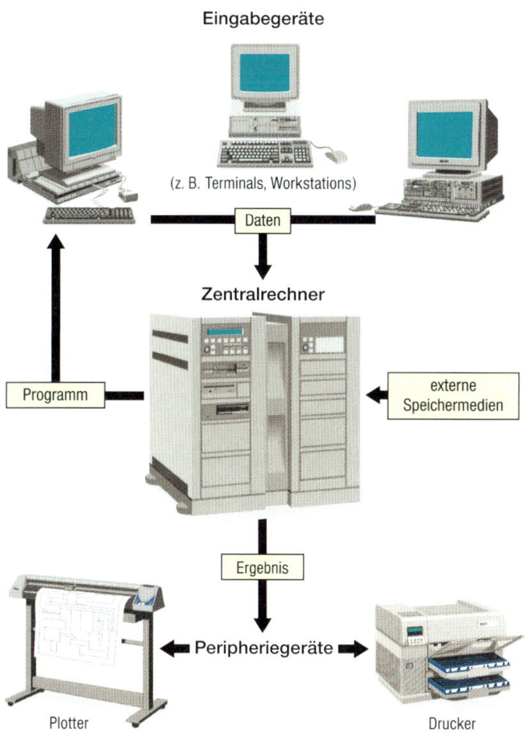


*Datenverarbeitung: Zu einem typischen EDV-Arbeitsplatz gehören neben dem Computer (Rechner) Eingabegeräte zur Datenerfassung und Peripheriegeräte zur Datenausgabe.*

von Informationen. Dies geschieht heute meistens mit → Computern. Auch → »Genauer betrachtet«.

### *Genauer betrachtet …*
## Datenverarbeitung

**1614** Lord J. *Napier* veröffentlicht eine komplette Logarithmentafel.

**1623** Konstruktion der ersten Rechenmaschine durch W. *Schickard*

**1679** G. W. von Leibniz entwickelt das duale Zahlensystem.

**1833** C. *Babbage* entwirft den ersten programmgesteuerten Rechenautomaten.

**1945** Der erste vollelektronische Großrechner wird fertig gestellt.

**1955** Der erste mit Transistoren bestückte Computer wird fertig gestellt.

**1958** Erfindung der ersten integrierten Schaltung

**1970** Entwicklung des Mikroprozessors

**1977** Bau des ersten Personalcomputers (PC)

**1985** Produktion von Chips mit 1 Megabit Speicherkapazität

**1990** Erste funktionstüchtige optische Computer werden vorgestellt.

**1993** zunehmende Verbreitung der CERN-Entwicklung WWW (World Wide Web)

**1999** erste WAP-Handys für einfachen Internetzugang

**2003** Markteinführung der wiederbeschreibbaren DVD

**2004** Entwicklung nichtflüchtiger MRAM-Speicherchips

**2007** erste Festplatte mit 1 Terabyte Speicherkapazität

**Dativ** [der] → Kasus.

**Dattelpalme** [die], ein Palmengewächs, das besonders in den Oasen von Wüstengebieten in Afrika kultiviert wird; bis 20 m hoch. In ihren Fruchtständen reifen einige Hundert Datteln, die wegen ihres hohen Nährstoffgehalts von den Wüstenbewohnern sehr geschätzt werden.

**Datumsgrenze** [die], die längs des 180. Längengrads von Nord nach Süd durch den Pazifischen Ozean verlaufende gedachte Linie, bei deren Überquerung nach West 1 Tag übersprungen, nach Ost 1 Tag wiederholt wird.

**David**, *um 1040 v. Chr., †um 965/964 v. Chr.; israelitischer König, Schwiegersohn und Nachfolger Sauls. David war der bedeutendste König Israels und ist eine der zentralen Bibelfiguren. Er schlug die Philister, eroberte Jerusalem und schuf ein Großreich, das Palästina und Syrien umfasste. Er gilt als Verfasser vieler Psalmen.

**Davis** ['dɛivis], Miles Dewey, *1926, †1991; afroamerikanischer Jazzmusiker. Er wurde als herausragender Jazztrompeter zur Berühmtheit und war bedeutender Vertreter verschiedener Jazzstile, z. B. des *Cool Jazz,* die er als Musiker maßgeblich beeinflusste.

**Davispokal** [dɛivis-, der], *Davis-Cup,* die Siegestrophäe des bedeutendsten internationalen Tenniswettbewerbs für Herren-Nationalmannschaften. Der Pokal wurde 1900 von dem US-Amerikaner Dwight F. *Davis* als Wanderpokal gestiftet.

**DDR** [die], Abkürzung für → Deutsche Demokratische Republik.

**Dealer** ['diːlə, der, engl.], jemand, der mit verbotenen Rauschmitteln handelt.

**Death Valley** ['dɛθ 'væli, das, engl., »Todestal«], eine Sand- und Steinwüste im Osten von Kalifornien (USA). In einer Senke befindet sich der »Hitzepol« mit +57 °C, der höchsten absolut gemessenen Temperatur der Erde.

**Debakel** [das], Zusammenbruch, Niederlage.

**Debatte** [die], Gedankenaustausch, lebhafte Aussprache, besonders im politischen Bereich.

**Debussy** [dəby'si], Claude, * 1862, † 1918; französischer Komponist. Er gilt als Wegbereiter der modernen Musik und als Meister des musikalischen Impressionismus. Debussy schuf Bühnenwerke, z. B. die Oper »Pelléas und Mélisande«, Orchesterwerke wie »Nachmittag eines Fauns«, Kammer- und Klaviermusik sowie Lieder. Viele moderne Komponisten ließen sich von ihm beeinflussen.

**Defensive** [die], Abwehr, Verteidigung.

**Definition** [die], die Bestimmung eines Begriffs.

**Defizit** [das], ein Fehlbetrag, z. B. in einer Kasse.

**Deflation** [die], Unterversorgung der Wirtschaft mit Geld, wodurch die Preise für Waren und Dienstleistungen sinken. Gegensatz: *Inflation.*

**Defoe** [də'fou], Daniel, * 1660, † 1731; englischer Schriftsteller. In seinem bekannten Roman »Robinson Crusoe« beschreibt er die Abenteuer eines Schiffbrüchigen auf einer einsamen Insel.

**Degas** [də'ga], Edgar, * 1834, † 1917; französischer Maler. Ein Vertreter des *Impressionismus,* der besonders bewegte Figuren (Tänzerinnen, Pferde) malte.

*Death Valley: Das »Tal des Todes« in Kalifornien (USA) heißt so, weil hier Mitte des 19. Jh. mehrere Siedler auf dem großen Treck nach Westen ihr Leben verloren.*

*Edgar Degas, Der Tanzunterricht; 1874, Paris, Musée d'Orsay*

**Degen** [der], eine Hieb- und Stichwaffe mit langer, gerader Klinge. Der Degen kam im 16. Jh. von Spanien nach Deutschland, wo er die Hauptwaffe der Reiterei und später ein Standesabzeichen für Adel, Diplomaten und Offiziere wurde.

**Degeneration** [die], Entartung, das Verkümmern von Zellen und Organen bei Lebewesen.

**Deich** [der], ein schützender Damm gegen die Überflutung des Landes an Flüssen und besonders an Meeresküsten. Das geschützte Gelände wird durch Binnendeiche unterteilt, um bei einem Durchbruch des Deichs den Schaden zu begrenzen.

**Deka** [griech.], Vorsilbe von Maßeinheiten, auch Wortbestandteil mit der Bedeutung »zehn«, z. B. 1 Dekameter = 10 m.

**Dekade** [die], eine Anzahl von 10 Stück, beispielsweise Jahre, Tage.

**Dekadenz** [die], Verfall, kultureller Niedergang.

**Deklination** [die], in der Grammatik die Beugung der Substantive, Adjektive, Pronomina, Zahlwörter

*Delphi: In den Ruinen des Apollontempels wandelt man auf den Spuren des Orakels von Delphi.*

und Artikel durch die Bildung des Plurals oder durch die Verwendung der vier Kasus.

**Delhi**, *Neu-Delhi,* Hauptstadt von Indien, 9,8 Mio. Einwohner. Die Stadt ist seit 1192 Zentrum des indischen Islam und seit 1911 Regierungssitz.

**Delikt** [das], eine strafbare Handlung.

**Delirium** [das], ein Verwirrungszustand, der durch eine Alkoholvergiftung oder durch bestimmte Infektionskrankheiten hervorgerufen werden kann. Das Delirium ist mit Wahnvorstellungen und heftiger Erregung verbunden.

**Delphi**, eine antike Stadt in Mittelgriechenland. Der Tempel des Apollons war bis 392 n. Chr. Sitz eines einflussreichen Orakels.

**Delphine** [Pl.], *Delfine,* eine Familie der Zahnwale, kleine bis mittelgroße Meeressäugetiere. Sie sind in allen Meeren beheimatet, einige dringen sogar ins Süßwasser vor. Sie ernähren sich von kleinen Fischen und Meerestieren. Delphine sind hochintelligente und soziale Tiere. Sie helfen kranken Artgenossen, indem sie sie von unten stützen, auch in Seenot geratene Menschen haben sie so schon gerettet.

**Delta** [das], das Mündungsgebiet eines Flusses mit einem verzweigten Netz von Flussarmen, benannt nach dem griechischen Buchstaben Δ, mit dessen Form die Nilmündung verglichen wurde. Deltamündungen entstehen, wenn ein mündender Fluss seine Strömung verliert und sich die mitgeführten Sinkstoffe absetzen, so dass sich das Wasser zahlreiche Nebenwege suchen muss. Das größte Flussdelta hat der Ganges in Indien.

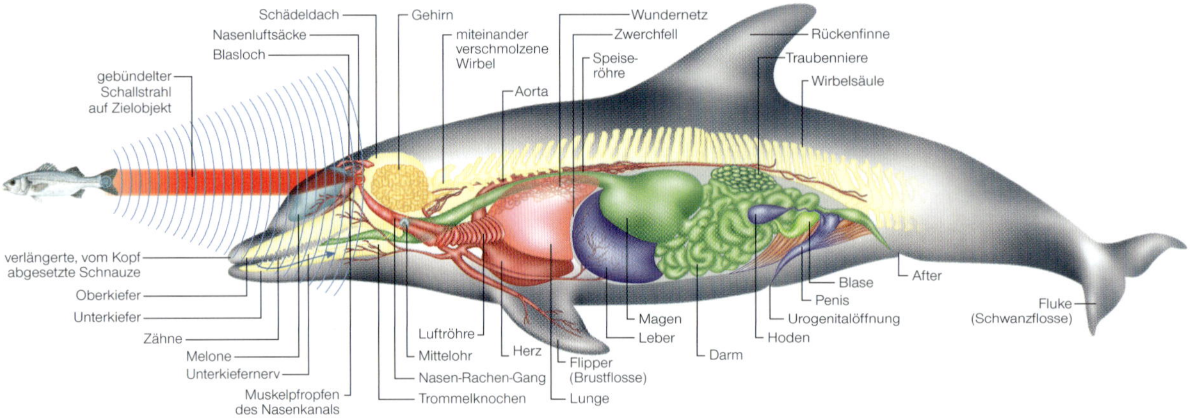


*Delphine (anatomischer Aufriss): Zu den Besonderheiten dieser Meeressäugetiere gehört, dass sie vielfältige Pfeiflaute ausstoßen können, z.T. im Ultraschallbereich. Über die zurückgeworfenen Schallwellen können sie wie bei einem Echolot ihre Beute orten und gegenseitig Kontakt halten.*

**Demagogen** [Pl., griech., »Volksführer«], einflussreiche Redner, der Begriff hatte ursprünglich eine positive Bedeutung; im heutigen Sprachgebrauch Volksverführer, Volksaufwiegler.

**dementieren**, widerrufen, leugnen, bestreiten.

**Demokrit**, * um 460 v. Chr., † um 370 v. Chr.; griechischer Philosoph. Demokrit war einer der größten Philosophen der Antike. Er entwickelte die *Atomistik*, die Lehre von den kleinsten unteilbaren Teilchen, den Atomen.

## *Was ist ...* Demokratie

Demokratie ist eine Staatsform, in der die Staatsgewalt vom Volk ausgeht und direkt oder indirekt vom Volk ausgeübt wird *(Volkssouveränität).* Demokratie entwickelte sich in Europa zuerst in den griechischen Stadtstaaten *(polis)* als direkte oder unmittelbare Demokratie.

**Merkmale der Demokratie:** Zu den wichtigen Kennzeichen einer Demokratie gehören regelmäßig wiederkehrende freie, allgemeine, gleiche und geheime *Wahlen.* Alle Entscheidungen in einer Demokratie werden nach dem Mehrheitsprinzip bei Anerkennung und Schutz der Minderheit getroffen. Gewährleistet sein muss die Bindung der Staatsgewalt an eine *Verfassung.* Diese kann auch die Form von Einzelgesetzen oder Konventionen haben, wie z. B. in Großbritannien. Ferner muss die Sicherung unveräußerlicher Grundrechte (z. B. Glaubens-, Meinungs-, Informations-, Versammlungsfreiheit, Freizügigkeit) gewährleistet sein. Ein weiteres wesentliches Element der Demokratie ist die *Gewaltenteilung,* wonach voneinander unabhängige Organe der Gesetzgebung, Regierung und Rechtsprechung bestehen.

**Hauptformen der Demokratie:** Bei der *direkten Demokratie* werden alle Entscheidungen unmittelbar vom Volk getroffen. Sie ist meist nur in Stadtstaaten oder kleinen Gemeinwesen (z. B. der Schweiz) und auch dort nur teilweise verwirklicht. Durchgesetzt hat sich die *repräsentative Demokratie,* so auch in Deutschland. Hier werden Gesetze von gewählten Volksvertretern (Abgeordneten) beschlossen. Direkte plebiszitäre Entscheidungen *(Volksentscheide)* sind im Ausnahmefall möglich, häufig aber sogar ausgeschlossen. Zur repräsentativen Demokratie gehört die *parlamentarische Demokratie,* bei der die Volksvertretung für die Gesetzgebung zuständig ist und auch die Regierungsbildung bestimmt. Die Regierung bzw. ihre Minister sind dem Parlament verantwortlich. Die parlamentarische Demokratie verwirklicht haben z. B. Deutschland, Großbritannien, Italien. In einer *Präsidial-Demokratie* wählt das Volk den Präsidenten, der zumeist die Ämter des Staatsoberhaupts und des Regierungschefs in sich vereint. Der Präsident ist nicht vom Vertrauen des Parlaments abhängig (z. B. Frankreich, USA). Im Einzelnen kann die demokratische Staatsform unterschiedlich ausgestaltet sein. Entscheidend sind regelmäßige Wahlen, ungehinderte Tätigkeit oppositioneller Parteien und die Möglichkeit von Regierungswechseln.

**Entwicklung der Demokratie:** Die moderne Demokratie entstand aus Glaubenskämpfen des 17. Jh. in Schottland, England und den Niederlanden. In deren Folge übernahmen die protestantischen Gemeinden auch politische Aufgaben. Die moderne Demokratie entwickelte sich ferner aus den im 18. Jh. durch die *Aufklärung* vertretenen Idealen von Freiheit und Gleichheit, die ihre theoretische Ausgestaltung durch J. J. *Rousseau* erhielten: Nicht mehr der Wille des Monarchen (Souverän) legitimierte Herrschaft, sondern der *Gemeinwille* aller Bürger. Den ersten modernen demokratischen Staat

*Im Plenarsaal des Berliner Reichstagsgebäudes versammelt sich der deutsche Bundestag zu seinen Sitzungen.*

bildeten die USA (1776/1783). In Europa wurde erstmals in der *Französischen Revolution* (1789) ein Staat auf demokratischen Prinzipien aufgebaut. Insgesamt verlief die Demokratisierung in den einzelnen Staaten sehr unterschiedlich. Während Großbritannien unter Beibehaltung der Monarchie im 19. Jh. nahezu unmerklich eine demokratische Staatsform entwickelte *(parlamentarische Monarchie),* war dies in Frankreich erst mit der Durchsetzung der republikanischen Staatsform möglich (III. Republik 1870). Die erste deutsche Demokratie *(Weimarer Republik* 1919) erwies sich nicht als stabil und ging 1933 mit der Machtergreifung der Nationalsozialisten unter. 1949 entstand in der Bundesrepublik Deutschland nach westlichem Vorbild eine parlamentarische Demokratie. Die DDR hingegen wurde nach sowjetischem Vorbild zur *Volksdemokratie* umgeformt. Wie im gesamten Ostblock hatte dort die kommunistische Partei (SED) das Machtmonopol in Staat, Wirtschaft und Gesellschaft. Die Entscheidungen wurden in Form des *demokratischen Zentralismus* »oben« getroffen und »von unten« bestätigt. Nach dem Ende des Ost-West-Konflikts und der Auflösung der Sowjetunion (1990/1991) wurde ein Großteil der ehemaligen Staaten des kommunistischen Machtbereichs demokratisiert. Demokratie, *Rechtsstaat,* freie Wahlen und *Menschenrechte* sind heute in Europa als Leitbilder weithin akzeptiert und gleichzeitig Voraussetzung für eine Mitgliedschaft in der *Europäischen Union.*

**Demonstration** [die], eine öffentliche Kundgebung oder ein öffentlicher Umzug mit zahlreichen Demonstranten.

**Demoskopie** [die], *Meinungsforschung,* Umfrageerhebungen in einem ausgewählten Personenkreis zum Verhalten oder zu Anschauungen z. B. in wirtschaftlichen oder politischen Fragen. Je nach der Zusammensetzung des Personenkreises kann man Rückschlüsse auf eine größere Gruppe oder sogar auf die Gesamtbevölkerung ziehen.

**Deng Xiaoping** [dəŋ çjaupiŋ], * 1904, † 1997; chinesischer Politiker (Kommunist). Deng Xiaoping wurde 1954 Generalsekretär des Zentralkomitees der kommunistischen Partei und 1955 Mitglied des Politbüros. 1966 und 1976 wurde er wegen »kapitalistischer« Abweichungen gestürzt, beide Male jedoch wieder rehabilitiert. 1987 schied er aus den Parteiführungsgremien aus, behielt jedoch weiterhin einen überragenden Einfluss. Er versuchte mit seiner Politik, die wirtschaftliche Leistungsfähigkeit Chinas zu stärken, und betrieb eine Öffnung nach Westen. Demokratisierungsversuche wurden jedoch mit allen Mitteln unterdrückt.

**Den Haag**, niederländisch *'s Gravenhage,* Stadt im Westen der Niederlande, 458 000 Einwohner. Die Stadt ist (seit 1831) Residenz des Königshauses und Sitz der Regierung sowie des Parlaments der Niederlande.

**Denunziation** [die], Anschuldigung, Anschwärzung aus niederen Beweggründen.

**Deponie** [die], Müllabladeplatz.

**Deportation** [die], Zwangsverschickung, Verbannung, in demokratischen Ländern unzulässig.

**Depot** [de'poː, das], ein Aufbewahrungsort, d. h. ein Lager z. B. für Wertpapiere, Waffen oder Waren.

**Depression** [die], **1.** Niedergeschlagenheit, eine krankhaft niedergedrückte Stimmung, die mit Minderwertigkeitsgefühlen und Hoffnungslosigkeit verbunden ist. **2.** in der Wirtschaft ein Tiefstand der Entwicklung.

**Derwisch** [der], ein mohammedanischer Bettelmönch.

*René Descartes*

**Descartes** [de'kart], René, *1596, †1650; französischer Philosoph, Mathematiker und Naturforscher. Descartes gründete seine Philosophie auf das Erkenntnisver mögen des Menschen und beeinflusste damit die Philosophie der Neuzeit. Der Mensch kann alles bezweifeln, doch seines Denkens ist er sich gewiss. Diese Erkenntnis gipfelte in dem berühmten Satz »Cogito, ergo sum« (»Ich denke, also bin ich«).

**Deserteur** [dezː ɛr'tœːr, der], ein Soldat, der fahnenflüchtig ist, d. h., der sich eigenmächtig von seiner Truppe entfernt hat; auch jemand, der zum Feind überläuft.

**Design** [di'zain, das, engl., »Entwurf«], die Gestaltung von Geräten und Gebrauchsgegenständen.

**Designerdrogen** [di'zainə-, engl.], aus bekannten Arzneimitteln hergestellte, jedoch mit Hilfe von Computern in ihrer chemischen Struktur abgewandelte Stoffe. Sie wirken wie Rauschmittel und werden in Tablettenform unter Namen wie »Angel Dust«, »Peace Pills«, »Ice« u. Ä. als preiswerter Ersatz für andere Drogen angeboten. Besonders bekannt ist → Ecstasy. Auch → Drogen.

**Desinfektion** [die, lat., »Entseuchung«], die Abtötung von Krankheitserregern, um die Ausbreitung von Infektionen zu verhindern. Die Desinfektion wird mit chemischen Mitteln, durch Abkochen oder Erhitzen sowie durch Bestrahlung durchgeführt.

**Desktoppublishing** [-'pʌbliʃiŋ, das], Abkürzung DTP, Bezeichnung für die computerunterstützte Herstellung von Publikationen (z. B. Bücher und Zeitungen) am Schreibtisch. DTP umfasst das Erstellen bzw. Erfassen von Texten und Bildern sowie ihr Zusammenstellen zu einem ansprechenden Seitenaufbau. Schriften, Texte, Bilder können am Bildschirm beliebig eingepasst, verschoben und ausgetauscht werden, bevor die fertige Seite über einen Drucker auf Papier ausgegeben wird.

**Destillation** [die], die Verdampfung und anschließende Wiederverflüssigung *(Kondensation)* einer Flüssigkeit. Dadurch können die in ihr gelösten festen Stoffe abgetrennt werden. Durch Destillation lassen sich auch verschiedene Flüssigkeiten trennen, die unterschiedliche Siedepunkte haben.

**Detail** [de'taj, das], Einzelheit, Einzelstück.

*Den Haag: Der Friedenspalast ist der Sitz des Internationalen Gerichtshofs.*